JN008127

新編 怪奇幻想の文学 5

# 幻影

Tales of Horror and Supernatural 5

Phantasm

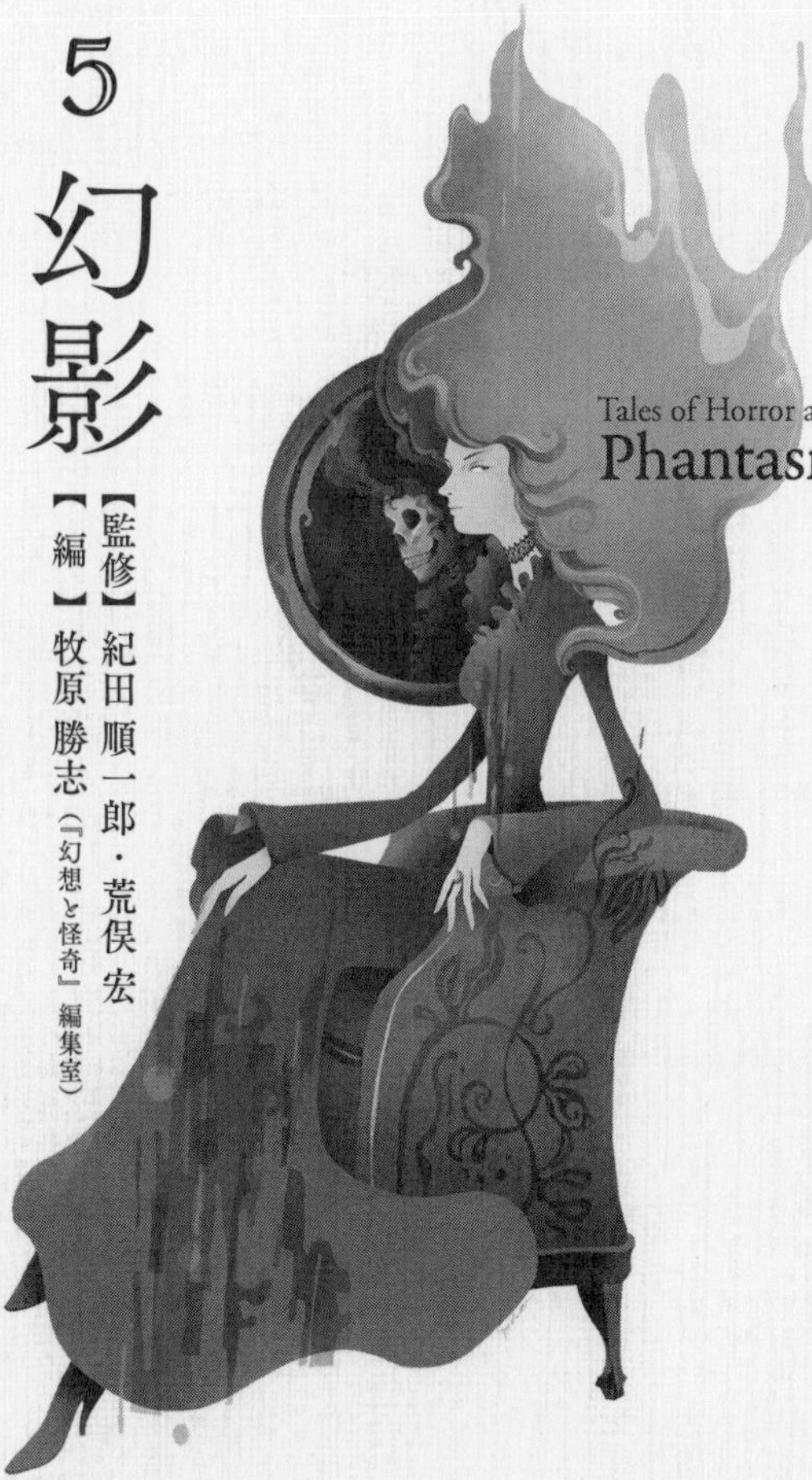

【監修】紀田順一郎・荒俣宏
【編】牧原勝志（『幻想と怪奇』編集室）

新紀元社

# 新編 怪奇幻想の文学 5

# 幻影

Tales of Horror and Supernatural
5
Phantasm

あなたがいま見ている世界は、現実ですか？
答える前に、目を閉じてみてください。
もう一度開いたとき、
見えるのは別の世界ではありませんか？

# 目次

# 新編 怪奇幻想の文学 5

# 幻影

# 編者序文

牧原勝志

「幻影」は、たしかに幻想文学の重要な一要素だが、このあまりに曖昧な概念は、テーマとして一冊のアンソロジーを支えられるものだろうか。本シリーズ企画の母体となった新人物往来社『怪奇幻想の文学』の第七巻『幻影の領域』（一九七八）は、数少ない一例だろう。誰もが心の中に潜ませている狂気と、そこから浮かぶ幻を描いた小説を中心に集めたアンソロジーとして、同書は類例のないものかもしれない。

同書の再構築として、本書では異なる観点から、「幻影」にまつわる作品を選んだ。

現実に身を置く私たちは、どのようなときに幻影を——現実でないものを目にするのか。ふとしたことから束の間に正気を失ったときか。睡眠と覚醒の境が不確かになったときか。あるいは、一瞬の死を感じたときか。そのとき目に映るのは、密かに抱いていた妄想かも、夢とも現実ともつかない眺望かもしれないし、さらには、生きているあいだは目にすることの叶わない「向こう側」ということもありうる。

いずれも、見えるのは私たち自身の心の中にしかない光景だろう。まさに幻影だ。が、その内なる「幻影」が、現実を弛《たわ》め、ゆがめ、さらには壊してしまうことがあるとしたら？　想像力のはたらくかぎり、そうなったらどうなるかを思い描くことは可能だ――そしておそらく、そのときに何が見えるかも。

　ここに集めたのは、あなたの現実を侵食する、想像力の物語である。中には、現実に罅《ひび》を入れたり、穴をあけたりするものも、あるかもしれない、想像力を動かす起因はさまざまだ。夢想、畏怖、記憶、悔恨、執着――そう、誰もが心の中に持っているものばかりだ。そして、それらが制御しきれなくなったとき、あなたの目は何を見るのだろうか。

　ここに収めた十三の物語には、作者の目が捉えた幻影が描かれている。これらの物語で、怪奇幻想の真髄に触れていただきたい。本書は、自由な想像力が創りだす世界への、格好の道案内となることだろう。

# 鏡像

グスタフ・マイリンク
垂野創一郎 訳

Spiegelbilder
Gustav Meyrink

こんな遅い時刻に、なんとも奇妙な深夜営業カフェに入りこんだものだ。暗がりのどこかに掛かる曇《くも》った鏡に顔を向けると、そのたび黒く縁どられて浮かぶ穴を通して見るように、隣の部屋らしきものが目に入る。部屋には白い髭《ひげ》の老人が二人、羊皮紙色に黄ばんだ指に細く長いオランダ石膏パイプをはさみ、身じろぎもせずチェス盤を睨《にら》んでいる。そのほかは何もかも——椅子も卓も壁も——茫《ぼう》っとしていて、老人とチェス盤は、青っぽい濃い煙草《たばこ》の煙に浮いているみたいだ。もしかするとあそこに掛かっているのは額縁のない絵かもしれない——どれほど時が経とうとまるきり変化しない眺めに目をやるたび襲ってくる胸苦しい非現実感を追いやろうと、わたしはそうつぶやいてみた。明日朝早くお前の船は出るじゃないかと、脳のなかで別の考えが慰めるように寄り添ってきた。しかしそれは——得体が知れず、気味のわるい、死んだ港町から——その辺鄙な片隅に罠にかかった鼠みたいに引き止められているこの町から——脱出できる希望というか喜びのようには、わたしの心を動かさなかった——むしろそこには陰鬱な風味があって、その考えのなかでは、両義的《アンビヴァレント》な何かがこんなふうに囁《ささや》いている。明日早朝にわたしを乗せて出港するはずの船はカロン*の舟で、ステュクスを渡って〈彼岸〉に行くのだと——彼岸の国はわれわれの国と、鏡像が現実と似ているように似ているのだと……。わたしは霧の息づく運河を窓ガラス越しに食い入るように見つめた。家並みを掠めて流れる運河は黒い空と溶け合い、高さと広さが互いに相手を呑む空漠へぼやけている。ガラス窓に石炭舟の不鮮明な輪郭が映り、船首にちっぽけな赤いランタンを点けてゆっくり遠ざかっていく。あの舟が動いているのは戸外の水面だと教えてくれるものは何もない――それは――そう、それは、ほんとうは――わたしが座るこの部屋を漂っている。そんなふうな感じで自分がだんだんと鏡の世界に運ばれるのが意識されてきた。するとそれを裏付けるように昔の思い出が浮かびあがった。白い教会塔が水面にあざやかに映《は》え、河には鉄橋が架かっている。学童のわたしがそこを渡るのが見える。そして陽に輝く湖畔のアルプスの村。

だが今になって鏡像のようにわたしに襲いかかる、過去の若い頃の体験について知ろうとは思わない。わたし自身の他は生きた証人のいないできごとのようにわたしを襲うものについて――明日わたしの船は出る。そうすれば今日という日はただの――鏡像になる。わたしはもう一度顔を四角の穴のほうに向けた。その奥の鏡にチェス指しが二人、わたしをしっかり現在に引きとめるつもりか、いよいよ動かず死体のように座っている――老人のひとりは顔を皺《しわ》だらけの手で覆い、もうひとりは目をこちらに向けている。それともはじめからずっとわたしを見ていたのか――もちろんそうだとも。ずっとあいつはわたしを見ていた。もう何年も前から――奇妙で薄気味悪い類似がわたしを愚弄しているのか。とうに壊された建物の最下階に、かなり昔のことだがひっそりした深夜営業カフェがあっ

**カロン**　（ギリシア神話）冥府の川ステュクスの渡し守。

て、他でもないあの老人が、チェス盤を前に何度もわたしに向かい合って座った。わたしたち二人は、夜が明けるまでその界隈をうろつく胡乱《うろん》な男どもを気にもせずおそろしく大胆な勝負をしたものだった。

当時わたしの住んでいた町では、誰もがナルシス博士とその老人を呼んでいた。本名を尋ねるものはまれだった。擦り切れた粗末な服を着て、職に就いているふうでもなく、カフェや飲み屋をうろつき、チェスの勝負でせしめた小銭で暮らす男の名など、誰が気にするだろう。噂では若いころは哲学を学ぶ貧書生だったそうだ――今も美男とはいえず、昔そうだったとも思えないのに、なぜナルシス*なんて突拍子もない仇名がつくようになったかは知らない。思うに、わたしと同じように老人に見込まれて、その妄執を打ち明けられた人がそう名づけたのだろう。

かれがわたしを信頼して秘密を打ち明けたのは、ある年のクリスマスの夜、チェスの勝負が引き分けに終わって、互いに黙然と相手を眺めていたときのことだった。ちょうど今、隣の部屋の老人と暗い部屋にいるわたしが、曇った鏡を前に互いを見つめているような感じだった。あのときだしぬけにナルシス博士は喋《しゃべ》りだした――隣室の老人に話しかけられたように今その声がはっきり耳に響く――

「引き分けとは！　勝負で勝てなかったのははじめてです。これまではどんな勝負にも勝ってきたのに――チェスの勝負に限らず！」そう言うとナルシス博士は自分が実在しているか確信の持てない人のように自分自身を見回し、それから長々と思わしげに冬でも履いているみすぼらしい防水靴を眺めた。そして魂の抜けた人のように、己に語りかけるように話を続けた。わたしは老人が正気をなくしたかのような印象を受けた。「わが敬愛する好敵手さん、今あなたがわたしの前に座っているのと同じに、むかしある夜、まだ貧しい学生のころ、脳みそをなくすほど勉強して、とうとう自分の前にわたしが座るようになったんです。そうなんです。自分と向かい合ってたんです。むろん鏡の前で。おかしくもなんともないって、あなたは言うでしょうね。でも」――ここで老人の声はにわかに秘密めいた調子になった――「でも、奇妙なことに、われわれ二人が――鏡のなかにいるものも、鏡の前にいるものも――立ち上がろうとしたとき、ひとりだけがあとに残りました。脳を壊すほど勉強したほうじゃなくて、鏡のなかでそいつを真似たほうが――。そいつこそわたしなんです。いえいえ、冗談なんかじゃありませんとも。もしわたしがあのとき鏡のなかにいたほうじゃなかったら、鏡のそとのもうひとりが頭に詰め込んだことを、わたしは知ってるはずじゃありませんか。でも何も知らないんです。このことから正しく、鏡のなかからかれを眺めたものはわたしでしかありえないのが結論できます。わたしにできるのはチェスだけなんです。世界にどういう知識があろうと、幸いにもわたしとは無縁のままです」

　あの夜引き分けに終わった勝負が、博士との最後の対戦になった。わたしはできるかぎりかれを避けた。精神病者を相手にチェスをしたと知って、わたしまでが発病するような気がしたから――

　昔の苦い思い出からわれに帰り、わたしはふたたび外の暗く黒い水の都に目をやった。影みたいなものが窓ガラスの向こうからこちらを窺《うかが》っているが、もちろんそれは自分自身でしかありえない。そのとき不意に、隣室の老人のひとりが話す声が耳に入り、こんな言葉が聞きとれた。「……鏡の前で差

**ナルシス**　（ギリシア神話）ナルキッソス。水面に映る自分の姿に恋したばかりに命を落とした美少年。

し出した右手に、すぐさま左手が応じるとは、なんと奇妙なことでしょう。誰もこれについて考えなさすぎます。鏡に全身を映してみれば、そのなかに見えるのは自分ではなく、むしろ亡霊です。地上のどこにもいるはずのない見知らぬものです。右であるものは左になります。いわゆる〈左手の巨匠〉なるものが——聖書の神ではなく——世界を創造したことは、誰もが知ることではありません。この地上のわたしたちの世界は、つまるところはサタンによる現実の鏡像にすぎず、現実そのものについてわれわれは何も——まったく何も！——知りません。そう推測せざるをえないと考えると胸が潰れます。われわれ二人はそこで盤を前にして夜の半分も座り、自分たちはチェスの勝負をしていると想像しています。だが現実には、鏡のなかの世界のように、指し手を模倣しているにすぎないのかもしれません……」

それに続く最後の言葉は聞き逃した。わたしはまわりを見た。この部屋の暗がりから開いた仕切り扉越しに見える隣の部屋には誰もいなかった。白帽をかぶった老いた女給仕が、そこからわたしのテーブルにやってきて言った。「チェス盤を片付けていいですか、お客さん《メインヘール》（オランダ語）。それとも灯りをつけましょうか。お客さんはいつも自分を相手に勝負されるのですか。あいにくチェスができる人は来ていません。もしいたら相手をしてもらうようお願いできるんですけれど」

「ほんの今まであそこに座っていた二人の紳士はどこに行ったんだい」面食らってわたしはたずねた。

「二人の紳士ですって？」それが答えだった。「でも隣の部屋にはずっと誰もいませんでしたよ」……

わたしは黙って勘定を払い、マントを着て外に出た。余計な詮索をせずにすむよう「明日船が出る」としきりに自分に言い聞かせながら。それにしてもチェスを戦わせていたもう一人の老人は誰だったのだろう——あの、ずっと片手で隠していたために顔の見分けがつかなかったほうの人は——。かれの相手は——喋っていたほうは——ナルシス博士だった。わたしの記憶に隠れて生きていた姿そのままだった。だがもうひとりは誰だったのだろう。

# 古い衣

アルジャーノン・ブラックウッド

渦巻栗 訳

Old Clothes

Algernon Blackwood

想像力豊かな子どもは、生活のなかで奇妙なことを尋ねる上に、神経が繊細だから、両親をよろこばせることよりも、心配させることのほうが多いに違いない。その一例がやもめになったいとこの子であるアイリーンで、私ははじめて会ったときから、そうした子どもの特徴が奇妙なほどはっきり表れていると感じていた。しかも、彼女には初対面で気に入られてしまったので、優しいおじのように接するはめになった（彼女の母親の目にはそう映っていた）が、逃げ出すわけにはいかなかったし、逃げ出すつもりもなかった。それどころか、私はこの風変わりで気まぐれな少女が大好きだった。ただ、助言しづらいこともままあった。彼女にはいくぶん突飛なところがあったから、経験を積んだ専門家の助言が必要だったのはまちがいない。

それはなにも、彼女のごっこ遊びが異様なほど真に迫っていて、忘れられないからというだけではなく、目に見えぬ遊び相手と何時間も話す（彼らに触れたり、口をすぼめて接吻してもらおうとしたり、彼らが出入りできるように扉を開けたり、椅子や足のせ台や花を用意したりする）からでもない。というのも、子どもの多くは、私の経験からすると、そうした行動をするし、とても真に迫ったごっこ遊びをするからだ。だが、彼女はそれだけでなく、彼らから聞いたことを固く信じて疑わなかったから、その話が生活に、ひいては健康にも影響していたのだ。

彼らが語る物語では、どうやら、彼女が中心人物を演じていたらしい。しかも、こうした物語は、心安らぐものでも健全なものでもなかった。彼女が部屋の隅に座ると、母親も私も断言できるが、その正面では、空想の〈なにものか〉が、ていねいにしつらえられた椅子を占めるのだ。足のせ台は正確な位置に置いてあって、彼女はときおり、あちらへこちらへ動かす。目に見えぬ両肘がのっているテーブルは彼女のそばにあり、花瓶の花は客にあわせて変わった。こうして、彼女は身動きもせず、一度に一時間ほど、話し相手の不可視の相貌をじっと見あげる――この人物が語る物語で、彼女が演じているのは、ひどく胸にこたえる役なのだ。顔が一変してさまざまな感情が入り乱れ、目が大きく見開かれて潤み、怯えた表情を浮かべることもある。笑い声をあげることはめったになく、ささやき声で尋ねることもめったにないが、からだをこわばらせて聞き入っていることはよくあり、目に見えぬ唇からこぼれる、耳に聞こえぬ話に不気味なほど熱中していた――しかも、話の主役は彼女自身なのだ。

だが、こうした奇怪な物語は身も凍る恐怖をかき立てて、彼女の繊細な心身は、まだ八歳だというのに蝕《むしば》まれていった。母親は、悪気こそなかったが、軽率にも娘を冷やかしてしまい、彼女は人目を忍んでごっこ遊びをするようになった。神経にも性格にも深刻な影響が出てきたため、私に声がかかった。いつもとは異なる、相談役として屋敷まで来てほしいということだったが、ありがたいとは思えなかった。

「それで、ジョージ、わたしはどうすればいいと思う？　ヘイル先生が言い張るのは、もっと運動しろとか、もっとひとと遊べとか、海風を浴びろとか、そんなことばっかりなんだけど、どれも効果がないみたいなのよ」

「あの子には率直に話したのかい。というか、あの子は率直に話してくれたのかな？」と優しく訊いてみた。

　この質問にはいささか腹が立ったらしい。

「当然でしょ」力のこもった答えが返ってきた。「子どもは母親に隠しごとなんてしないわ。あの子は心からわたしを信じているのよ」

「でも、あの子を笑いものにして、ごっこ遊びをやめさせようとしたんじゃないのか？」

「たしかにそうだけど、うまくいったわ。おかげで、ああいう会話は前よりもずっと減ったし――」

「こっそりやるようになったんだろう？」と意見を述べてみたが、それがなによといわんばかりに肩をすくめられただけだった。

　またしても沈黙がおりたが、いとこが心を痛めている上に、私も幼いはとこの風変わりな想像力が気がかりだったので、仕切りなおそうと思い立った――

「ごっこ遊びというものは」と所見を口にした。「おとなにとって、昔からある種の謎なんだよ。なにしろ、人生を通じてごっこ遊びにふけっているくせに、もう信じていないんだからね。でも、アイリーンのような子は――」

彼女はすぐに口を挟んだ――

「わたしがなにを心配しているか、わかっているでしょ」そう言うと、声を低めた。「わけもなく気をもんでいるわけではないのよ」そして、隠し立てもせずにつけくわえた。顔をあげて、真剣なまなざしで私の顔を見つめた。「ジョージ、力を貸してほしいの――全力を貸してほしいのよ。あなたは昔からずっと、心の友だったから」

私は答えるにあたって、慎重に言葉を選んだ。

「テレサ」と力をこめて真剣に言った。「父方にも母方にも精神病の気《け》はないし、私が見たところ、アイリーンはどこをとっても健全だよ。想像力がずいぶんたくましいのはたしかだけどね。だが、なによりも大事なのは、この想像力を内面に押しやらないことで、笑いものにするなどもってのほかだよ。おのずと表れるようにして、その――しつけるんだ。理解をもって思いやり、導いてやる。なにもかも話してくれるように仕向ける。アイリーンの様子は注意深く観察すべきだと思うが――それだけのことだよ」

数分の間、彼女は無言で私の顔を見ていた。熱のこもった目つきで、顔がかすかにひきつっている。そんな様子から、なにを考えているのかすぐにわかった。彼女が本題に入るまで、ぎこちなくてまわりくどい話がつづいた。というのも、彼女はそれを恐れていた上に、天国のものか、地獄のものか、はっきりわからなかったからだ。

「あなたって本当にすごいわ、ジョージ」彼女はしばらくしてから言った。「なにがあっても、だいたい説明できるなんて――」

「憶測だけどね」私はそう言って認めた。

「それに、催眠術の力は便利でしょ。だから――もし――もし安全だと思うなら、神さまだってお怒りにはならないはず――」

「テレサ」私は強い口調でさえぎり、彼女が話にのめりこまないようにした。そうなったら、私が断った場合に気分を害するかもしれないからだ。「ひとつ言っておくけど、子どもは催眠術の実験台に向いていないと思う。きみのように分別があるひとならわかるだろうけど、そんな実験は許されないぞ」

「わたしが考えていたのは、ちょっとした『暗示』をかけることよ」彼女はぶつぶつとつぶやいた。

「それなら母親のほうがずっとうまくやれるだろうね」

「冷やかしたせいで力を失っていなければの話だけど」彼女は素直に本音を言った。

「たしかに、笑い飛ばすべきではなかったな。そもそも、どうしてそんなことをしたんだ？」

そこで彼女の目に現れた表情は、私の経験からすると、病的に興奮しやすい人間が泣き出す前兆だった。彼女はあたりを見まわして、だれも聞いていないことをたしかめた。

「ジョージ」彼女がささやき声で言うと、九月の日暮れ時の薄闇へ溶けこむように、なんらかの影が目の前を通りすぎ、突然、不可解な冷気が漂った。「ジョージ、わたしは確証をつかみたいのよ――すべてが本当にごっこ遊びだって――」

「どういうことだ？」私はそう言った。きつい口調になったのは、自分の胸騒ぎを隠すためだ。だが、その瞬間、涙があふれ出して、筋の通った説明などやりようがなくなってしまった。母親がわが子に対して抱いている恐怖が一気に噴き出した。

「怖いの——恐ろしく怖いのよ」彼女は涙まじりに言った。

「あの子の様子を見てくるよ」私がなだめるように言ったのは、しばらくして嵐が収まってからのことだった。「ひと走りして子ども部屋まで行ってくる。心配しなくていいよ。アイリーンは大丈夫だ。私もいろいろと力になれると思うから」

## Ⅱ

子ども部屋では、いつも通り、アイリーンはひとりだった。見ると、開けた窓のそばに座っていて、正面にはだれも座っていない椅子が置いてある。彼女はその椅子をじっと見つめていた——いや、椅子の上の空間を見つめていたというべきか。だが、あの様子を述べるのは簡単ではない。どういうわけか、椅子になにものかが座っていて、彼女と話しているように思えてならなかったのだ。彼女の物腰のせいでそう感じられたのだろう。彼女はすぐに立ちあがった。私が入ってきてびっくりしたらしい。だれもいない椅子のほうを向いて、握手するような身ぶりをした。それから服を手早く整えると、別れを告げたのか、帰したのか、友達を相手にしているかのように軽くうなずき——こちらを向いた。ありえないと思われるだろうが、たちまち、あの椅子がなんとなく変わったように見えた。空席になったのだ。

「アイリーン、いったいなにを企んでいるんだい？」

「おじさんならわかるでしょ」彼女は迷わずに答えた。

「まあね。私にはわかるとも」私はそう言って、まずは彼女の気分に入りこもうとした。あとでそこから連れ出すのだ。「私だって、自分の物語に出てくるひとたちと、そういうことをしているからね。話しかけたりもするし――」

　彼女がそばにやってきた。まるで生死にかかわるとでもいうかのようだった。

「でも、そのひとたちは答えてくれるかしら？」

　そこで気がついたが、彼女からすると、この質問はものすごくまじめなものなのだ。重大といってもいいかもしれない。下階でいとこが呼び起こした影は、ここまでついてきていた。それが肩に触れたのだ。

「答えてくれなかったら」私は言った。「本当に生きているとはいえないし、物語を読んでもらっても、なかなか人気にならないだろうね」

　束の間、彼女にまじまじと見つめられた。ふたりそろって、開けた窓から身を乗り出すと、下の芝地からセイヨウバクチノキの豊かな芳香が立ちのぼってきた。この娘の近くにいると、独特の雰囲気がはっきり感じられた。その雰囲気には、私がかつて知っていたなにかを彷彿させるものが満ちみちており、おぼろげな心像さえ浮かんできそうだ。そう感じることは前からよくあったものの、素直にはよろこべなかった。というのも、そうした心像は、なにかしらの心揺さぶる場面から切り出されたものらしかったが、いつも正体を解き明かすことができなかったのだ。私もなんとなく理解していたが、この子のまわりに漂うなにかのせいで、母親は怯えているのだろう。そこで一瞬だけ頭に浮かんだ印象は、とらえどころがなかったが、痛ましいほどの実感を伴っていた。つまり、彼女は、本来なら知っているはずのない、苦悩の日々を知っているのではないか。荒唐無稽な考えだが、たしかにそんな気がする。そのせいか、深い共感を覚えた。

　アイリーンには、共感していることを見抜かれていたに違いない。

「フィリップったらほとんどしゃべりどおしだったわ」彼女は自分から話しはじめた。「いつもいつも説明ばっかりで――なかなか終わらないの」

「なにを教えてくれるんだい、〈月の子〉さん？」私は優しく話を促した。呼びかけに使ったのは、彼女がもっと小さいころに気に入っていた名前だ。

「どうしてわたしを助けるのが間に合わなかったかって話よ。決まってるでしょ」彼女はそう言った。

「ほら、あのひとは両手を切り落とされちゃったから」

　あのときのことは決して忘れられないだろう。子どもから空想の話を聞かされて心を動かされた上、ある種の酷烈な現実感が頭に入りこんできて、彼女の話が真実であり、「塔のお姫さま」を助けようとする類《たぐい》のつくり話などではないと悟ったのだ。思念が鮮やかな流れとなってほとばしり、自分の両手首に意識が集中させられているような気がして、彼女が口にした仕打ちが痛みとなって感じられそうだった。すばしこい本能が引きとめる間もなく行動に移り、私は両手を見られまいとしてコートのポケットにつっこんだ。

「それで、『フィリップ』はほかにどんな話をしてくれるのかな」私は優しく尋ねた。

　彼女の顔が紅潮した。涙が目に浮かんだが、やがて消え去り、柔らかな色合いの巣からこぼれおちることはなかった。

「わたしをものすごく愛してたって言ってた」彼女が答えた。「最後の最後まで愛してたって。わたしがいなくなってからも、自分の両手を切り落とされてからも、わたしのためにずっとずっと祈ってたんだって——身を隠していた、世界の果てから——」

私はまとわりつく悲劇の雰囲気をやっとの思いでふり払い、なすべきことを悟った。彼女の想像力をもっと快活なはけ口に導いてやらねばならない。自分の興味よりも義務を優先させなくては。

「それなら、フィリップに頼んで、愉快で楽しい出来事も話してもらわないとね」私はそう言った。

「ほら、たとえば、手がまた生えてきて——」

彼女の顔に浮かんだ表情を見て、私の血は文字通り凍りついた。

「それはただのつくり話でしょ」彼女は氷のような声で言った。「手は二度と生えてこなかったもの。幸せなことも楽しいこともなかったの」

私は頭を探って、妙案をひねり出そうとした。どうすれば彼女の精神を導いて、もっと健やかな話をつくるように仕向けられるのか。これまでにないほど身に染みて感じられたのは、自分がこの父親のいない風変わりな子どもを深く愛していて、魂をなげうってでも彼女を救い、楽しませたいと思っていることだった。そこで湧きあがってきたのは真の愛情であり、自分でも理解できない深みに根差していた。

だが、ふさわしい答えを思いつく間もなく、彼女がからだをすり寄せてくるのを感じた。そこで彼女から聞かされたのは、しばらく前から、魂の秘められた片隅で、彼女から聞かされるのではないかと恐れていた言葉だった。それを聞いて、内側から揺さぶられたように思った。ほんの一瞬だけ、言い表しようのない苦痛を覚えたが、いまとなってはその正体を解き明かすこともかなわない。

「おじさんならわかるでしょ」彼女はそう言ったのだ。「だって、おじさんはフィリップなんだから！」

　彼女の口調は――とても静かだった。しかも、その言葉は、穏やかながらも憐れんでいるような、あきれているような響きを帯びていたものの、彼女の小さなからだに満ちあふれている、燃えるような愛情で金色に輝いていたから、私は束の間、口がまったくきけなくなった。ただからだをかがめて、片腕をまわし、彼女の頭に口づけした。この子の背丈では、かがんでもあごのさきが頭をかすめるだけだった。誓ってもいいが、私はあの子を一途に愛しており、ほかのだれかを愛したことなどないように思えた。

「それなら、フィリップがありとあらゆる楽しい出来事を語ってあげよう。新しい手だってあるんだ」自分がそう言ったことはいまでも覚えている。愚かながらも善意のつもりだった。「なんてったって、もう悲しくないし、楽しくてたまらないからね。きみのことがますます好きになってしまったのさ」

　そして彼女を抱きあげると、屋敷の長い階段をおりて庭に出た。そこで犬たちといっしょになって、はしゃぎながら走りまわったが、やがて上階の窓から世話焼きのケンプスターが顔を覗かせ、寝る時間だとか夕食を食べなさいだとか、くだらないことを叫びはじめたため、アイリーンは、顔を赤らめながらも、いっそう目を輝かせて屋敷に駆けこんだ。戸口のところでふりかえり、整っているとはいえない小さな顔をこちらに向けると、満面にほほえみを浮かべて笑い声をあげた。

しばらくの間、私は紙巻きたばこを吸いながら、昔ながらの庭園の、四角く刈りこまれた生け垣の合間を行ったり来たりした。頭にあったのは、あの娘と奇妙な空想のこと、そして彼女が私の胸に呼び起こす、心を根底から揺さぶってかき乱す感情のことだった。彼女の顔がそばで見え隠れし、影にまぎれた。あの子はかわいらしいというわけではなかったが、その容貌には独特の魅力があって、私は強く惹かれていた。頭は大きくて、どことなく古風なところがある。目は黒いが大きくはなく、間隔は狭い。口も大きくて、美しいとはいいがたい。だが、心を痛め、胸を焦がしているような表情がときおりその面をよぎると、好ましいこととはいえないのだが、彼女の場合は別で、たちまち美しい顔に変貌する。それは魂の美であり、その魂は苦難と深い悲しみを経験してきたのだ。とにかく、私の心眼には娘がこのように映っていたから、そうした姿が頭に浮かぶような文章しか書けない。私が画家だったら、彼女を題材にして、空想の肖像画を描いていたかもしれない。題名は「輪廻転生」がいいだろう――なぜなら、いままで目にしてきた幼少期の出来事で、これほど強烈な印象を残し、古い魂が新たな若い肉体を――新しい〈衣〉をまとってこの世にもどってくるという、かの奇妙な考えを思い起こさせるものはなかったからだ。

だが、夕食のあとでいとこと話しながら、なにも心配ないという口調で彼女を元気づけ、アイリーンは異様なほど鮮やかな想像力に恵まれているから、時間をかけて、もっと実生活で役立つ方向にしつけなければならないとか、そうしたことをしゃべっている間、あの子が口にしたふたつの言葉が、頭のなかでずっと鳴り響いていた。ひとつは――容赦のない洞察力で、私が「つくり話」をしているだけだと見抜いたときの言葉。もうひとつは、絶対にたしかだという静かなすごみをこめて、秘密を教えてくれたときの言葉だ。「フィリップ」は——私自身なのだ、と。

## III

数か月にわたって、大物を狙う狩猟旅行に出かけたため、当座の間、優しいおじの役を演じる必要はなくなった。とにかく、行動の面ではそうだった。というのも、いくつかの思い出が奇妙なほど鮮やかに残っており、慌ただしい野営暮らしに没頭していてもなお、消えないでいたからだ。夜のテントで眠れぬまま横になっているときや、獲物の跡を追って密林を進んでいるときによくあったが、こうした心像が飛び出してきて、注意を奪われた。苦悩するアイリーンの小さな顔が、ライフルの照星に重なって現れる。またあるときは、彼女から自信たっぷりに告げられた、おじさんは空想上の「フィリップ」だという言葉が、生々しい現実感を伴って襲いかかってくる。それも尋常ではないほど生々しく、説明をこじつけなければ打ち消せなかった。一度ならず、ふと気がつくと、彼女の悲しげで真剣な相貌を思い浮かべていた。「フィリップ」は最期まで愛してくれたし、手を切り落とされていなかったら、自分を救ってくれたはずだと話していたときの顔だ。私の想像力は、どうやら、子どもが空想したさまざまなことをひとつの物語に仕立てているようだった。というのも、手の一件を考えると、必ず両手首に疼痛を覚えたからだ……！

春になってイングランドにもどると、一家が海にほど近い屋敷に引っ越したことを知った。崩れかかった古い家で、ミヤマガラスが住みついており、いとこの父親は生前にほとんど使っていなかったし、彼女は家主になってからも賃貸できないでいた。すぐに来てほしいという手紙が届いたので、私は帰国した翌日に出発し、荒涼たるノーフォークの沿岸へ向かった。胸騒ぎが高じて不吉な予感へと変じたのは、辻馬車が玄関へつづく長い道に入り、古い館の陰鬱な灰色の外壁が目に入ったときだった。海風が庭に吹き寄せて、塩気をふりまいており、嘆くような波音は窓辺まで届いていた。

「なんだってこんなところに引っ越したんだ」私が真っ先に考えたのは、そんなことだった。「どう考えても不向きじゃないか。ふさぎがちだったり、繊細すぎたりする子どもを連れてくる場所じゃない」それにくわえて、私が愛情を注いで気にかけている、あの幼い子どもの身になにか起きたのではないかと恐れていたが、その懸念はいくぶん薄らいだ。玄関に出てきたいとこは、両腕を広げてにこにこしていたからだ。もっとも、明るく迎えてくれたのは、じきに気がついたが、私が来て安心したからだった。たしかに幼いアイリーンには変化が起きていたものの、私が恐れていた最悪の事態ではなかった。彼女を襲った精神の病は深刻で、私がいない間、医者は海辺に連れていきなさいと言い張っていた。いとこは判断力に優れているわけではないから、古い屋敷を改装して療養に使うという考えに飛びついた。数週間かけて改装を行い、一棟が住めるようになった。狙い通りにいけば、身のまわりががらりと変わったことで、少女の頭は、これまでとは異なる楽しい考えでいっぱいになるはずだった。ところが――結果はまったく正反対だった。娘は、古い外壁を目にして、潮の香りを嗅いだ途端、狂乱したように泣きわめいたのだ。

だが、話しはじめて十分もしないうちに叫び声があがり、ばたばたという足音がした。だれかが駆け寄ってきたかと思うと、黒い髪をなびかせて、私の胸に飛びこんできた。それは泣きじゃくっているアイリーンだった――

「来てくれたのね。やっと来てくれたのね！　わたし、とってもうれしいわ。前と同じように、おじさんが捕まっちゃうかと思ってたの」私から離れると、母親に走り寄って口づけし、涙を流しながら楽しそうに笑い声をあげ、現れたときと同様、いきなり部屋を出ていった。

　いとこを見ると、怯えて仰天しているような目をしていた。

「ほら、おかしいでしょ」彼女は押し殺した声で言った。「おかしいでしょ。あれは楽しくて泣いているのよ――あの子が笑っているところを見たのは、先週引っ越してきてからはじめてだわ」

だが、そう言われて、思わずいらついてしまった。「なにがおかしいんだ？」私はそう訊いた。「アイリーンはなついてくれているんだから、うれしいことじゃないか――」

「違う、そうじゃないの」彼女は急いで言った。「おかしいっていうのは、つまり、あの子がこんなに早くあなたを見つけたからよ。イングランドにもどってきたことは知らせていないし、そもそもケンプスターや犬といっしょに砂地で遊ばせていたの。そうすれば、あなたが娘と会う前に、なにもかも話しておけると思って」

　私たちはまともに目を見あわせたが、互いに心から共感しているわけではなく、すっかり理解しているわけでもなかった。

「だって、娘はあなたがここにいるってちゃんとわかったのよ――到着したばかりなのに」

「いや、そんなのはたいしたことじゃない」私はきっぱりと言った。「子どもの察知能力は動物とよく似ているんだ。あの子は、お気に入りのおじのにおいを海辺で嗅ぎとったんだよ。ちょうど犬みたいにね」そう言って、彼女に笑いかけた。

ここで笑い声をあげたのは、おそらくまちがいだったのだろう。よかれと思って明るくふるまってみたが、大げさだったのかもしれない。なにしろ自分でもうそくさく聞こえたのだ。

「娘と結託しているんでしょう――わたしは蚊帳《かや》の外ってことね」そんな答えが返ってきて、目に宿る怯えがいっそう強まった。彼女が気をもんでいることは、玄関先で会ったときから察していた。どう答えてもうそになってしまいそうなので、ただ彼女の頭のてっぺんに口づけした。

しばらくして、お茶の食器類が片づけられたのち、ことの次第を正確に教えてもらった。いとこがうろたえていて、話を誇張していたとしても、常識の範疇で説明できないことがいくつかあるようだった。順を追って書き記すとささいなことに思えるかもしれないが、それらが私の精神に与える影響はじわじわと強まっていき、ついには強烈で厭《いと》わしい絶頂を迎えたので、私は全力を尽くして、そのことを気取られないようにしなければならなかった。広々とした薄暗い部屋に座って、いとこが「子どもっぽい」ふるまいについてしどろもどろに話すのを聴いていると、そこにはきわめて重大な意味が秘められているように思えてきた。眼前の彼女は思いつめた顔をして怯えており、肌寒い春の宵には欠かせない、暖炉の揺らめく光だけに照らされている。思いなしか、話題にしている人物が、大きな古い館の陰鬱な広間や廊下を走りまわっているような気がした。悲劇に見舞われた幼い子どもが、自分だけの世界で笑い声や叫び声をあげ、夢を見ている――すると、心の内で、好ましからぬ感覚が湧きおこった。なだめがたく荒れ狂う力が、ごく薄い幕に隔てられて、平凡な日常生活のすぐ背後に潜んでいるのではないか。それらはいまにもほとばしり出て、私たちの目の前で謎めいた役を演じるのではないか。

「これまでにあったことを正確に教えてほしい」私はせきたてた。有無をいわせぬ口調になったが、思いやりもこめた。

「たいしたことはないのよ。言葉にすると本当にたいしたことじゃないの、ジョージ。でも――そうね、最初にぎょっとさせられたのは、あの子が――ここをすみずみまで知っていたことかしら。いままで来たことはなかったのよ。廊下も階段もぜんぶ知っていたけど、わたし自身はほとんど知らなかった。娘は海に出る地下通路も見せてくれたんだけど、あれはお父さんでも知らなかったわ。あと、あの子が描いた屋敷の絵は、三百年前とそっくり同じ姿だった。いまはムラサキブナが生えているところに別棟が建っていたころよ。細かいところまで同じだったわ」

　相手がいとこのような気性の人間とあっては、出生前の記憶にまつわる理論や、彼女の知っていることが思念となって娘の脳に伝わった可能性を説明するのは無理だった。それゆえ、私はあまり口を開かず、もっぱら聞き役にまわったが、懸念は恐ろしく膨れあがっていった。

「娘は庭をめぐる道をすぐに見つけたわ。いままでずっとそこを遊び場所にしていたような感じだった。いつもいろいろなひとの絵を――男も女も――描くんだけど、みんな昔の服装なの。ほら、ひいおじいさんとかひいおばあさんが着ていたような服よ――」

「いや、ちょっと待った」私はしびれを切らしてさえぎった。「それは別におかしくないだろう。あの子だって成長したんだし、絵を見たら、記憶をもとに模写できるはず――」

「そうね」彼女は落ち着いて話をつづけた。だが、落ち着いていたのは、恐怖に魂を蝕まれて、ほかのささいな感情がすべて飲みこまれてしまったせいだった。「そうなんだけど、あの子が覚えた顔のひとつは――肖像画の人物なのよ」

彼女はだしぬけに立ちあがると、石造りの大きな暖炉の前を通って、こちらにやってきた。声を低めると、ささやき声で「ジョージ」と言った。「その人物というのが、あの恐ろしい――デ・ローンなのよ！」

そう告げられて、正直なところ、私は戦慄した。かの父方の先祖は、過ぎ去りし日々に残虐非道な行いをしていたという話が伝わっており、少年時代の私は想像力を大いに刺激されたものだった。だが、いまにして思うと、震えが背筋を伝ったのは、幼いアイリーンが記憶を頼りに鉛筆を走らせ、忌むべき人物を描いているさまを思い浮かべたからだった。その上、いとこの顔が怯えるあまり青ざめていたので、心を揺さぶられた。だが、私が口にしたのは、その場ではもっともらしいと感じられた、分別くさい言葉だった。

「まさかこの家に幽霊が出るとでもいうんじゃないだろうね、テレサ」私はそれとなく言ってみた。

彼女はどうでもいいという風に肩をすくめたが、そんな様子からも、このいっそう根深い恐怖の強さがよくわかった。

「それだったら、話は簡単なんだけどね」と彼女は言ったが、目をあげもしなかった。「幽霊は一か所にとどまっているでしょ。アイリーンでも連れまわせないわ」

いまにして思えば、彼女も私も、そこで話が途切れたことをありがたく感じていた。その隙に、私は体勢を立てなおし、これから聞かされるであろう告白に備えた。その隙に、彼女はまた別の体験談を用意して、多少なりとも筋が通るように整えた。

「ベルトの話はしたかしら？」彼女がしばらくして尋ねた。弱々しい声で、あたかも言葉で言い表せぬおぞましいことを吐き出したいがゆえに、重い口を無理に開いて訊いているかのようだった。

　その質問は私を貫いた。まるで抜き身の剣で突き刺されたかのようだった……。私は首をふった。

「わかったわ。もう一、二年前のことだけど、あの子はなぜか服にベルトをつけたがらなかったの。ただのわがままだと思ったから、わたしたちは言うことを聞かせようとしたわ。だって、ベルトはつけなくちゃだめでしょ、ジョージ」彼女は弱々しくほほえもうとした。「でも、あまりにいやがるから、わたしはあきらめるしかなかった」

「腰にベルトをしめたがらない、ということかな」私は尋ねた。心の内では、突然湧きあがった、説明のつかない痛みを抑えこもうとしていた。

「しめようとするとわめくのよ。なにかを腰に巻きつけられた途端、大騒ぎをはじめて暴れまわるの。しまいにはどこかに隠れてしまうから、こちらは折れるしかないわ」

「だがね、テレサ――」

「縛りつけられて、身動きできないまま死んじゃうって言い張るのよ。かわいそうに、恐ろしいほど怯えているんだわ。顔もひどく青ざめてしまうの。想像できるかしら？　あのケンプスターだって、だれよりも頑固なのに、このことではあきらめるしかなかったわ」

「ほかにはどんなことがあったのかな」こうした話を聞かされるのはいやでたまらなかった。いまこの場であの子を楽にしてやれないのが腹立たしくて、心が痛んだ。

「ヘイル先生が帰ってから、わたしと話したときの口ぶりもひどかったわ――ほら、先生がとっても親切で優しいのは知っているでしょ。アイリーンは先生のことが気に入っていて、いっしょに遊んだり、ひざに座ったりしていたのよ。けれど、先生が娘の食事について話しはじめて、制限を持ちだしたり、あれを食べちゃいかんとかこれもだめだとか言ってからかったりしたら、娘はまた恐ろしく青ざめて、先生のひざから飛び降りた。それで、あの悲鳴をあげたの――かん高くて、泣き叫ぶような独特の悲鳴で、ナイフのように耳をつんざくのよ、ジョージ――娘は子ども部屋に逃げこむと、扉に鍵をかけて引きこもってしまったわ。そのときに――あなたがどう思うかわからないけど――パンとか林檎とか冷肉とか、目についた食べ物をぜんぶ持っていったのよ！」

「食べ物だって！」私は叫んだ。また別の激しい痛みが湧きあがるのを感じた。

「説得したおかげで部屋から出てきたけど、それには何時間もかかった。あの子は木の葉のように震えていたし、すっかりくたびれていて、わたしの胸に倒れこんでしまったわ。あの子から聞き出せたのはひとつだけだった――そのことを何度も何度もくりかえしていて、命乞いでもしているようにせがむものだから、心がずたずたにされて――」

彼女は束の間、言いよどんだ。

「いま言ってしまったほうがいい」

「『また飢え死にするんだわ、また飢え死にするんだわ』娘はそう言ったの。泣きながら、何度もくりかえしていた。『なにも食べるものがなくなっちゃう。飢え死にするんだわ！』信じられないかもしれないけど、子ども部屋の戸棚に隠れていた間、あの子はケーキとかほかの食べものを小さなからだに目いっぱい詰めこんでいたから、三日ほど吐き気に苦しんでいたわ。しかも、ヘイル先生の姿は見たくもないらしいの。だから、先生には悪いけど、診てもらっても意味がないのよ。よくなるどころか、悪化してしまうから」

　私は席を立っていて、広間を行ったり来たりしながら、彼女の話を聞いていた。ほとんど口を開かなかった。頭のなかでは、奇妙な考えがすさまじい勢いで飛び交い、信じがたいほど広漠とした影の深みから現れては、眼前に立ちはだかった。だが、意味深いことはなにも言えなかった。理論や推論は、実地ではたいして役に立たないからだ――もっとも、ふたりの人間がそれらについて意見の一致をみれば、話は別である。

「それで、ほかには？」私は優しく尋ねた。椅子のうしろにまわって、両手を彼女の肩においた。彼女はたちまち立ちあがって、こちらを向いた。私は気が気でなく、あまり思いやりを見せると、泣かせてしまうのではないかと思っていた。

「ああ、ジョージ」彼女は声をあげた。「あなたが来てくれて本当にほっとした。あなたはとっても強くて頼りになるもの。その大きな手が肩にのっているだけで、勇気が出てくるわ。でもね、わたしはあの子が本当に怖くて、おかしくなりそうなのよ――」

「訊くまでもないけど、ここにとどまるつもりはないんだろう？」

「今週の週末に発つ予定よ」彼女は答えた。「それまでは、わたしを見捨てないでちょうだい。それに、あなたがここにいれば、アイリーンもきっとまともなままでいられる。だって、あなたが持つ力は、いまも昔も、あの子にずば抜けた効果があるもの」

「まだ幼いのに、想像力で苦しむとはね。かわいそうに」私は言った。「私でよければ、頼ってもらってかまわないよ。荷物は今夜にでも町から運んできてもらおう」

その後、彼女から部屋の一件を聞いた。こみいっていたわけではなかったが、その話からは、ほかの逸話をすべてあわせてもかなわないほどおぞましい、たしかな真実味が感じられた。というのも、一階にとある部屋があり、雨の日に、泥だらけの長靴で子ども部屋まで行ってほしくない場合にそこを使う予定だったのだが――この部屋にアイリーンは入ることができなかったのだ。なぜか？　だれにもわからなかった。なにが起きたかというと、娘はそこに駆けこんだ途端、母親がすぐうしろについていたにもかかわらず、立ち止まってよろめき、倒れそうなそぶりを見せた。そして、外で砂利道を掃いていた庭師たちにも聞こえるほどの金切り声をあげて、壁へ真っ向から体当たりした。からだをぶつけたのは壁のある一角で、そこを小さな拳で何度も叩き、しまいには皮膚がすりむけて、壁紙に血がにじんだ。ここまでは、一分もしないうちの出来事だった。彼女が狂乱してわめいていたのはなんだったのか、母親はひどい衝撃を受けて、口もきけぬほど仰天していたから記憶にないし、耳にも入っていなかった。アイリーンのせいで母親が取り乱しそうになったのは、今度はおろおろしながら扉を探し、部屋から逃げ出そうとしたからだ。逃げ出した途端、完全に気を失って、外の通路の石畳に倒れてしまった。

「ねえ、これはすべてごっこ遊びなのかしら？」テレサは小声で言った。どうしても震えが唇に伝わってしまうらしい。「これもすべて物語の一部なのかしら。あの子は自分で物語をつくりあげて、自分で演じているのかしら？」

　数秒ほど、私たちは互いの目を正面から覗きこんだ。母親の心に潜む恐れが飛び出して、私の心に恐怖をかき立てた——種類は異なるが、いっそう激しい恐怖だ。

「もう夜も遅い」私はしばらくして言った。「いまはあの子をむやみに刺激するだけだろう。だけど、あしたになったら、アイリーンと話してみるよ。それで——もし手を打ったほうがよさそうなら——もしもの話だが——ほかにも力になれることがあるかもしれない」とつけくわえた。

　そんなわけで、あの子と話したのは——翌日のことだった。

## Ⅳ

　私は昔から彼女に信頼されていた。この黒い目をした幼い乙女とはなかよしで、遊んだりしゃべったりするのはとにかく楽しかった。だが、たいていは、自分でも納得がいく理由は見当たらなかったのだが、彼女としゃべるなら、日が出ている間のほうが好ましく思えた。あの子が不気味だったわけではない。風変わりで謎めいた、かの幼い心は実にいとおしいが、彼女はどことなく意味ありげな言動をするため、私は自分と異なる生命や存在がまわりにひしめいているような気分にさせられて、暗いときには思わずあたりを見まわし、闇にはなにが潜んでいるのか、眼前の曲がり角の向こうにはなにが待ちかまえているのかと考えてしまうのだ。

私たちがいたのは芝地で、生い茂った櫟《いちい》が濃い影を落としていた。心地よい気温だったから、外でもお茶が飲めた。いとこは遠くの丘陵へ車で出かけていた。そんなわけで、アイリーンは自分で自分を招待し、私の原稿をいじくりまわしていたが、その物腰には心をかき乱された。というのも、私が自作のおとぎ話を語り聞かせていると、彼女からいろいろと質問されて、自分の限られた力が恥ずかしくなってくるのだ。いまでも覚えているが、コリーがいてありがたかった。この犬はあたりを走りまわっていて、芝地にいる燕に向かって駆けていったりほえたりしていた。

「おじさんのお話って、ぜんぶは本当じゃないんでしょう？」彼女がだしぬけに尋ねた。

「どうしてわかるのかな、ちっちゃな批評家さん？」私がずっと待っていたのは、彼女のほうから話を切り出してもらうためだった。無理に聞き出そうとすれば、怪しまれただろう。

「あら、わかるわ」

すると、彼女はこちらにやってきて、私からそそのかされるまでもなく、こうささやいた。「だって、ほかの場所でもおじさんといっしょだったのは本当のことでしょう？　それなら、わたしたちがそこでしていたことをお話にしなきゃ、本当の物語はできないんじゃない？」

話の糸口としてはこの上なく完璧で、あとは私の手にゆだねられた。いまとなっては理解できないことだが、私はこの機会に乗じて、ひどく奇妙なことをした――いってみれば、言葉と名前がひとりでに口から出てきたのだ。まるで夢のなかでしゃべっているような気分だった。

「仰せの通りですな、ちっちゃなレディ・アイリーン。なにしろ空想のなかだったら、ほら――」

だが、最後まで言いきることはできなかった。彼女に調子をあわせて、深奥に秘められた苦悩を吐き出させようとしたのだが、そうする間もなく、彼女はどさりと倒れかかってきた。

「まあ」と声をあげて、いきなり激情をほとばしらせた。「やっぱりわたしの名前を知っているのね。あの話もぜんぶわかっているんだわ――わたしたちの話も！」

彼女はのぼせあがっていた。顔は紅潮していて、目はきょろきょろしており、波乱万丈の人生で味わうあらゆる感情が、彼女の小さなからだを駆けめぐっていた。

「それはそうだよ、空想家のお嬢さん。きみの名前はよく知っている」私は急いで言った。面食らっていたのだ。だしぬけに愕然とさせられるのはおぞましい体験で、のどが絞めつけられる思いだった。

「ここでわたしたちがしたこともぜんぶ覚えているの？」彼女は話をつづけた。ますますのぼせあがりながら、古い館の蔦に覆われた厚い壁を指さした。

私自身の感情も異様に高ぶっていた。ちらちらと頭をよぎる懸念のせいで、狙い通りにことを運べなくなってしまった。というのも、突然思い出したのだが、彼女に「レディ・アイリーン」と呼びかけたとき、私の発音はいつもと若干異なっていたのだ。舌が悪さをして子音と母音に狂いが生じたのだが、口にしたときは、どういうわけか、その違いに気がつかなかった。「アイリーン」と「ヘレン」は、たしかに入れ替わっていてもおかしくない音だ……！　そして、「レディ・ヘレン」こそは、私が実際に呼びかけた名前だった。

そう思いいたると、束の間、息が止まった――彼女はすかさずその名前に食いつき、自分のものとして当然のように受け入れたのだ。

「ほかにはだれも、わたしが『レディ・ヘレン』ってこと知らないのよ」彼女は小声でつづけた。「だって、あれはわたしたちのお話のなかだけだもんね。それに、いまのわたしはただのアイリーン・ラングトンだし。でも、おじさんがわかってくれているなら、別にいいわ。あら、おじさんがわかってくれていて、とってもうれしいのよ。とっても、とっても、とってもうれしいわ」

私は束の間、言葉に詰まった。この子の「痛ましい物語」をもっと害のない方向へ導いて、彼女を楽にしてやりたいと痛切に思っていたから、どう切り出すのがふさわしいのかと一瞬迷った。少女を落ち着かせようとして、「わたしたちのお話」についてぼそぼそとしゃべりながら、頭のなかを必死で探って最善の道を考えた。ベルトに恐怖したり、飢えに怯えたり、件の部屋で悲鳴をあげたりしたわけをすべて聞き出すにはどうすればいいのか。こうしたすべてを、苦悩する幼い精神から引き出し、かわりにもっと明るい夢で満たしてやりたいと切に願っていた。

だが、知らぬ間に体験していた出来事のせいで、いささか自信が揺らいでおり、こうした不可解な感情によって、おとなの知恵は形なしにされてしまった。この幼い〈空想家〉にとらえられて、彼女自身の「物語」がつくり出す現実に引きこまれたのだ。彼女の信念には魔法でさえかなわない。そして、ほとんど間をおかずに放たれた次の言葉で、私はいよいよ落ち着きを失った――

「おじさんといっしょなら」と彼女は言った。まだ声を低めている。「おじさんといっしょなら、あの部屋にも入れるわ。ひとりでは――絶対に無理だけど――」

春の風がうしろの櫟の木立でささやくと、一瞬だけ、消え去った子ども時代からなにかがよみがえってきて、私は身震いした。失われた激情の波が――失われてしまったのは、その源も正体も見抜けなかったからだ――深奥から押し寄せてきて、おぼろげな伝言を意識の表層に送りこんだ。アイリーンは幼いいたずらっ子だったのに、目の前で変貌を遂げて、すぐそばに立っていた——憂いに沈んだ長身の人物に変貌して、時と空間の海の向こうから手招きしており、目や仕草には歳月の霞がかかっている……彼女に焦点をあわせようと、慌てずに集中してようやく、髪を垂らした少女という見慣れた姿にもどった……。

その後、庭用のきしむ椅子に座ったまま、彼女を引き寄せてひざの上にのせると、その頭からことのいきさつをすべて引き出そうと心に決めた。私は屋敷に背を向けていたが、彼女は斜めにのっていたので、戸口や窓が見えていた。このことに触れたのは、私が攻勢に出ようとした途端、彼女を見ると、よそに注意を引かれていて、やたらとそわそわしているように思えたからだ。一度か二度、彼女がからだをずらして、私の肩越しに起きているなにかを見ようとすると、かすかな震えが小さなからだからひざに伝わるのを感じた。彼女はなにかを待ち受け——恐れているらしい。

「それなら大遠征をしよう。鎧を着た騎士のようにきっちり身を固めていくんだ」私はそう言って、笑い声をあげた。彼女が例の部屋について妙なことを言ったので、それに対して答えたのだ。「まずはパットを送りこんで、蜘蛛の巣に向かってほえさせる。食糧もたくさん持っていこう——包囲されるかもしれないから、水も要るな——それから隊列を組んで——」

いまでも理解しているとはいいがたいのだが、なぜこうした言葉を選んだのだろうか——いやむしろ、なぜ言うつもりもない考えが湧きあがってきたように感じたのだろうか。なぜそれを口にしなければならないと思ったのだろうか。気のせいかもしれないが、必死で自分を抑えなければ、あの部屋にまつわる、ほかのさまざまな来歴をしゃべって、彼女を安心させるどころか、震えあがらせてしまいそうだった。

「壁のなかにも話しかけてくれる？」彼女が尋ねた。いきなり私に視線を転じたさまはいささか荒々しく、目には激情の炎が宿っていた。彼女がなにを言わんとしているのかちっともわからなかったが、そう訊かれると、切なくなるあまり、身もだえするほどの激痛が全身に広がった。「壁のなかに話しかける」というのは、そこで即座に察したのだが、彼女の苦悩の核心を表していた。この中心となっている考えのせいで、彼女は空想に怯え、苦しみ、恐怖しているのだ。

だが、こうして謎めいたかたちで現れた手がかりをたどるひまはなかった。というのも、ほとんど同時に、彼女の目は私の背後にあるなにかに釘づけにされ、心底ぞっとしているような表情を浮かべたのだ。まるで、危険が迫ってくるのを目にして——殺されると感じたかのように。

「ああ、ああ！」彼女は息を切らしながら声をあげた。「あの男がやってくる！　わたしを連れ去りにくる！　ジョージおじさん——フィリップ——！」

同じ思いが私たちを同時につき動かしたらしい。私がすぐさま立ちあがって、両のこぶしを握りしめた途端、彼女はひざから飛び出して、全身をこわばらせ、攻撃に備えるような姿勢をとった。恐ろしく震えている。顔色はリネンのように真っ白だ。

「来るって、いったいだれが——？」私はきつい口調で言いかけて、口をつぐんだ。見ると、男がひとり、屋敷からこちらへやってくる。あれは執事だ——新しい執事で、その日の昼下がりに着いたばかりだった。いまとなっては理由もわからないが、彼が黙ったまま足早に近づいてくるのを見ると——

胸が悪くなった。男がそばに来たのは、錯覚かもしれないが、私がその姿をとらえたのとほとんど同時だった。その瞬間、アイリーンは耳をつんざく叫びをあげた。狂乱したようにあたりを見まわし、隠れ場所を探していたかと思うと、私の腕のなかに飛びこんで、コートに顔を埋めた。

　ひどくとまどったが、幼い友人のこんな様子を使用人に見られてはかなわないと思ったので、私は全力を尽くして、ふざけているだけだというふりをした。彼女を抱きあげて走り出し、コリーについてくるよう呼びかけた。「来い、パット！　この娘を捕虜にするぞ！」――彼女をようやくおろしたのは、芝地の奥にあるシナノキの木立にやってきたときだった。彼女は恐怖のあまりすっかり蒼ざめており、まるで幽霊だった。いまも気が狂ったようにあたりを見まわしており、あまりに激しく震えているので、いつ失神してもおかしくないように思えた。私にしがみついていて、その手には渾身の力がこもっていた。私はあの男を恨んだ。だしぬけに激しい嫌悪感を抱いたことを考えると、彼がなにかしらの怪物で、少女を痛めつけたがっていたといわれても信じられそうだった……。

「遠くに逃げましょうよ。ずっと遠くに、ずっとずっと遠くに！」彼女が小声で言った。私はその手を取って、できるだけ安心させようと言葉をかけたが、彼女が求めているのは、大きな腕で包みこまれ、守ってもらうことだと察していた。心が痛んだ。彼女を思ってひどく痛んだが、奇妙なことに、本当に安心させられるような、自分でも真実だと感じられる言葉はなにも思い浮かばなかった。気休めでしかないたわごとを「でっちあげ」たところで、相手も私もだまされないし、彼女からの信頼が揺らぐだけだろう。そうなったら、救う力を持っていてもむだになってしまう。虎が森から出てきて襲いかかろうとしているのに、咬むことはないと請けあうようなものだ！

それでも、私は口ごもりながら答えた――

「あれは新しい執事だよ。私もびっくりした。すごく静かにやってきたからね」そう、私は懸命に言葉を探して、さきの出来事をなるべく自然に見せようとした――だが、甲斐はなかった。

「でも、あのひとがだれなのか知っているでしょ――本当は！」彼女が甲高い声でささやいた。小道を走って、私を引っ張っていった。「またあのひとに捕まったら……いや！　そんなのいや！」そして、恐れに苦しむあまり悲鳴をあげた。

　その恐れに追われながら、私たちは茂みの合間の曲がりくねった道を進んだ。

「アイリーン」私は声をあげ、両腕を彼女にまわして抱きしめた。「怖がらなくていい。これからもずっと私が守る。ずっといっしょだ」

「大きな腕で抱きしめていてほしいの。これからもずっとずっとそうしてくれるでしょ、フィリップ――おじさん？」彼女は名前を混同していた。その声にはむせぶような響きがあって、胸が恐ろしく痛んだ。「ずっとずっとそうしてくれるでしょ、わたしたちのお話みたいに」そうせがむと、小さな顔をまたコートに埋めた。

　私はすっかり途方に暮れており、どうするのが最善なのかわからなかった。彼女を屋敷に連れもどす気にはなれない。あの男を目にしたら、いまでさえ理性が崩れる瀬戸際なのだから、命取りになりかねない。私が恐れていたのは、そばにいてやれないときに、彼女があの男と出くわして、気絶したり発作を起こしたりすることだった。それでも、すぐに決意したことがひとつあった。

「あのひとにはさっさとよそへ行ってもらおうね、アイリーン」私はそう言った。「あした目を覚ましたらもういないよ。お母さんだって、あのひとをうちにおいておきたいとは思わないはずさ」
そう約束すると、彼女はいくらか落ち着いたらしい。かくして、ことのいきさつをすべて引き出すという当初のもくろみはあきらめざるをえず、人目につかないところを通って彼女を屋敷に連れ帰り、上階にある自室まで送った。必要な指示も自分で出した。彼女があの男を目にしないようにしなければならない。ただ、心の奥底で、彼が度しがたい行動に出ればいいのにと思っていたのはなぜなのか。そうすれば、彼の命を根本から断ち切って、殺せるからだろうか……？

だが、いとこは、心配するあまり正気の沙汰ではない手を打ちそうだったものの、ようやくまっとうな提案をしてくれた。つまり、翌日に、つらい思いをしている少女を連れてハリッジまで行き、北海をわたり、なにもかも異なる場所で一週間を過ごしてほしいというのだ。いまでは私も心境が変わっていて、これまではとても同意できないと思っていた実験を行ってもいいのではないか、いやむしろ行うべきだと思うようになっていた。催眠術なら、かの取りつかれた精神から事情を聞き出せるし、本人に勘づかれることもない。それなりに深い忘我の状態に持っていければ、表層の意識から記憶を消し去ることもできるから、彼女はようやく子どもらしい幸せを享受できるはずだ。

## V

もう十時をまわっていたが、私はまだ大広間にいて、薪《まき》が燃える前に座り、低い声で話をしていた。いとこは正面にいて、奥行きのある肘掛け椅子に座っている。私たちはたっぷり話しあったが、ともに感じていた根深い懸念は、私たちの精神だけでなく、館そのものも包みこんで、暗くかげらせていた。本能に従ったのか、医者に助けを求めようという話は一度もしなかったのだが、いまにして思うと、そこには、私たちを心の底から揺さぶった感情がよく表れていた。そんな感情が芽生えたのは、いってみれば、今回の一件が鮮烈な現実味を帯びていたからだ。単なる子どものごっこ遊びだったら、これほど引きこまれるはずがないし、精神を網でからめとられて呆然としたり、うろたえたりすることもないはずだ。いとこが途方に暮れて涙を流していたのも納得できた。あの少女が苦悩する痛ましい姿を目にすれば、だれしも心を動かされるだろう。アイリーンが生きている世界は〈現実〉であり、〈空想〉ではない。この事実は、背後で影に沈む広間や廊下にしみついていた。私はすでに館が嫌いになっていた。あたかも、憂いと古き苦痛の記憶が屋根まで満ちみちており、身も凍る冷風となって私の心をなでているかのようだった。

　だが、私は努めて明るくふるまい、ある種の感情や怯えが引き起こす発作については触れなかった。「レディ・アイリーン」のつもりで「レディ・ヘレン」と言ってしまったことも、「フィリップ」としてみられたことも、少女の「お話」に取りこまれたら、記憶めいたなにかが湧きあがってきたことも、なぜか自分がその役割を受け入れたことも話さなかった。また、新しい使用人の不吉な浅黒い顔や、こっそりと近づいてくる様子が呼び起こした印象についても、洗いざらいしゃべるのはよそうと思った。にもかかわらず、これらは絶え間なく頭に浮かんできたから、私の「雰囲気」にどことなく表れていたのはまちがいなく、少なくとも女性の直観ならそれを難なく見抜けただろう。私はなにげない口調で、例の「部屋」のこと、アイリーンがそこを妙にきらっていること、「壁に話しかけ」てほしいと言われたことを話した。だが、奇妙な考えが私たちの精神にもぐりこみ、ぞっとするほど深くまで食いこんだ。広間では、剝製の鹿や狐や穴熊の頭が私たちをじっと見おろしており、まるで、毛皮や死んだ獣皮の下でなお生きながらえるものどもが仮面をつけているかのようだった。

「でもね、もっと心配なことがあるのよ。それに比べたら、あの子のほかの妄想はぜんぶあわせてもかすんで見えるわ」いとこが言った。私を見つめるその目は、陰鬱な考えを隠そうともしていなかった。「なにが心配かっていうと、娘はこの屋敷を異常なほど詳しく知っているの。本当よ、ジョージ。あんなに不気味な体験は人生ではじめてだった。あの子はそこらじゅうを案内してまわって、実際に住んでいたように質問したんだから」その声はだんだんと低くなって、ささやきも同然となった。彼女は目をあげて、ぎくりとした。気のせいかもしれないが、一瞬だけ、なにものかが話を立ち聞きしようと近づいてきたようだ。そいつは広間へつづく暗い通路をたどって、こっそり迫ってきた。

「奇妙に思えたのはわかるよ」私はすかさず話しはじめたが、たちまちさえぎられた。彼女は明らかに、こうした考えを口にし、頭の外に引きずり出すことで安堵していた。それらは頭のなかに隠れ潜み、新たな嫌悪感を増殖させているのだ。

「ねえ、ジョージ」彼女は声をあげた。「想像力には限界があるでしょ。だから、アイリーンは知っているんだわ。こんなひどいことって――」

なにかが私ののどにこみあげてきた。目が潤んだ。

「ベルトをいやがるのも――」彼女はささやいたが、自分の言葉に嫌気がさしていた。

「それはもう考えなくていい」私はきっぱりとした口調で言った。あの話を聞かされると、筆舌に尽くしがたい苦痛を覚えた――信じがたいほどの苦痛だった。

「そうできればいいんだけど」彼女は答えた。「でも、あの子が暴れているときの表情を見たら――食べ物とか飢えのことで取り乱している様子を見たら――ほら、ヘイル先生の話を聞いたときのように――ああ、そういうのをぜんぶ見ていたら、きっとわかってくれると思うけど、わたし――」

彼女はぎょっとして言葉を切った。うしろで、なにものかが広間に入ってきた。奥の戸口に立っている。この立ち聞きしている人物は、闇にまぎれて近づいてきたのだ。テレサは背を向けていたが、そいつがいるのを感じ取って、すぐに立ちあがった。

「もう下がっていいわ、ポーター」そう言った彼女の声には、胸騒ぎから来る動揺がにじんでいた。「明かりはわたしたちで消すから」男は影のように引き下がった。彼女は一瞬だけ私と目を見あわせた。

闇の気配が使用人とともに現れたように思えたのだが、それも消えた。いまでも説明がつかないのだが、なぜ私もいとこも数分の間、なにも言えなくなってしまったのだろうか。だが、それに輪をかけて謎めいていたことがある。なぜ両手の筋肉が無意識のうちに収縮して、爪が手のひらに食いこむほど拳を握りしめたのか。なぜ狂暴な想いで血潮がたぎり、あの男につかみかかりたい、息をつくひまも与えずに首を絞めあげて殺してやりたいと思ったのか。はっきりした理由もなくだれかを絞め殺したくなったのは、あとにもさきにもあのときだけだ。あんな思いは二度としたくない。

「やたらとうろうろしているのよ」しばらくしていとこが言ったのは、それだけだった。「いつもわたしたちを見張っているんだわ――」だが、私は自分の考えごとでひどく忙しかった上に、ある疑問を抱いていた。なぜこの醜く不吉な人物は、こともあろうに、アイリーンが生を送り、私までもが現実だと信じるようになっていた物語に入りこんでいるのだろうか。


ほっとしたことに、真夜中近くになると、テレサは床に就くために立ちあがった。それまでは、あの子に取りつく苦悩が引き起こした、数々のぞっとする出来事について、まともに取りあげるのを避けていた。正面切って話題にできなかったのだ。蠟燭に火をつけ、ささやき声で話していると、私たちの頭はさまざまな考えではちきれそうだったが、ふたりとも口に出さないほうがよいと感じていた。そのとき、いとこがぎょっとして壁際にあとずさった。目をこらしているさきは、階段が吹き抜けをのぼりつめたところで、闇に沈んでいる。彼女はひと声叫んだ。はじめは失神しそうに思えた。私は間一髪で蠟燭を取りあげた。

話しこんでいた間に抑えつけていた恐怖心が、あの短い叫びにすべて表れていた。私が目をあげて、なにに怯えたのかを探ろうとすると、眼前で、小柄な白い人影が広い階段をゆっくりとおりてきた。広間に足を踏み入れようとしている。あれはアイリーンだ。裸足で、黒い髪が波打って寝間着にかかっている。目は大きく見開かれており、そこには思い焦がれるあまり苦悶しているような表情が宿っているが、幼い彼女がそんな想いを経験しているはずがない。しっかりとした足取りだが、どことなく子どもらしくなかった。

「待った！」私はささやき声でいとこに命じた。急いで彼女の口に手をやり、助けに行こうと動き出すのを押しとどめた。「起こしちゃだめだ。眠りながら歩いているんだよ」

アイリーンは白い影のようにそばを通りすぎた。ほとんど音も立てず、広間をまっすぐわたっていた。私たちにはまったく気がついていない。行く手を阻《はば》む椅子やテーブルをすべて避けると、小さな人影は奥の暗闇に溶けこんでいき、戸口で姿を消した。そのさきにある廊下は、かつて——三百年前——別棟に通じていた。いまでは開けた芝地になっていて、ムラサキブナが生えているところだ。彼女にとって通いなれた道筋なのはたしかだった。虚をつかれた私がわれに返って、少女のあとを追おうとした途端、テレサは声が出せるようになり、叫びをあげた——その声は甲高い不協和音で深夜の静寂を破った——

「ジョージ、どうしよう、ジョージ！　あの恐ろしい部屋に行くつもりなんだわ！」

「蠟燭を持ってついてきてくれ」私は広間の真ん中から答えた。「ただ、邪魔はしないでほしい。私が呼ぶまで待つんだ」あの子を追っているときは、これまで味わったことがない、奇妙に入り混じった感情につき動かされて足を運んでいた。惨劇の予感がして、はらわたが締めつけられた。自分の行動をたどると、その源はすべて潜在意識の領域にあるような気がした。そこでは、深く埋もれた過去の決して消えぬ激情が、眠りのうちに身じろぎし、目を覚まそうとしていた。

「ヘレン！」私は声をあげた。「レディ・ヘレン！」滑るように進む人影のすぐそばまで近づいた。アイリーンがふりむいて、はじめて私を見た。その目は、眠りと覚醒の間で揺れ動いているようだ。ちらつく蠟燭の炎を透かしてまっすぐこちらを見据えたのち、ためらいの色を浮かべた。同じようにして、小さな両手もこちらになにか身ぶりをしかけていたが、途中で動きを止め、それきりになってしまった。彼女は私を目にして、私がいることに気がついたが、私がだれなのか決めかねていた。驚くべきことに、あの瞬間、彼女の人格はどちらにも定まっていなかった——私は両方の意識の相に力を及ぼしていた——両者がはっきりと認められた。片方は、〈今日〉のアイリーンで、いまにも目覚めようとしており、覚醒したら私のことを「ジョージおじさん」だと思うだろう。もう一方は、壮大な闇の物語のアイリーン、すなわちはるかな〈昨日〉の「ヘレン」であり、夢遊病の境地にある少女を連れ出し、空想のなかで、私たちの人生が交わったとされる昔日の場所へと導いていた。というのも、私には明白だったのだが、眠れる少女が夢のなかでなぞっている物語は、現実で恐怖に襲われる強烈な瞬間に彼女が体験しているものだからだ。

　だが、人格が定まるのは早かった。テレサに身ぶりをして、棚に蠟燭をおいたら待つよう伝えた途端、少女が近づいてきて両手を伸ばし、さきほどやりかけた仕草をした。そして、私の胸に倒れこむと、くぐもった声で、愛情と苦悩が入り混じる叫びをあげた。子どもの口からそんな叫びが漏れたのだ。いまにして思うと、あれほど戦慄させられる人間の声は聞いたためしがない。彼女は私に気がつき、私を目にしたが、現世のジョージ「おじさん」としてみているわけではなかった。

「ああ、フィリップ！」彼女は声をあげた。「やっぱり来てくれたのね——」

「そりゃそうさ」私はささやいた。「行かないわけがない。だって、私は行くと約束しただろう？」

彼女の目は私の顔を探ったのち、私の手に落ち着いた。彼女の冷え切った細い手首をつかんでいたのだ。

「でも――でも」彼女は言葉に詰まってしまった。「手が切り落とされていないわ！　もと通りに直してもらったのね！　わたしを救い出して、それから――それから――」

　さまざまな表情が少女の面をよぎって入り混じり、奇妙なとまどっている顔つきになった。彼女は足元がおぼつかないようだ。いまにも目を覚ますかもしれない。またしても私がだれなのか決めかね、いぶかしんでいた。両手を握る私の力に抗《あらが》い、半歩下がった。その目に、現世の浅い意識が表れてきた。目覚めたら、深遠なる不可解な激情も謎も追いやられてしまうだろう。それらは思考と記憶の通廊に棲みつき、彼女の深奥に入りこんで姿を隠しているのだ。目覚めてしまったら、彼女を失うとわかっていた。つまり、物語をすっかり聞き出す機会も失われる。だから、いましかない。そこでいとこの足音が聞こえた。廊下を抜き足差し足で進み、うしろに迫ってくる――私はすぐさま決断した。

　いうまでもないが、深く眠っているときは、忘我の状態と紙一重だ。数多くの実験からも明らかなように、人間の精神を催眠術にかけたいなら、起きているときよりも眠っているときのほうが効果がすみやかに表れる。というのも、催眠術の主だった目的が――当時の私はそれを目指していたのだが――非力でちっぽけな表層の意識と、その下に広がる潜在意識の深い海を溶けあわせることだとすると、そうした変化はふつうに眠っている間にもいくぶんか進行しているから、完了させるまでには長くかからないし、手間もかからないのだ。アイリーンのひどく活発な潜在意識が、彼女の日常につきまとう暗い物語を「創作」したか「思い出した」のだから、その領域にはすぐ手が届くだろう……。さらに深い眠りへ引きこめば、物語をすべて聞き出せるはずだ……。

母親が近づいてこないように、はっきりわかってもらえそうな身ぶりをすると、相手はわかってくれたので、私はただちに施術をはじめ、眠りながら歩いている少女の精神をいま一度、潜在意識の領域へ沈降させた。それこそは、彼女をここまで駆り立てたものであり、彼女のあらゆる力や記憶、知識や信念を秘めているのだ。ほんの少し手をかざしただけで済んだのは、彼女があっという間にやすやすと術にかかったからだ。さきほどの表情が目にもどってきた。いまでは人格が定まり、ためらってもおらず、私に近寄って「フィリップ」という名前を口にした。いっしょに長い廊下を進んでいくと、やがて彼女が忌んでいる、恐怖の部屋の戸口に着いた。

すると、テレサが蠟燭を手に追いかけてきたせいで、少女が動揺したのか——母親との潜在意識下のつながりはいつも変わらぬ力を持っているのだ——それとも、懸念のせいで、揺れ動く精神をとらえている私の力が弱まったのか、ふと気がつくと、彼女はまたしても人格が定まらなくなっており、ためらっていた。こちらを見あげる目に映っているのは、「ジョージおじさん」でもあり、記憶にある「フィリップ」でもあった。

「なかに入ろう」私はきっぱりとした口調で言った。「そうすれば、怖いものなんてなにもないってわかるよ」扉を開けると、うしろの蠟燭が暗闇に光の三角を投じた。むき出しの床や絵のかかっていない壁が照らし出され、頭上高くの白い天井もかすかに見える。扉をさらに押し開け、手をつないでいっしょに入った。アイリーンは震えていて、風に舞う木の葉のようだった。

いまでも当時の光景が脳裏に生々しくよみがえる。あの出来事から何年も経ち、こうして執筆していてもなお、鮮やかに思い出せる。寝間着姿の幼い子どもが、いにしえの館の空き部屋で私と相対している。悲惨な過去のありとあらゆる激しい感情を、小さな幼い目に宿している。母親は幽霊のような姿で廊下に立っているが、怖くて入ることができない。蠟燭が揺らめく影を投げかけるかたわら、夜風が外壁に吹きつけて、柔らかなうなり声をあげている。

　紅潮した小さな顔に再び手をかざし、親指を左右のこめかみにそっとあてた。「眠りなさい！」と命じた。「眠りなさい――そして思い出しなさい！」私は意志力を注いで彼女を支配下におき、傷つかないようにした。彼女はさらに深く忘我の境へ沈んでいった。ここまでくると、術にかかったままで意識が澄みわたりはじめ、深層の自我が死せるものどもを解放するようになる。彼女の目が見開かれて丸くなり、記憶で満ちみちて、私の目をまじまじと見つめた。現在の世界は、数分前には彼女の意識を引きこんで目覚めさせようとしていたが、どんどん薄れていった。彼女の目に映っているのは、もはやいつものジョージおじさんではなく、壮大な物語に登場する、忠実な友にして恋人のフィリップであり、救いに来てくれた男だった。彼女のまわりには、過ぎ去った日々の気配が立ちこめていた。まさにこの部屋で、すさまじい苦しみを味わったのだ――三世紀前ならこの部屋から廊下を通って別棟に行けたが、そこもいまではブナが生える芝地となっている。

　彼女はすぐそばに寄ってきて、むき出しの細い腕を私の首に巻きつけ、覗きこむような、探るような目で私の目を見つめた。

「ここで起きたことを思い出しなさい」私は断固たる口調で言った。「思い出しなさい。そして話してみなさい」

彼女はかすかに眉根を寄せた。集中しているらしい。そして、ささやき声で話しながら、肩越しにうしろを一瞥し、かつて廊下へ通じていた部屋の奥を見た。「思い出すのはちょっとつらいけど、でも、いまは——いまはあなたが抱きしめてくれているものね、フィリップ。わたしを連れ出してくれるんでしょ——」

「しっかり抱きしめているから大丈夫だよ」私は答えた。「思い出したことをしゃべってもぜんぜん苦しくないからね。さあ、話してごらん」

当然ながら、この暗示はすぐに効いた。顔が明るくなり、大きな安堵のため息を漏らした。私はときおり手をかざして、忘我の境が揺らがないようにした。

それから彼女は語りはじめた。その声は低くて澄んでおり、剣のごとく私に突き刺さって、深奥を探りまわした。心が出血しているような気がした。誓ってもいいが、彼女が話したことは私も知っており、まるで自ら体験した出来事のように思えた。

「あなたを最後に見たのはここだった」彼女はそう言った。「あなたはこの部屋に来て、わたしを連れ出してくれるはずだった。安心して幸せに暮らせるところに——あの男がいないところに」その声も言葉も子どものものではなかった。「雪がふり、風が吹きすさんでいたあの夜、あなたはたしかにここに来てくれた。あそこの窓から入ったのよね」彼女が指さしたのは、私たちの背後の、奥行きがある朝顔口の窓だった。「嵐の音が聞こえるでしょう? 雄たけびをあげて絶叫しているもの。下のほうからは、浜辺で波が砕ける轟音がして……。あなたは外に馬を待たせていたわ。駿馬にのって海まで行くことになっていたの。あの残酷な男から逃れて、それから——」

ここで言いよどみ、言葉か記憶を探った。顔が苦痛と嫌悪で曇った。

「最後まで話しなさい」私は命じた。「ただし、自分の痛みはすべて忘れなさい」すると、彼女はほほえんだ。信じられないほど優しく、信頼感があふれている表情だ。私はかよわいからだを引き寄せた。

「覚えているでしょう、フィリップ」彼女は話を再開した。「なにが起きたかは知っての通りよ。あなたは踏みこんだ瞬間に、あの男と手下に捕まったの。暴れまわって、わたしを呼んでいたわ。わたしが答えるのも聞こえたでしょう――」

「ずっと遠くから――それも外から――」私はすかさず口を挟んだ。彼女の手助けをしたのは、心の奥底で記憶がひらめいたからだ。それは燃えるがごとき記憶で、あとに傷跡を残していったように思えた。「きみは芝地から答えていた！」

「あなたには芝地のように思えたかもしれないけど、本当はそこだった――そこのなかだったの」私の右側にある壁を指さした。彼女は恐ろしく震えていた。奇妙なことに、その声はどんどん小さくなっていった。遠くから聞こえてくるかのようで――くぐもっているといってもよかった。

「そこのなか？」私が身震いしながら尋ねると、氷と炎が血流に入りこんで混じりあった。

「壁のなかよ」彼女はささやき声で言った。「だれかが裏切ったから、あの男はあなたが来るって知っていたのよ。わたしは生きたまま、あそこの壁に閉じこめられた。ふたつだけ小さな穴が開いていたのは、外を見せるためね。あなたが聞いたのは、わたしがこの穴から呼びかける声だったんだけど、わたしがどこにいるかなんて、あなたには知りようがなかった。それで――」

彼女のひざから力が抜けたので、支えてやらねばならなかった。突然、彼女は目に苦悩の色を浮かべて、部屋の奥を見た——古い別棟のほうだ。

「あの男が来ないようにしてほしいの」彼女はすがるようにせがんだ。その声には死の苦悶がにじんでいた。「あの男の足音が聞こえた気がする。廊下を歩く足音じゃないかしら?」彼女はびくびくしながら耳をすました。その視線は壁を貫いて、外の芝地を見ようとしていた。

「だれも来ていないよ」私は自信をもって言い聞かせた。「ぜんぶ話してごらん。なにもかもだ」

「はじめから終わりまですべて見ていたわ。だって、目を閉じられなかったから」彼女は話をつづけた。「鉄の帯を腰に巻かれていたから、動けなかった——あの鉄の帯からはどうやっても逃げ出せなかった。ほこりも口に入ってきたわ——煉瓦をかまされていたせいね。舌がすりむけて血が出たけど、最後の石がはめこまれて、すっかり埋められる前に、わたしは見てしまったの——あなたが両手を切り落とされて、わたしを助けられなくなったところを——わたしを連れ出せなくなったところを」

彼女はなんの前触れもなく駆け出して、私のそばを離れた。壁に走り寄り、そこを両手で叩きながら、声高にわめいた——

「本当に、本当にかわいそう。さぞつらかったでしょう。わたし、いまでも覚えているわ——あなたのなかに入っていたときのこと。あなたはわたしをまとって、運んでくれた。かわいそうなからだ。最後の煉瓦が口に押しこまれたときは雷鳴のような音がしたっけ。鉄の締め金が腰に食いこんで、飢えと渇きに襲われたのも覚えているわ!」

「なにに話しかけているんだ?　なかにいるのはなんなんだ?」私は厳しい声で尋ねて、涙をかみ殺した。

「わたしが入っていたからだよ――あの男に閉じこめられたからだ――わたしのからだ――わたし自身のからだよ！」

　彼女はそばに駆けもどってきた。だが、いとこがあの「母親の悲鳴」をあげて子どもの深層意識に割りこみ、記憶をかき乱すよりもさきに、私は全身全霊の力をこめて、痛みを「忘れる」ように命じた。催眠状態で暗示をかけた場合に、感情がたちまち変化しうることはほとんど知られていないので、理解してもらえないかもしれないが、アイリーンがもどってきたときには、ついさきほどまで「壁に話しかけ」ていたのに、満面の笑みを浮かべていた。

　その小柄な白い人影は、豊かに波打つ黒髪を寝間着に垂らしたまま駆け寄ってくると、胸に飛びこんできた。

「でも、私はちゃんときみを助け出したぞ」私は声をあげた。「完全に閉じこめられたわけじゃなかったからね。きみを外に出して、あの男に捕まらないよう海をわたり、いっしょにいつまでも幸せに暮らしたんだ。おとぎ話に登場するひとたちみたいにね」この話を彼女の頭に吹きこむにあたり、ありったけの力をこめたので、当然ながら、彼女はそれを真実として受け入れた。私にしがみついていて、謎めいた幼い顔には愛情と笑みが広がっている。忌まわしい恐怖は薄れていき、痛みはすっかり拭い去られた。目がくらみそうなほど突然の変化だった。

「それじゃあ、やっぱり、あなたのかわいそうな手は切り落とされていなかったのね」彼女は恐るおそる言った。

「ほら！　切り落とされたわけないだろう。ここにちゃんとある！」まず両手を見せてから小さな頬にあて、接吻するときのように口を上向かせた。「いまでも大きいし、力だってあるから、きみをベッドまで運んで、なでてあげられる。そうすればぐっすり眠れるから、朝になって目を覚ましたら、暗い物語のことはぜんぶ忘れているはずさ。フィリップも、レディ・ヘレンも、鉄の帯も、飢えも、残酷な年寄りの旦那も、なにもかも忘れている。起きたときには、ほかの子どもと同じように、幸せでうきうきしているからね」

「あなたがそう言うなら、きっとそうなるわ」彼女は答えて、私の目にほほえみかけた。

まさにそのとき、またしても胸が悪くなるのを覚え、危うく実験が失敗に終わるところだった。嫌悪を感じた途端に闇の力が襲ってきて、私がかけたすべての「暗示」を弱め、さらには打ち消そうとしたのだ。忘れよという新しい命令は、彼女に浸透していく途中だったらしい。「物語」をつくりあげた深層意識の領域は、まだ識閾下に沈みきっていなかったのだ。それゆえ、彼女はまだ無防備で、かつて苦しんでいた記憶がよみがえってきたら、かなり大きな影響を被りかねなかった。実際、そうした記憶がよみがえってきたのだ。この胸が悪くなる気配の黒幕は、まさしく人間離れした狡知の持ち主だった。

「静かに！」彼女は声をあげた――それはささやき声の絶叫であり、まぎれもない恐怖を感じていなければ、出てこない叫びだった――「静かにして！　あの男の足音が聞こえるわ！　こっちに来る！　さっきもあの男が来るって言ったでしょう。あっちの廊下にいるわ！」と言って部屋の奥を指さした。そして、なにかに焼かれたかのように私の胸から飛び出したかと思うと、やはり守ってほしかったのか、ほとんどすぐに駆けもどってきた。この間はわずか数秒だったが、彼女はひた走って部屋の真ん中まで行き、片手を耳にあてて聴くことに集中した。それから突き当りの壁を見透かそうとしたが、その途中で両目を覆った。彼女が見つめていたのは、かつて廊下があった場所で、そこからいまはなき別棟へ行けるようになっていた。窓は大おじが壁につけたもので、ちょうど戸口があった場所につくられていた。

　すると、テレサがはじめて進み出た。勢いこんで部屋に入り、蠟を床のそこかしこに垂らし、私の腕にしがみついた。私たちは三人とも立ち尽くし——耳をすましていた——耳をすましていたといっても、聞こえるのは、外壁のまわりでため息をつく海風だけのようだった。アイリーンは私のコートで目を隠している。私は背筋を伸ばしたまま、これまでと異なる音をとらえようとしていたが、甲斐はなかった。いまでも覚えているが、いとこの顔は白亜のようで、目は落ち着きがなく、手にしていた蠟燭は傾いていた。

　そこで突然、彼女は片手をあげて、私の肩越しになにかを指さした。あごが外れてしまいそうだった。彼女と子どもが同時に口を開き、胸を衝く言葉を発すると、あの沈黙が立ちこめる夜の部屋で、私たちを巻きこんだ忌まわしい怪事は山場を迎えた。

　ふたりの言葉は、二発の銃声のようだった。

「なんてこと！　だれかの顔がこっちを見ているわ……！」耳に入ってきた彼女の声は、むせぶようでしゃがれていた。

　時を同じくして、アイリーンは——

「ほら、ほら！　あの男はこっちを見ていたのよ……ここにいるんだわ！　ほら……。わたしを捕まえるつもりよ……手を隠して。かわいそうなその手を隠してちょうだい……！」

　いとこが凝視しているほうを向くと、たしかに顔が見えた——どうやら生身の人間の顔らしい——窓ガラスに張りついていて、両手に挟まれており、こちらの姿を見定めようと部屋の薄闇に目をこらしている。見ると、両の目が束の間、ぎょろぎょろと動き、蠟燭のぎらつく光をまともに浴びた。背後の丸まった肩がちらりと覗いたのは、その主が、外の芝地に立ったまま、少しからだをかがめて、よく見ようとしたためだろう。幻影のごとき顔はすぐに引っこんだが、私にははっきりと見わけがついた。あれは、執事の浅黒くて邪悪な相貌だった。彼の息で、窓はいまだに曇っていた。

　ところで、ふしぎなことがひとつある。アイリーンは、私のコートの、あるかないかの折り目に隠れようと必死でもがいていたから、私たちが目にした光景は見えなかったはずなのだ。窓にはずっと背を向けていたし、私の抱きしめ方からすると、勘づけそうな姿勢は一瞬たりと取れないはずだった。すべては彼女の背後で起きていたのだ……。一瞬後には、彼女がなにも目にしないように抱きしめたまま、私は足早に広間を突っ切って、大階段をのぼり、子どもの寝室へ向かっていた。

　私が苦心したのは、いうまでもないだろうが、彼女が眠りと目覚めの間をさまよっているときだった。彼女を寝つかせて、もう一度、忘我の境の深みへ沈降させてしまえば、ささいな考えにせよ、感情にせよ、やすやすと操れるからだ。十分もしないうちに、彼女は安らかに眠っていた。その小さな顔からは懸念も恐怖もすっかり消えている。私が刻みこんだ命令は意識のすみずみまで響きわたっており、翌朝に起きればすべて忘れていると彼女に言い聞かせていた。これでようやく忘れられるだろう……なにもかも、きれいさっぱり忘れるはずだ。

一方で、至極当然だが、例の男と会うべく、心中に嫌悪感と怒りを抱きながら、使用人が住む一角にある彼の自室に行くと、実にもっともらしい弁解を聞かされた。あれは寝る支度をしていたときでした、と彼は語った。なんでも、物音がしたので怪《け》訝《げん》に思い、職務を果たそうと屋敷の外をまわって、強盗を見つけ出そうとしたのだという……。

翌日、ポケットには一か月分の給料を入れ、魂の内では相当いぶかしみながら——なにしろ、この男が責められるべきことといえば、なにも知らずに、子どもの想像力を震えあがらせた一件だけなのだ！——彼はロンドンへもどった。数時間後には、私もアイリーンと老ケンプスターを連れて旅の途上にあり、北海の青い海原をわたっていた。彼女を連れ出し、自由で幸せな生活ができるところへ向かっていたわけだが、妙なことに、これはまさしく、彼女の「想像力」が大昔の「物語」に登場させた逃避行そのものだった。当時の彼女はレディ・ヘレンで、残酷な夫に束縛されており、私はフィリップで、彼女を一途に愛する恋人だった。

ただ、いまの彼女はいつも幸せで、暗くなることもなかった。催眠暗示をかけたおかげで、恐ろしい記憶の最後の痕跡が頭から消え去ったのだ。彼女の顔は明るいほほえみをたたえていた。旅もアントウェルペンでの一週間も楽しんでおり、表情が曇ることは一度もなかった。なんの悩みもない子ども時代ならではの明るさで、遊んだり、笑い声をあげたりした。彼女の想像力は清められ、癒されたのだ。

帰国すると、娘の母親は、もともと住んでいた先祖伝来の館に家具調度をもどしていた。私は元気になった子どもをそちらへ連れていき、いとこといっしょに一家の古い記録を調べ、デ・ローンの生涯についていくつかの点をたしかめた。この邪で、ほとんど伝説と化している先祖の肖像画は、階段の暗い一角にかかっていた。彼の人生が邪悪で満ちみちていたことは昔からわかっていたが、私もテレサも知らなかった——少なくとも意識して記憶していなかった——ことがあった。彼は二度結婚しており、最初の妻であるレディ・ヘレンは、不可解な失踪を遂げていたのだ。しかも、近くに住んでいた勲爵士のサー・フィリップ・ランシングは、彼女の愛人とみられていたのだが、失踪から間もなくしてフランスに移り住み、領地も館も荒れ果てるに任せていたという。

だが、ほかにもうひとつ、発見したことがあった。こちらは、自分の胸に秘めておいたのだが、ノーフォークの古い屋敷にある、かの「恐怖の部屋」に関係していた。必要な改装を施すという名目で、石材を取りのけてもらっていたのだが、アイリーンが両手で煉瓦をたたいたり、「壁に話しかけ」たりしていたところで、眼前の作業員たちが壁を取り壊すと、女性の骸骨が現れたのだ。その腰には細い鉄の帯が巻いてあって、花崗岩に縛りつけられていた——骸骨と化したこの不幸な人物は、何世紀も前に、生きたまま閉じこめられて、飢えと渇きと窒息にもだえ苦しみながら、恐ろしい死を遂げたのだ。

# 薄紫色のシンフォニー

メアリ・E・ウイルキンズ＝フリーマン

岩田佳代子 訳

A Symphony in Lavender

Mary E. Wilkins-Freeman

わたしがウェア*に着いたのは夜もかなり遅くなってからだった。辺りは暗く、雨も降っていて視界もきかず、だからまず気になったのがマンソン邸だったのだろう。翌朝、部屋の窓から外を見ると、いきなりその家が目に飛び込んできた。通りを挟んで真向かいに建っている。夕べの雨のせいでぼんやりと黒ずんで見えた。その家の前にもわたしがいる家の前にも楡《にれ》の木がたくさん植わっていたために、すでに高く昇っていた太陽からまばゆい光が降り注いでいたのに、通りにはまだ、雨でできた小さな水たまりが、陽光を反射してきらめくこともないままあちこちに残っていた。マンソン邸の家そのものは通りから奥まったところにあり、おかげでじゅうぶんな広さの前庭が配されている。家は通りよりも高く、その土台は、通りに面した塀の上と同じくらいの高さに位置していた。庭を抜けていく私道の先にあるのは、玄関へと続く三段だか四段だかの階段だ。その階段の両脇にはそれぞれ、塀の端近くにまで枝を伸ばした、今を盛りと咲くライラックの巨木。楡の枝の間からライラックの揺れる紫の房が見える。その朝はやたらと風が吹いていた。巨木とは別に、こまめに手を入れて低く刈り揃えられたライラックの生垣もある。咲き競うライラックの巨木のところから始まって、庭をぐるりと囲み、正面の塀の前にまで達していた。庭はまさに百花繚乱。箱を利用してきちんと仕切られた、小さいがすばらしい花壇がいくつも並び、花々が整然と植えられていた。家は四角く、見るからに堅牢で、白く塗られた壁を緑が覆っている。その建物は、半世紀ほど前の住人の富と大物ぶりを示すもののひとつで、いまだに、その住人の記憶にほのかな敬意の光を投げかけていた。家自体は美しいわけではなく、この手のあらゆるものと同様、あまりに地味過ぎてかえって悪目立ちしていた。だがそんな負の印象を和らげていたのが、風に揺れる楡とライラックの緑の枝々であり、枝々の落とす、まるで波打っているような影だ。おかげで、涼しげで静かで、心楽しくなる控えめな雰囲気が醸《かも》し出されていた。そうやって部屋の窓辺に立って眺めているうちに、その家に対して、なんということもない、ただ心躍るような好奇心を覚えた。だから朝食後、居間に行くと――そこの正面の窓もその家に面している――いっしょに居間に入ってきたこの家の女主人に、機会を見てたずねてみた、向かいの家に住んでいるのはどんな人なのか、と。

「もちろん、会ったこともなければ、噂を耳にしたこともないんです。ただ、今朝あの家を見ていたら、なんだか知りたくなったものですから」

　女主人のミセス・レナードはおもむろに向かいの家を見つめ、それからわたしを見た。それは、彼女が話し出す前にする変わった癖だった。

「住んでいるのは、未婚の女性ですよ」そう答えてくれたミセス・レナードはやがて、わたしから向かいの家へと視線を戻した。「ひとりきりです。年取ったマーガレットをのぞいてってことですけど。

**ウェア**　イングランド、ハートフォードシャー州にある町。

マーガレットはずっとあの家族といっしょにいたんです。キャロラインが赤ん坊のころからじゃないかしら。昔から変わることなく骨身を惜しまずに働いてきたんですよ。でももう、だいぶ弱ってきてますから。家事はほとんどキャロラインがやらなきゃならないんじゃないかと思いますよ。特に親しくしている人もいないみたいだし、マーガレットの世話しているくらいのもんじゃないかしら。ああ、ほら、彼女が出てきましたよ」

「だ、誰ですか」いささか狼狽《うろた》えた。

「何言ってるんですか、キャロラインですよ、キャロライン・マンソン」

ほっそりとした、背筋をまっすぐに伸ばした小柄な女性が、白い水差しを手に、咲き誇るライラックの巨木に挟まれた石段を降りてきた。ラベンダー色のキャラコのドレスに白いエプロンをつけている。縁のある帽子もボンネットもかぶっていない。上のほうでひとつにしばった白髪は、控えめな巻き毛の柔らかな房のようだ。通りの向こうに見えるその顔は抜けるように白く、楽しげで、せいぜい四十歳くらいにしか見えなかった。

「ミセス・バーンズのところに行くんですよ、搾《しぼ》りたての牛乳をわけてもらいに」ミセス・レナードが教えてくれる。「いつも自分で行くんです、毎朝ちょうどこのくらいの時間に。年取ったマーガレットを行かせることなんてけっしてありません。まあ、マーガレットにはそれだけの体力もないでしょうけど。家の中のことなら多少はできても、外に出かけていくとなったら、キャロラインが行くより他にないですから」

やがてミセス・レナードは台所へ呼ばれて行った。わたしは、今しがた得たばかりの何とも曖昧かつ具体的な情報に思いを巡らせつつ、陰になった通りを歩いていくミス・キャロライン・マンソンを見つめていた。たおやかな足取りだった。

やがて一週間ほどが過ぎたころ、彼女からお茶に招待された。こんなに驚いたのはついぞなかった。何しろ彼女とはまったく面識がなかったから。朝、搾りたての牛乳をもらいにいく姿を偶然見かけることはあった。ときには、前庭の花壇の手入れをしているのを目にすることも。だがわたしに言わせれば、それだけだった。それに、わたしのような人間がいることなど、彼女は知る由もなかっただろう。しかしいっしょに招かれたミセス・レナードがまたしても教えてくれた。

「キャロラインはそういう人ですから。昔からずっと、人様をお茶に招くのが大好きなんです。まあ、そうは言っても、人様をお招きするのは、平均すると一年で二週間もないんじゃないかしら。代わり映えしない毎日ですから、お客様を迎える用意をするのが、ちょっとした気晴らしなんでしょう。とにかく、あの人はそういうことが好きに違いないんです。そうでなければ招いたりしませんから。あなたがこの夏、うちで間借りすることは、彼女も誰かから聞いていたんでしょう。何しろウェアは小さい町ですから、みんな、お互いのことを何でも耳にしているんです。それで、わたしといっしょに招こうと思ったんでしょう。行ったほうがいいですよ。楽しめるでしょうから。足を運ぶだけの価値はある場所です。それに、キャロラインは料理上手なんです。もしかしたらマーガレットが、なのかもしれませんけど。どちらが料理しているのかは知らないんです。でも、ふたりともうまいんじゃないかしら。きっと素敵な時間が過ごせますよ。わたしたちは、縫い物を持っていくんです。早めに行きましょう。三時までに。ウェアでお茶に招かれたら、みんなそうするんです」

だから翌日午後三時に、わたしはミセス・レナードと通りをわたって、ミス・キャロライン・マンソンの家へ行った。古めかしいノッカーを叩くと、それに応えて彼女が玄関で出迎えてくれた。挨拶の仕方はとても古風で、それゆえに好感が持てた。キャロラインはせいぜい、二言三言口にしただけだったが、同時に、さりげないもてなしの心と、自分のために開いてもらったお茶会に嬉しさを隠しきれない子どもを思わせる、はにかんだ喜びも示していた。それから、廊下の右手の風情ある美しい応接室に案内してくれたので、腰を下ろし、三人それぞれに縫い物を手にした。わたしからしたら、会話は盛り上がったとは言い難かったし、内容もさほど万人受けするものではなかった。おそらく、三人ともに関心の持てる共通の話題がほとんどなかったのだろう。自分や自分の知り合いに関係のあることしか喋《しゃべ》らず、そこから話題が離れることはめったにない女性がいるが、ミセス・レナードはまさにそういう女性のひとりだった。ミス・キャロラインがどんな会話をする人なのかは、当然ながら断じることができなかった。今見るかぎり、ミセス・レナードの話にまず口を挟むことなく、いかにも穏やかにひたすら耳を傾けていた。わたしはといえば、ウェアにもウェアの人たちにもまるで馴染みがなく、それゆえに気のきいたことも言えなければ、話も耳に入ってこなかった。

かわりにわたしが夢中になっていたのが、ミス・マンソンの様子をうかがうことだった。彼女は、じっと見つめているのにふさわしい人物だった。自分にひたすら視線が注がれていることに気づいていたとしても、それを表に出すことはなかったから。その視線がちらりとでも上がって、彼女に据えたわたしの視線と合うことはけっしてなく、だからふたりしてどぎまぎした挙句、気まずい思いをすることもなかった。おかげでやましさも感じず、花でも愛でるように、心ゆくまで彼女を眺めることができた。
実際、ミス・マンソンを見ているうちに、わたしは花を思い浮かべていた。それも、彼女の前庭の中でも一番多くの場所を占めている花——ライラックを。あの淡い色の花と同じで、彼女にも、どこかはにかんだような古風な気品があった。ライラックはいつでも、他の花に比べてそこはかとなく年月を偲ばせるところがある気がする。以前せいぜい四十歳くらいにしか見えなかったミス・マンソンも、今見るにおそらく五十歳に近いだろう。顔には細かな皺《しわ》もあれば隈《くま》もある。通り越しでは見えなかったものだ。若いころはさぞ愛くるしかったに違いない。本人にその気がなくても、自《おの》ずと注目を集めてしまう愛らしさだったと思う。今の姿が偽りでないかぎり、かつてはこのうえなく美しくて可憐な乙女だったはずだし、今もきっとそのはずだ。

　彼女は、ライラック色のドレスがお気に入りのようだった。その日の午後も、ライラック色の昔ながらのモスリンを着ていた。まるでこの三十年、冬になると毎年ラベンダーの中にしまっておいたかのような鮮やかな色だった。腰のところで切り替えたサープリススタイル*で、胸元には繊細なレースのハンカチを挟んでいた。概して、それまでのわたしの人生で最も楽しい午後だったと思う。静かで、何の変哲もないような中での楽しさではあったが。万事が穏やかで品がよくて心地もよかった。ミス・マンソンも、部屋も、高台の奥まった窓からの眺めも。応接室には、目の覚めるような色などひとつとしてなかった。どれもこれも、年月を重ねた鈍さに覆われていた。鮮やかさがすっかり抜けた絨毯《じゅうたん》

**サープリススタイル**　打ち合わせが交差して、胸元がV字になっているデザイン。

は、床に広がったぼんやりとした巨大な物体だ。だがその仄《ほの》暗さゆえに風格が感じられた。マホガニー材の家具の艶《つや》は失われ、光も反射しない。壁紙に描かれた金色の渦巻き模様からは煌《きら》めきも消え、壁に飾られた難点かの古い版画には、霧のようにうっすらと埃の膜がかかっていた。外では、涼しげな緑の影が庭を覆っている。窓から一陣の風に乗って漂ってくる、やわらかく、どこか眠気を誘うようなライラックの香り。ああ、何もかもが素敵だ。心ゆくまで楽しむのはさほど難しいことではなかった。

あとで頂いたお茶も美味しかった。台所も応接室と同じように趣《おもむき》があり、広々としていて、色に深みがあり、重厚で、美しい古風な家具が配されていた。磁器のカップは撫子《なでしこ》色と金色。きっとミス・マンソンのおばあさんが糸を紡いでつくったテーブルクロスを、間にバラの葉を挟んでたたみ、大きなチェストにしまっているのではないだろうか。わたしの口にしたあらゆるものに得も言われぬ味わいを添えてくれたのは、そんな周囲に配されたさまざまなものや空間に違いない。おかげで、単に美味しいといった以上の喜びを得られた。あるいは、わたしが勝手にそんな気分になっていただけなのかも。だが、どう考えても、これほどお茶の時間が楽しかったのは初めてのような気がした。

その日からというもの、ミス・マンソンとはとても親しくつき合うようになっていった。彼女宅を訪れるのが習慣となり、頻繁に足を運んだ。彼女から訪ねてくることはめったになく、わたしが寄らせてもらうほうが楽しい、というのがわたしたちの間の暗黙の了解だった。

彼女がわたしをどう思っていたのかはわからない。好意は持っていてくれたと思う。対してわたしは彼女に、愛情とも言えるような強い思いを抱くようになっていった。彼女といるときにふと思うことがあったのは、庭を歩きながら絶えずほのかで甘美なスミレの香りを堪能している人のことだった。スミレの花は葉陰に隠れていて見えないが、香りのおかげでその人には、スミレが間違いなくそばにあることがわかる。ミス・マンソンが、自然の美しさや希少な芳香についてのちょっとした話をたくさん披露してくれない日はなかった。とはいえ、慎ましく寡黙な彼女ゆえ、あくまでも少しずつではあったが。

彼女はむしろどんなときも、心の内を明かすことに慎重だった。わたしは困惑したまま、やんわりと距離を置かれるのがつねだった。だが彼女が小さなことに喜びを見出す、誠実で、子どものように純真な女性だったのは間違いない。隣人のために庭で花を摘んでちょっとした花束にしたり、ささやかなお茶会を催したりするのを、純粋に楽しんでいた。また、無垢な心で素直に神を信じてもいた。わたしが訪れるとたいてい、かたわらに聖書が開いてあり、まるで呼吸をするように自然に祈りについて話すのだった。

しかしわたしがウェアを立つ前日、彼女からなんとも奇妙な話を聞かされた。突然、わたしの前で、今までになく自分を曝《さら》け出したのだ。本心を見せてくれたとはいえ、わたしはやはり困惑した。わたしたちは彼女の家の応接室に座っていた。彼女はわたしが去ることを悲しんでいて、そのせいであの話を打ち明けたのかもしれなかった。とにかく、しばしの沈黙のあと、彼女はいきなり顔を上げた。

「あの」と彼女。「夢は信じて?」

「どう答えたらいいのかしら」わたしは笑いながら応じた。「自分が夢を信じているかどうかなんて、実のところわかりませんから」

「わたしもわからないの」彼女はゆっくりと言い、わずかに体を震わせた。「あなたにお話ししたいことがあるのよ」さらに言葉を続ける。「以前見た夢のこと。それから、そのあとでわたしの身に起こったこと。誰にも話したことはなかったけれど、話したいの。あなたが聞いてくださるなら、だけれど」迷惑をかけるのを恐れる子どものような、おずおずとした口調だった。

喜んで聞かせてもらうと告げると、しばしの沈黙を経て、彼女はこんな話をしてくれた。

「わたしが二十二歳ごろのことだったわ。両親は他界していたの。四年前と六年前に。それ以来ずっと、ここにひとりきりで暮らしているのよ。マーガレットはいてくれるけれど。ときどき思うことがあるわ、女性のお友だちとのおつき合いもないまま、こんなふうにずっとひとりきりで暮らしてきたせいで、あんな夢を見たんじゃないのかしらって。でも、どうなのかしらね。もともと夢はよく見ていたの。中には、何かしら意味があるに違いないと思うような夢もあったわ。けれどこの夢だけは、夢そのものも、そのあと実際にわたしの人生に影響を及ぼしたことを考えても、奇妙としか言いようがなかったの。

「その夢を見たのは春だったわ。ちょうどライラックが満開のころよ。夢の中のわたしは、あの楡の木の下の通りを歩いていたの。ライラック色のモスリンのドレスを着ていて、花を入れたバスケットを腕にかけていたわ。花はほとんどが白か、ごく淡い乙女色だったの。ユリとバラよ。そのまましばらく通りを歩いていくと、向こうから若い男の人が来たわ。つばの広い中折帽をかぶって、天鵞絨《ビロード》の外套を着て、なんだかよくわからないものを小脇に抱えていたの。近づいてきたその人は、日焼けした、とても目鼻立ちの整った顔をしていたわ。そして、抱えていたのは画架だった。その人はわたしの前までやってくると、足を止めて、わたしの顔をじっと見下ろしてから、バスケットの花に視線を移したの。わたしも立ち止まったわ。だってね、夢の中なんですもの、どうすることもできなかったでしょう。でも、そのまま地面を見つめていたの。顔を上げて、その人を見るのが怖かったんですもの。とても震えていたのよ、わたし。だから、バスケットの中でユリとバラも揺れていたわ。

「そのうちにやっと彼が口を開いたの。『あなたの花を一本いただけませんか』って言ったわ。『一本だけでいいんですが』

「それでわたしは勇気を振り絞って、ほんの一瞬顔を上げて彼を見たの。そして目が合ったとたん、何をおいても花を一本差し上げたいと思ったのよ。バスケットをのぞいて、一番きれいなユリの茎に指先で触れたとき、羽音がして、顔にふわっと風があたったかと思ったら、何かが肩にとまったの。心臓がドキドキしていたわ。そのまま首を回したら、そこには一羽の白いハトがいたのよ。

「でも、どういうわけか、夢の中のわたしはすぐにそのハトのことをすっかり忘れてしまったみたいだったわ。そして目の前の若い男性の顔へ視線を向け直して、そうしながらバスケットからユリを抜き出したの。

「それなのに、彼の顔はもうわたしには向けられていなかった。わたしは変わらず彼にユリを差し上げたいと思っていたのだけれど。だから少しの間、じっとそこに立ったまま彼を見つめていたの。夢の中のわたしはもうすっかり彼に夢中で、目を逸らせなかったわ。ところが見つめているうちに、彼の顔がどんどん変わっていったの。そしてついには――なんて言ったらいいのかしら、言葉が見つからないわ――美しいのに、同時にとても気味の悪いものに見えてきたのよ。すぐにでもユリを差し上げたかったけれど、あの人に差し上げるくらいなら死んだほうがましだとも思ったの。だから、さっと背を向けると、急いで逃げたわ。花を入れたバスケットを持って、肩にハトをとまらせたまま。なんだかわからないけれど、とてつもない恐怖で胸が押しつぶされそうだったの。そこで目が覚めたんだけれど、全身が震えていたわ」

ミス・マンソンは言葉を切った。そして数分後、「この夢をどう思われて?」と問いかけてきた。「何か特別な意味でもあるとお考えになって? それともやはり、夢見がちな若い女のただの突飛な夢に過ぎないと思われるかしら」

「そのあと何があったのかによるんじゃないでしょうか」とわたしは答えた。「それ次第で、その夢に特別な意味があったのか、なかったのかがはっきりするんじゃないかと思います」

「本当にそう思われて?」熱のこもった口調だった。「そうね、わたしもそうじゃないかと思っていたの。けれど、何よりつらかったのは、わたし自身がはっきりとはわかっていなかったということなのよ。どうしても確信が持てなかったの。でも、あなたにお話しするわ。だからあなたが判断してくださいな。その夢を見てから一年後のある朝、通りで実際に会ったのよ、夢に出てきたのと同じ若い男性に。わたしはライラック色のドレスを着て、ライラックの小枝を持っていたわ。通りへ出ていく途中で、生垣に咲いていたのを折っていったの。彼はわたしのそばまでくると、一瞬足を止めそうになったわ。そしてじっとわたしの顔を見下ろしてきたの。わたしはひどく驚いていたのよ。だってすぐに、夢で会った人だってわかったんですもの。その瞬間、どんなに恐ろしくて、ゾッとしたことか。あなたにどうお伝えしたらいいのかわからないわ。目の前にあったのは、夢と同じ、日焼けした、とても目鼻立ちの整った顔だったの。つばの広い中折帽もかぶっていたし、天鵞絨《ビロード》の外套も着ていたし、小脇に画架も抱えていた。でもね、彼はそのまま通り過ぎたの。わたしも。ただ、わたしはその日はずっと心ここにあらずっていう感じで、ひたすら彼の目に見つめられているような気がしていたわ。

「それから数日後、彼がミセス・グレイヴスと訪ねてきたの。ミセス・グレイヴスはそのころウェアに住んでいらしたかたで、下宿人を受け入れていらしたの。数年前に引っ越されたけれど。彼は画家だったのよ。名前は――いいえ、名前はお伝えしないでおきましょう。あなたと同じ街から来ていた、有名な人だったから。あの夏の間、ミセス・グレイヴスのところに下宿することになっていたの。それからというもの、彼に会わない日はほとんどなかったわ。ふたりとも縛られるものは何もなかったから、お互いの気持ちのままにおつき合いをしていたの。本当にずっといっしょにいたわ。彼はよく、スケッチに連れていってくれたのよ。まるで兄です、みたいな顔をして、周りの目なんて少しも気にすることなく、日がな一日ここにいたわ。応接室では、縫い物をするわたしを、台所では、料理をするわたしを、いつもとなりで見ていたのよ。とても男らしくて、まさに我が道を行く人だったけれど、わたしにはそれが本当に魅力的に思えていたの。当然のことながら、お互いをこの上なく大切に思うようになるのに、それほど時間はかからなかったわ。でもあの人はずっと、そんな思いを打ち明けてはくれなかったの、一言も。わたしは最初から、自分があの人を心から慕っていることがわかっていたのよ。ただ最初から、彼には愛情とともに恐ろしさのようなものも感じていたわ、夢の中と同じように。それがわたしの幸せにいつも、小さな影を落としていたの。でも、彼がここを離れる前の晩、ついに言ってくれたのよ。ふたりで散歩をして戻ってきたあと、この家の玄関の前に立っていたの。そして彼は結婚の申し込みをしてくれたわ。わたしは彼の顔を見上げて、夢の中で彼に花をわたそうとしたときと同じ気持ちになったの。だけどそのとき突然、彼の顔が違って見えたのよ、夢で見たのと同じように。どういうことなのか、自分でもまるでわからないの。でも、そこにはもう優しさも愛情もないような気がしたわ。あるのはただ何か別のもの——邪悪なもののようで、夢と同じ恐怖に見舞われたの。

「あの人の目には、わたしがどんなふうに見えていたのかしらね。わたしはじっと立ったままあの人を見つめていたけれど、あの人はひどく青ざめて、後ずさったわ。『おいっ！　キャロライン』あの人は言ったの。『どうしたんだよ、いったい？』

「自分がなんて答えたのかはわからないけれど、その言葉には、突然見舞われた厭《いと》わしさが、隠すことなくはっきりと出てしまっていたに違いないわ。二言、三言、激しい言葉を残して、あの人は帰っていった。わたしも家に入ったわ。それっきり、あの人には一度も会っていないの。新聞であの人の名前を目にしたことはあったけれど、それだけよ。

「さあ、教えてくださいな」ミス・マンソンは言葉を続けた。「あの夢は、わたしに何かしらの注意を促すものだったのかしら。それとも、すべてはわたしの心のいたずらで、びくびくしてばかりいたせいで一生の幸せを台無しに——いいえ、台無しだなんて言うものじゃないわね——失ってしまったのかしら」

　もの問いたげな目で見つめられる。慎ましいその顔には、真剣さといじらしさが同居していた。なんと答えたらいいのか、まるでわからなかった。けれど、その男性のことを知らなければ、当を得たことなど言えない、ということだけははっきりしていた。もしかして、あの人だろうか。ひとり、思い当たる画家がいた。年齢もちょうど同じくらいだ。あの人がそうなら――きっと、ミス・マンソンの感じたことは間違っていなかったと思う。

彼女は、わたしがためらっているのを見てとった。「気になさらないで」そして口元に、いつもの静かで穏やかな笑みを浮かべながら立ち上がった。「わたしよりあなたのほうがご存じないんですものね。この世ではけっして知りえないことなのよ。あの夢は神様の思し召しだった、わたしが考えているようなことではなかった、ただそう願っているわ。さあ、この話はもうおしまい。どういうわけかはわからないけれど、あなたに聞いていただきたかった、それだけよ。庭へ行きましょう。最後の花束をつくって差し上げるわ」

バーベナとパンジーを両手いっぱいに抱えて石段を降り切ってから、振り返って、ライラックの巨木の間で穏やかに、優雅に佇む彼女を見上げ、もう一度別れの言葉を口にした。それが彼女を見た最後だった。

翌年の夏、再びウェアを訪れたとき、マンソン宅の正面に配された窓のカーテンはすべて閉められていて、前庭の小さな花壇はどれも放置されていた。ライラックだけが満開だった。この庭の主人だった人のかわりに、永遠の命を手にしたのだろう。

「ミス・マンソンが亡くなったのは、この冬でした」ミセス・レナードはおもむろに通りの向こうを見つめながら言った。「ライラック色のカシミアのドレスを着せて埋葬したんです。本人の希望でしたから。いつでもライラック色の服を着ていたでしょう。本当にねえ」（ひとつため息をついた）「キャロライン・マンソンは天使なんじゃないかしら——わたしはそう思いますけど——なにしろあのライラックだって、去年までとそれほど変わらずにあんなにきれいに咲いているのに、彼女はそれ以上に、昔から少しも変わっていないように見えていたんですから」

# 紫檀《したん》の扉

オリヴァー・オニオンズ

圷香織 訳

The Rosewood Door

Oliver Onions

わたしは極めて巧みに造りあげられた小さな世界で
その材料とは、この世の元素と天使のごとき霊魂で
しかし黒い罪が、双方合わせて永遠の闇に売り渡し
わたしの世界はああ、そろって死ぬほかなくなった！

――ジョン・ダン*

## 1

ほどよく時代を経た屋敷だった。おそらくはジョージ王朝*の中頃のものだろうか。チャールズ一世や二世の時代*、あるいはその前にまでさかのぼることはないはずだ。とにかくその屋敷に住まう者たちは、生活にかなりゆとりもあることから、調度に関する好事家《こうずか》ぞろいだった。なかでもミスター・ジェームズは、面白そうな家の解体工事を見かけると、落ちてくる瓦礫《がれき》の危険をものともせずに、掘り出し物を求め、工事現場用の板に囲われた玄関へと向かう。彼の屋敷の長い居間で暖炉を縁取って

いるアダム様式*の見事なマントルピースも、ソーホーの古い家で見つけてきたものだ。ブルームズベリーで出くわした改築工事の現場では、古い英国産の鉛を使った実に美しい貯水槽を手に入れた。新古典主義の像で飾られているこの逸品はいま、百合の庭にある池で、石の台座に据えられ噴水の役割を果たしている。ある場所では象嵌《ぞうがん》の歩道を見つけたし、また別の場所では錬鉄の門を見つけた。そしてチェルシーの、チャールズ一世二世時代のものと思われる古い屋敷の解体現場で出合ったのが、その紫檀《したん》の扉だった。

ジェームズが通りかかったのはちょうど作業員たちが食事休憩を取っている時刻で、解体はまだ準備段階にあったから、掘り出し物を見つけるのには、まさにもってこいの状態だった。玄関は開いており、門のところに出ていた解体を告知する掲示板の向こうには、裏庭まで続く廊下がはっきり見えた。紫檀の扉は枠から外され、全体がよく見える状態で廊下の壁に立てかけられていたのだが、ジェー

**わたしは極めて……**　『聖なるソネット』（一六三三）第五番より。作者ジョン・ダン（一五七二―一六三一）はイングランドの詩人にして聖職者。

**ジョージ王朝**　イングランド王国およびアイルランド王国の王朝（一七一四―一九〇一）、ハノーヴァー朝の別称。一八三〇年にウィリアム四世が王位を継承するまで、国王がジョージ一世から四世まで続いたので、こう呼ばれる。

**チャールズ一世や二世の時代**　ステュアート朝（一三七一―一七一四）のうち、チャールズ一世（在位一六二五―四九）、二世（在位一六六〇―八五）の、イングランド内戦から王政復古を挟んだ期間。

**アダム様式**　十八世紀後半、イギリスの建築家ロバート・アダム（一七二八―九二）とジェームズ・アダム（一七三二―九四）の兄弟によって確立された建築様式。新古典主義に古代ギリシャ、エトルリア、エジプトの装飾を加え、独創性で人気を博した。

ムズの鋭い目は、瞬時に非凡な何かを見てとっていた。時間を無駄にするつもりはなかった。こうして解体現場に入り込むことはしばしばあったし、礼儀正しく近づいて、自分の目的を告げることにも慣れていたから、ジェームズは舗装された小道を進み、家の中へと入っていった。

珍しいことにこの扉は、円形の部屋にでもはめ込まれていたかのように、ゆるやかな曲線を描いていた。だがそれ以上に特異なのは、その美しさだ。木の細工が非常に優美で、とくに下部は高さのあるリネンフォールド*になっており、全体のバランスがまた完璧なのだ。しっかりした真鍮の蝶番《ちょうつがい》までが、ほっそりした詩の本の背のように繊細な作りになっている。ジェームズにはこの扉が、万全の気遣いのもとに枠から外されたことが見てとれた。明らかに、価値を理解している人間がほかにもいるのだ。ジェームズは、弧状になっている壁がないかと廊下の奥に目をやってから、家の中を回りはじめた。

ほかに面白いものは見当たらなかった。そこそこの歴史的な価値はありそうな家だ。だが空っぽな部屋を次々に抜け、屋根裏と地下まで確認しても、弧状の壁は見当たらなかった。この扉は、当初思ったよりも百年か二百年時代をさかのぼり、さらに古い家の歴史を宿しているのかもしれない。廊下に戻ると、扉にあらためて近づいた。その細工に、ほれぼれしながら指を滑らせてみる。自分の屋敷のどこに据えたものだろうか。だが、それはあとでいい。まずは手に入れなければ。二十ポンドくらいなら喜んで出そう。そう思っていたところへ感じのいい若い親方が入ってきたので、ジェームズは早速会話を持ちかけた。

この扉ですか？　親方が言った。だが、こいつは平らじゃないから！　もし平らだったらなぁ――

いや、じつに見事な細工ではあるんだが――。まるで扉の無二な美しさを非難するような口ぶりを聞きながら、ジェームズは、親方が扉を売ってくれることを願った。この扉はどの部屋についていたのかとたずねると、親方は帽子の下に手を入れて頭をかいた。おかしなことに、外されたところを見ていないと言う。ビルかバーキーが外したんだろう。たぶんビルだ。売ってもらえるかって？　いや、それはだめだな。とにかく俺にどうこうできる問題じゃない。作業は今朝からはじまったばかりなんで。もしだんなが商《あきな》いをされる方で、管理してる人たちに取引を持ちかけたいんなら――。

　物欲しそうな視線をもう一度だけ扉に投げてから、ジェームズは立ち去った。門のところで工事請負元の住所を書きとめ、時計に目をやった。作業員たちは仕事をはじめるのが早いため、昼食を取る時刻も普通の事務員より早い。いますぐ向かえば、事務所にいる責任者をつかまえられるかもしれない。住所はピムリコーで遠くないし、角のところでバスに乗れば、事務所のそばまで行けるはずだ。ジェームズはバスへと急ぐと、五分後にはもう降りていた。

　扉は十ポンドで手に入った。想定の半額だ。だがさらに五ポンドを追加すれば即決で引き渡すというので、両者ともに満足のいく取引となった。例の古い屋敷に戻る途中で、ジェームズは家具の移動業者に立ち寄った。ここでも話はスムーズに進んだ。扉にまつわるすべてが、これまでには記憶にないほどトントン拍子に決まっていく。業者にはちょうど、時間を持て余している作業員がいたのだ。もしもそう時間のかかる仕事じゃないのなら――。ええ、扉を一枚運ぶだけの仕事ですよ、とジェーム

**リネンフォールド**　リネンを折り畳んだように見えるデザイン。

ズはこたえると、梱包材を持った作業員を連れて、屋敷へと向かった。ドアは布でしっかりとくるまれ、予備の釘にいたるまでが、ひとつひとつ別々に包まれた。ジェームズは作業員に名刺を渡すと、この住所に宛てて、今日の午後のうちに発送してくれたまえと告げた。翌日の午後四時には、扉はバンから下ろされ、ジェームズの立会のもとで屋敷に運び込まれた。屋敷はロンドンから四十マイルほど離れていたが、それが東西南北のどのあたりかについてかは、ここで触れるまでもない。

屋敷は七エーカーの地所に立っていた。建物正面の中央扉には扇形窓があり、その両側にはまっすぐな枠のついた窓が左右に二列並んでいる。この玄関は『カントリー・ライフ』誌にも写真が掲載されているのだが、この雑誌を立派な合本に装丁したものに加え、造園術や武具甲冑、住宅建築やイタリア式噴水などについての書籍が、屋敷の蔵書の大きな部分を占めていた。図書室は、扇形窓のある玄関から入って右手にふたつ目の部屋で、そばには幅の広い、段差のゆるやかな階段が。中に入ると背の高い窓が並んでおり、そこから裏手にある、百合の庭へと出られるようになっていた。紫檀の扉はこの図書室に運び込まれ、ジェームズ自身が、家族の見守るなかで梱包を解いた。

一同は心からの賛辞を浴びせた。梱包に使われた新聞の山や、掃除用具が取り除かれてみると、扉はますます、その賛辞にふさわしい姿を現した。かすかに弧を描いているために支えがなくても自立する。窓のそばの光を燦々と浴びる場所に立てられると、家族の全員とひとりの客が、扉の前に黒い塊となって集まった。扉はその深みの中に一同の姿を、背の高い図書室の窓を、表の庭を、木々の上に広がる空を映し込んでいた。下に敷かれた白熊の毛皮のラグまで反射している。それでいて、扉が確固たる己《おのれ》の美しい姿を変えることはなく、装飾や羽目板にいたるまで、そのたたずまいには揺るぎのないものがあった。

「素晴らしいわ、ジェームズ！」ミス・ヴァージニアが声を上げた。「いくらだと言っていたかしら？」

「十ポンドだ」ジェームズが、控えめながらも満足そうに言った。

「信じられない！　ほかにも何かなかったの？」

「わざわざ持ってくるほどのものはね」

「いつの時代に作られたものか、誰か見当はつく？」

「家そのものはジョージ王朝様式に見えたが、この扉は、もっと古くても不思議じゃないな」

「そのリネンフォールドだと、チューダー朝*かもしれない」

「そうだな」

「この扉が光を取り込む様子といったら、まるで――まるで――」

「甲冑の胸当てのようでもあり――」

「ゆるやかに弧を描く装飾の見事な盾のようでもあり――」

「問題はどこにつけるかだな」

　これにはこたえが出なかったが、そこでアガサ・クロフトが笑いながら提案した。彼女は面々の中で唯一の客であり、この家に頻繁に出入りする特権を与えられていた。しかも来るたびに、まるであ

**チューダー朝**　イングランド王国およびアイルランド王国の王朝（一四八五―一六〇三）。居室の快適さを第一とする建築様式が流行した。

りがたい貴賓のように迎えられる。それこそ誰かが、彼女に問いかける質問でも思いつこうものなら、お手柄でも上げたように喜ばれるのだった。

「扉歓迎パーティ《ドア・ウォーミング》をしないと！」アガサが笑った。「それに、この扉にふさわしい場所なんてひとつしかないと思うわ。頻繁に滞在するゲストの部屋よ！」

「素晴らしい！」一同は喝采を上げながら、互いの顔を見やった。「あそこはずっと、アガサの部屋と決まっている。おまけに階段を見下ろす位置にあるわけだから――屋敷の中でも最適な場所だ！」

「この扉に鍵をつけるのは惜しい気もするけれど」

「あら、鍵もないような部屋で寝ることはできないわ」アガサが笑った。

「上部の横木と枠は、ぴったりくるものを準備できると思うが――」

「だったら、これ以上何を言うことがありますの？　ジェームズはさっそく手配にかかるべきだわ！」

「明日にもはじめるとしよう」ジェームズがそう言ったところで銅鑼《どら》の音が響き渡り、一同は着替えのため、それぞれの部屋に引き上げた。

　段差のゆるやかなゆったりと広い階段を上りながら、アガサは顔に笑みを浮かべていた。この家の方たちときたら、ほんとうに優しくて親切だこと。まるでどこかのオールドミスみたいにこだわりの強いところはあるけれど。一枚の扉のことで、あんなにもヤキモキするなんて！　ここで笑顔からコントラルとの笑い声がこぼれた。とりわけジェームズがそう。アダム様式のマントルピースのときも大変だった。大切なひな鳥を守ろうとする雌鶏《めんどり》みたいに大騒ぎしていたもの。とはいえアガサ自身も、彼らの徹底した道楽趣味にいくらかの影響を受けてはいた。ある家にちょくちょく滞在していれば、住人の興味や考え方に染まるのは避けられないものだ。にもかかわらずアガサはしばしば、そういったすべてに背を向けた。なんのかんの言っても、木材や大理石には血肉など宿っていないのだから。アガサは部屋に戻り、半ばまで服を脱ぎながらそう思った。風呂は一時間ほど前に使い、そのあとはヴァージニアが自由に入れるように部屋を開けておいたのだ。ベッドのキルトの上にはメイドの手で、アラセイトウの花のようなピンクのドレスが準備されている。アガサは堂々とした、まるでその造形に何か特別な意図でも働いたかのように押し出しのある体つきをしていた。強い責任感を宿した灰色の瞳には喜びの色が混じり、両者が共に踊っている。木材！　大理石！――わたしはもっと、現実感をもって触れられるものがほしい。求婚されるたびに、アガサは首を横に振ってきた。もう二十六だ。けれど、まだ待てる。待っている何かが、いつかは必ず現れることにも確信があった。それは幸福ではないとしても、彼女だけのものだ。愉快なものか、悲劇的なものか、あるいはその両方なのか。そしてその誰かと彼女は結婚する。その人とふたりでこの世界を生きるのだ。同時にその世界は、ふたりだけのものでもある。それは既知の時空の果てから作られた、誠実に守られるべき約束の成就。その人は決して――灰色の瞳をまた煌《きら》めかせながらアガサは思う――女が自分に似合う色のリボンを〝持ち運ぶ〟ように、女の曲線美を目に焼きつけて〝持ち運ぶ〟ようなことはしないはずだ。

　そこで衝かれたように、コントラルトの笑い声が喉から漏れた。

「つまりそれはどういうこと？」アガサは自分で自分を嘲《あざけ》った。「それはね、アガサ、あなたも最後にはほかの女たちと同じように――差し出された手を取るだろうってことよ。しかも長く待ち続ければ、差し出される手もなくなってしまって、最後にはジェームズの花瓶みたいに、棚を飾ることになるんだわ!」

髪を整え終えると、扉に近づいた。アラセイトウのピンクをまとったアガサは、艶《つや》やかな白で塗られた木の扉の前でしばらく立ち尽くした。

それからジェームズのことと、彼の掘り出したお宝のことを思い出した。わたしが面白半分で提案したとおりに、あの扉は、この部屋につけられるのかしら。

ふたつ目の銅鑼が鳴り響くと、アガサは扉を開け、部屋を出た。

## 2

ジェームズはロンドンのイースト・エンドまでわざわざ出向いて、上部の横木と枠のための紫檀を自ら選んできた。扉を手に入れたチェルシーの古い屋敷にもともとのものがあればさらに十ポンドを上乗せするつもりでいたのだが、見つけることはできなかった。どちらにしろ最高の職人技が必要となるため、ジェームズは著名な業者に足を運んだ。自分の屋敷についていた扉を外す作業は地元の大工に、壊れた壁の修復は地元の建設業者に頼んだ。新しい枠ができると、紫檀の扉は、病人でも扱うかのように慎重を期して二階へと運ばれた。家の者たちには、その作業が終わってしまうのがいくらか残念でもあった。なにしろこれで、あれこれと気をもむ楽しみもなくなってしまったので。それでもちょくちょく外に出てから、ゆっくりとまた屋敷の中へ引き返すのは、広い階段を上るにつれて姿を現す、扉の素晴らしさを味わいたい一心からだ。一連の作業にはひと月近くかかったので、アガサはもう、だいぶ前に屋敷をあとにしていた。

「けれどアガサには、できるだけ早く見てもらいたいわ」ヴァージニアが言った。「ここにしようと言ったのは、あの子なのだから」

「アガサといえば、扉の歓迎パーティをしろと言っていなかったかい？」ジェームズが笑った。

「いいわね。最後にうちでパーティをしてから、もう一年近くになるし」

「どう思う、アーサー？」

「いい考えだと思う」

そこで、パーティについての話し合いがなされた。

一家の者にとって、屋敷を客に披露するのは喜びでもあった。いくらか部屋の調整をすれば、六人は泊まれるはず。それから、ほどほどにダンスもあったほうがいい。なにしろジェームズもたびたび口にするように、若々しくあるためには若々しく振る舞うのが一番であり、知人の中には実際に若い人たちもいるのだから。

「ラドクリフ一家のほかには、もちろんハンフリー・ペイトンだ――」

「ハンフリーは絶対ね――」

「彼らには車で来て、帰ってもらえる。だがトレヴォー家とオーウェン家には寝室を用意しないと」

「わたしならジェームズと一緒の部屋で寝るよ。ジェームズが嫌でさえなければ」

「弟よ、大歓迎だ」

「ヴァージニアが部屋を移る必要はないだろう」

「それにアガサには、いつもの部屋を使ってもらいましょう」

というわけで一週間後には招待状が出され、承諾の返事も来て、屋敷の中が忙しくなりはじめた。

六月の上旬で天候も完璧だった。カッコウが日がな一日歌を歌い、ヴァージニアの花鉢では、レディ・ヒリンドンやフラウ・カール・ドルシュキといった薔薇が咲き誇っていた。図書室の窓の外では、百合の葉が、鉛の噴水から跳ねる水に揺れている。屋敷の中では、埃よけの帽子をかぶったメイドたちが家具を動かしはじめた。アダム様式のマントルピースがある長い居間に、ダンス用の場所を作るためだ。ゲストの何人かは数日間滞在することになる。いっぽう近くに住む友人たちは、ディナーやダンスに合わせて来て、夜明けとともに帰るだろう。

準備は速やかに進んでいた。ダンスパーティが行なわれるのは金曜だが、アガサ・クロフトは木曜の午後に到着すると、車で迎えにきたジェームズと駅で落ち合った。扇形窓の下でヴァージニアがキスをしてアガサを出迎えたあとは、ジェームズが自ら、ふたつのスーツケースを二階まで運ぶことにした。ジェームズは紫檀の扉の前で足を止めると、期待を込めて、アガサの顔に目をやった。

アガサはあとずさりながら、しかるべき賞賛のまなざしを扉に向けた。「まあ！　ほんとうにここにしたのね！」

「君に言われたとおりにね。鍵もきちんとつけてある。さあ、どうぞ」ジェームズが扉を開け、スーツケースを持って中に入った。

その日が進むうちに、ほかのゲストも到着しはじめ、ディナーはとても愉快な席になった。一同は長いこと食堂にとどまった。なにしろ居間は、椅子とソファを残し、家具がすべて取り除かれていたのだ。そしてアダム様式のマントルピースと、透明な水滴のようなシャンデリアが、ふたりの美女のようにその部屋を支配していた。誰もが、〝アガサの扉〟と呼ばれることになった扉を見るよう案内されていた。そしてジェームズは、この扉の曲線を欠点とした親方の言葉を披露するのだった。「一度などは、驚くほど優美にねじれたエリザベス朝時代の組み合わせ煙突を見て、ある人がこんなふうに言うのを聞いたことがあるよ。きっとあれは、職人がシンプルな煙突の作り方を知らなかったのだろうとね」ジェームズはクックと笑った。ディナーのあとは図書室に移ったが、遠方からの客はそろそろ寝ようと口にしはじめた。「明日の夜はしっかり遅くまで起きていることになるんだから」一同はそう言いながら笑った。「一番鶏のように朝食で起こしたりしないでくれよ、ヴァージニア！」実際、朝食の席は設けられず、おのおのの部屋に運ばれる手筈になっていた。客はそのまま起きるなり、ベッドの中で過ごすなり、好きなほうを選ぶことになるだろう。

「ではおやすみなさい。また明日のランチで」一同はそう言って部屋に引き上げた。十時半を回ると、明かりの灯っている上階の部屋はひとつのみになった。紫檀の扉の部屋で、アガサ・クロフトがベッドに入り本を読んでいたのだ。

　翌朝、八時半過ぎにメイドが扉をノックしたが、返事はなかった。メイドはもう一度ノックしてから、中に入った。アガサの姿はない。だがメイドが朝の光を入れようと窓に近づいてカーテンを開けると、下に広がる百合の庭に、アガサの姿があった。池を囲む石の縁《ふち》に立って、何やら考え込んでいる。メイドは足を運ばなくて済むように、アガサが顔を上げて自分に気づいてくれることを願ったけれど、数分後にはアガサのところにおもむいて、お部屋に朝食のご用意ができました声をかけた。アガサは、その声にハッとなった。

「え、なんですって？」アガサは言った。彼女をよく知るメイドは、のちに、お嬢様は何かに取り憑かれたようだったと語ることになるだろう。

「お部屋に朝食のご用意ができました」メイドが繰り返した。

「ああそう。朝食ね――ミス・ヴァージニアはもう下にいるのかしら？」

「もう起きていらっしゃると思いますが。お会いになりたいんですか？」

「気にしないで。すぐに会えるでしょうし。今日も素敵な一日になりそうね」

ところが同じメイドが一時間後にアガサの部屋に行くと、朝食のトレイはそのままの状態で残っていた。

「ヴァージニア！」

アガサの声だった。相変わらずぼんやりした様子で百合の庭に立っていたが、開いた図書室の窓の向こうに、ヴァージニアの姿をみとめたらしい。

「忙しいだろうけれど、ちょっとだけ出てこられるかしら？」

「もちろんよ」ヴァージニアが外に出てきた。とても小柄な彼女は、あまりにも孤独なうえに愛情が豊か過ぎることもあって、問題に対処するのが必ずしも得意な人とはいえない。いっそ放っておいて欲しいときに、大騒ぎし甘やかし慰めようとしがちなところがある。いまもアガサが明らかに問題を抱えているようなので、早速やきもきしながら、いったいどうしたのかと問いかけた。

「悪質ないたずらをするような方は、この屋敷にいるはずがないわよね？」アガサは、前置きもなしにそう言った。

「大好きなアガサ！　いったい何が言いたいの？」

「たとえばトレヴァー家の方は？　でなければ、わたしがまだ面識のない方とか」

「アガサ！　よく眠れなかったの？　もしそうなら、今夜の会は体にこたえるわ。昨日到着したときから、少し疲れているようだとは思っていたけれど。早く起き過ぎたのね。さあ、一緒にお部屋に戻りましょう」

　アガサは図書室の真上にある、自分の部屋の窓に目を上げてから口を開いた。「昨日の夜、誰かが部屋に入ってきたの」

「なんですって！」ヴァージニアはアガサを見つめた。「ありえないわ。誰があなたの部屋に入るっていうの？　メイドのはずはないし、この家の人間でもない。トレヴァー家の方だとも思えないわ。オーウェン家にいたっては、知り合いの中でもとびぬけていい方々なのよ」

「武器を持った男が、夜のあいだに入ってきたの」アガサが言った。

　ヴァージニアは話の深刻度を軽くするために笑い飛ばそうとしたが、いくらかわざとらしかった。甲高く短い笑い声に、アガサは一瞬顔をしかめた。

「なるほどね！　よくわかったわ！　遅い時間にディナーをとったのが悪かったのよ。でなければ夢を見たんだわ。さあ、あとはわたしにまかせてちょうだい。アスピリンを十グレイン飲みましょうね。あとはわたしがこの手であなたをベッドに寝かせてから、周りに衝立《ついたて》を置いてあげる。そうすれば誰もあなたに近寄れないでしょ。それともベン先生に電話をかけて、診にきてもらったほうがいいかしら？」

「一緒に部屋に来てちょうだい」アガサはそう言って階段を上がり部屋に入ると、まっすぐベッドの上のほうへ向かった。

「ここに頭を休めて、横になったまま本を読んでいたの」アガサは言った。「小型の本があったから。十一時過ぎまで読んでから電気を消した。それから何時だかはわからないけれど、突然ハッと目が覚めて体を起こしたの。扉が開いていて――」アガサは不意に扉を指差した。「男が入ってきた」

「アガサ！」ヴァージニアが叫んだ。

「扉には背を向けていたわ。扉の曲線にすっぽりおさまっていた。まるで背中で扉をたわめているみたいに」

「アガサ！」

「片手には抜き身の剣を持っていて」

「アガサ！　いったい何を言っているの？」

「そうよね。どんなふうに聞こえるかはよくわかってる。だからこうして話しているのよ。それにもちろん、あの人がオーウェン家の方だとしたら、わたしが黙っていたところで、彼は何もかも知っているわけだし」

「でも、顔は見ていないのね？」

「ええ」

「こわくはなかったの？」

「一瞬驚きはしたけれど、こわくはなかった。そう、彼の目を見つめた瞬間にも、まったく恐怖は感じなかったわ」

「なら、目を見たの？」

「ええ。わたしを見つめていて――よくわからないけれど――わたしには、あの人が何かを求めているように見えた――」

「それからその人はどうしたの？」

アガサはしばらくまぶたを閉じた。唇が震えている。それから再び目を開いた。

「わからない。ただ、少しもこわくなかったことだけは確かよ。わたしは目を閉じたような気がするの。それからもう一度開くと、男の姿は消えていた」

ヴァージニアは少し落ち着きを取り戻した様子で、アガサの体に片腕を回した。「きっと一瞬ではなく、もっと長い時間目を閉じていたのよ」ヴァージニアはやさしく言った。「何もかも夢に決まっているわ」

「夢じゃないって証拠を見せましょうか？」

「夢だとしか思えない」

こたえる代わりに、アガサは部屋を横切ると、吊り戸棚の扉を開いた。シンプルな籠状《バスケットヒルト》の柄にチャッペ*のついた剣で、まっすぐな刃が煌めいていた。

「あの人が、出ていくときに置いていったの」アガサは言った。

## 3

　ゲストたちが朝食を部屋で済ます段取りになっていたのはなによりだった。なにしろヴァージニアは、このような出来事を、自分の胸の中にしまっておけるような女性ではなかったのだから。ヴァージニアはアガサの手にしている剣を見つめてから、アガサの顔をまじまじと見やった。わたしの頭は大丈夫なのかしら、とでも思っているようだ。それから、すっかり当惑した様子で笑った。

「でもそんな！　とても信じられないわ！　この家の当主として、ジェームズにも聞いてもらわなければ！」

「ジェームズには知らせないほうがいいと思うの」アガサが慌てて言った。

「けれど、知らせないと。もし誰かのいたずらなのだとしたら——」

「どうしてあんなことを言ったのかしら。あれは間違いよ。誰かのいたずらなんかじゃない」アガサはゆっくりとそう言った。

「あらでも、さっきはオーウェン家の誰かかもしれないと言っていたのに——」

　アガサは首を振った。「オーウェン家のおふたりには申し訳なかったわ。もちろんあの方たちが、そんなことを思いつくわけないもの。どうしてあんなことを言ってしまったのか、自分でもよくわからない」

「とにかく、ジェームズならどうすればいいかわかると思うから」

アガサが目を見開いた。「何を――どうするっていうの?」

「わたしが言いたいのは、彼の判断はいつだって頼りになるということ」

アガサはもう一度剣を見つめながら、刃に視線を滑らせた「なんだかご迷惑をかけて申し訳ないわ」

それからふいに顔を上げ、付け加えた。「そのほうがいいと思うなら、ジェームズに知らせてちょうだい。わたしは別に構わないから。この剣は、とりあえずしまっておいたほうがよさそうね」

アガサはクローゼットに近づくと、剣をしまってから扉を閉めた。

図書室での話には、ジェームズだけでなく、一家の兄弟たちも立ち会った。内容が内容なだけに、家族みんなで対処すべき問題であると判断したジェームズは、アガサが話をはじめるとすぐに片手を上げ、ほかの兄弟たちが来るまで待ってもらいたいと頼んだのだ。そこでアガサは、また最初から話をし直した。ヴァージニアから、先ほどの話と違うようだと小さな修正をされながら。アガサは図書室の扉のすぐそばに立ったまま、男がどのように立っていたかを説明した。ジェームズは書き物机の前に座り、両手の指先を合わせながら聞いていた。若い頃に法律をいくらか勉強していたこともあって、その態度からは、この問題を自分の手で解決できるという自信のほどが見て取れた。

「では、新しい鍵があっても、その男を止めることはできなかったわけか」ジェームズが微笑んだ。

「そう、止められなかった」アガサがこたえた。

**チャッペ**　柄と刃のつなぎ目につける革のガード。

「ふむ、すべてはその剣にかかっているようだな」ジェームズは言った。「その興味深い品を見せてもらえるかね？」それから一同が待っていると、アーサーが、使用人の目にとまらないよう古いバーバリーの布でくるみ、剣を手に戻ってきた。剣はまるで議会の職杖《しょくじょう》のように、ジェームズの前にある机に置かれた。

「それでは、質問をさせてもらってもいいかね、アガサ？」ジェームズがやさしく言った。

「もちろんよ」

「座ったらどうだい？」

「すぐに座るわ」

　図書室に広がる沈黙の中で、ジェームズが口を切った。

「まず、その男の顔は見なかったとのことだが――」

「目だけは見えました――」

「目だけは見えたと。それで、男の服装は？」

　アガサは突然自信を失った様子で、「よくわからない」とあきらめたように言った。「服装のことなんか気にしていなかったから。彼の服装は、人が自分に合ったものを着ているときのようにしっくりきていた。どことなく兵士を思わせる雰囲気があったけれど、軍服のようなものを着ていたわけではないと思う」

　ジェームズがよくわかったというようにうなずいた。「剣との関係もあるからな。男は軍服を着ていなかったと。正直、鎧をつけていたなどと言われたら、かえって証拠としての価値を疑っていたと思うよ」

「わかっているのは概略だけってわけか」アーサーが言った。

「ロイヤル・アカデミー・オブ・アーツなら、こたえを教えてくれるかもしれないぞ」ヘンリーが言った。

「次に」と、ジェームズが続けた。「きみはベッドで読書をしていたと言ったね。それから電気を消したわけだ。ではなんの光で、剣を持った男が見えたのだろう？」

予想外の質問をされて、アガサはとたんにうろたえた。指を唇に当てながら視線を床に落とし、眉間にシワを寄せている。

「電気をつけたわけではないのかい？」

アガサは一瞬顔を上げた。「つけた覚えはないわ」

「普通の電灯でなければ、ロマンティックな月明かりだったとか。どのような光だったのだろう？」

「わからない」

「この屋敷にはずっと、幽霊の気配さえなかったのに」ヴァージニアが怯えた声で言った。

「よくわからない領域に手を伸ばすのは、わかっていることをしっかり検討してからにしようじゃないか」ジェームズが辛抱強く言った。「アガサが無意識に電気をつけた可能性はゼロじゃないんだ。とりあえずは剣に話を戻そうか。アーサー、きみは前に何本か持っていたな。だがわたしの記憶通りなら、何かと交換したはずだが」

「あのローズピンクの食器セットと交換したんだ」アーサーがうなずいた。

「全部かい？」

「全部だ。なんだったら目録を見せてもいい」

「剣は一本も残っていないんだな？」

「間違いなく残っていない」

「そしてこの屋敷に、ほかの剣は一本もないんだな？」

「この家の人間が、その手のことで思い違いをするなどありえないよ」アーサーが満足そうに小さく笑った。

「つまり我々はいま――真夜中に忽然と謎のように現れた剣を所持しているというわけだ。これが剣だということについて、誰も異論はないかい？」ジェームズは剣の上に指をたゆたわせながら、からかうような口調で言った。

「現れたときと同じように、突然消えてしまうかもしれないぞ」

「そうなれば、このささやかな捜査も簡単になるんだが」ジェームズが言った。

そこでいきなりアガサが口を開くと、深い物思いから覚めたような口調で話しはじめた。

「ごめんなさい、ひとつ忘れていたわ。その人は、肌の色がとても濃かったの。まるで、あらゆる天候の中で生きてきたみたいだった。頭は尖っていて、均整の取れた形をしていたわ」

ジェームズが抜け目のない視線をアガサに向けた。「ほう！　では、帽子はかぶっていなかったのかい？」

「もちろんよ！」

「黒っぽい目をしていたと言ったかな？」

「とても素敵な瞳だった。黒っぽく輝いていて」

「それから日に焼けた肌というわけだ。その紳士は、自らを作り上げているかのようじゃないか」

「でもあなたは最初、オーウェン家の誰かだと思うと言っていたじゃないの！」ヴァージニアがどこか責めるような口調で言った。「あの兄弟は、どちらもバターみたいに色が白いのよ！」

　アガサは黙ったままでいた。

「国王直属の武具師になりそこねた男として、この剣はいつの時代のものだと思うかね、アーサー？」ジェームズが言った。

　アーサーは机に近づいた。それから部屋を横切ると、武具に関する本を一冊手に取った。アガサは憤慨しているような顔で、アーサーの一挙手一投足を見守っている。アーサーが剣に触れているのが、ふいに嫌でたまらなくなったのだ。このままどこかに行ってしまいたい。こんな話は何ひとつ、ヴァージニアにさえしなければよかった。いったい何の役に立ったというの？　この家の人たちは感じがよくて善意にあふれてはいるけれど、なんの助けにもならないことが、彼女にはもうわかっていたのだ。どうしてあの剣をそっとしておいてくれないのかしら？——またしても、アガサの口元にかすかな笑みが浮かんだ。とにかく、剣は存在しているのだ。もし剣がなかったら、夢だということで片づけられてしまっていただろう。ああ、どうして誰かが入ってきて、〝証拠としての価値〟をうんぬんし、無益な質問をやめようとしない、この喜劇的でもったいぶった審問法廷を終わりにしてくれないのかしら？　アガサはここにいる全員を笑ってやりたかった。わたしの話に食い違う箇所があるからといって、それが一体なんだというの？　おそらくこのまま話を続ければ、すぐにまた矛盾が出てくるだろう。どうしてあの剣を放っておいてくれないのかしら？

それから誰かが、彼女の代わりに笑った。その声は、図書室の外の廊下から聞こえてきた。

「ほかの方々は？　朝のご挨拶をしなくてもいいのかしら？」

ほかのゲストが活動をはじめているようだ。家のホストたちは互いの顔に目をやった。残りの話は、また都合のいいときを待ってすべきだろう。裁判官たちは立ち上がった。

だがアガサは、ほとんど意識さえせずに、断固たる態度であることをしていた。アーサーが剣をまた手に取ると、写真や二つ折本が入っている引き出しにしまおうとした。レースのように白くほっそりした手が剣を持っているのを見ているうちに、アガサはたまらない気分になった。そこで近づくと、とっておきの笑顔を浮かべながら言った。

「わたしの剣を返してくださらない？」

ふり返ったアーサーの顔に笑みが浮かびかけた。「彼女の剣だそうだよ、ジェームズ！」

「ああ、確かに我々の剣ではないな！」

「だったらアガサに持たせるかね？」

だがアガサはすでに剣を手に取っていた。半分を腕の下に、もう半分をものあたりに当ててできるだけ隠すようにしながら駆け出すと、部屋へと上がり、紫檀の扉を閉めた。

息が上がっていたのは、階段を駆け上がったせいではない。自分の中で起きていることに興奮していたのだ。階下の図書室では、からかわれ嫌な思いをした。二度も三度も矛盾をつかれた。アガサの話は、一度目に繰り返したときでさえ最初と違っているところがちらほらあったから、ヴァージニアが眉を持ち上げながらその点を指摘したのだ。アガサは最初、もう一度男を見てもわからないだろうと言った。それからわかるかもしれないと思いはじめ——いまでは間違いなくわかるはずだと確信していた。あの素晴らしい瞳があるのだから。それに、そのほかの点からも、きっとわかるはず。その細部が次から次へと、影の中から、素晴らしく明るい日のもとへ飛び出してきたかのように、現れてはかたどられていった。アガサはキルトカバーのかかったベッドに剣を置くと、そのそばに横たわった。昨晩読んでいたのは『テンペスト』*だった。その薄い本が、いまはナイトテーブルに置かれている。アガサは本を開くと、そこに書かれていた文章を読んだ。

『あの実体のない仮面劇がはかなくも消えていったように、あとにはひとすじの雲も残らない——』

ああ、シェイクスピアはいつだって正しいけれど、ほんとうにひとすじの雲も残らないの？

『我々は夢と同じ糸で織り上げられている——』

ああ、わたしたちのささやかな人生を、たった一度でいいから、眠りではなく、目覚めで締めくくることはできないのだろうか？

アガサは左手に本を持ち、右手の指で剣の柄を軽く叩きながら読み続けた。

だがふいに本を落とすと、部屋にぐるりと目をやった。この部屋には何十回と泊まったことがあるにもかかわらず、まるではじめて見るような心持ちがした。ベッドとクローゼットと化粧台があって、

*『**テンペスト**』　シェイクスピアの戯曲。以下、引用は全て松岡和子訳（ちくま文庫）による。

下にはちらりと百合の庭が見える。この部屋で新しいものはひとつだけ——紫檀の扉だ。アガサは片肘をついて体を起こしながら扉を見つめた。ベッドからするりと出ると、剣を手にして扉に近づいた。扉は浅く繊細な彫刻の中に窓からの日差しを受けながら、やわらかくふくよかな赤味を帯びている。そこでふいにアガサは、この扉がどこから来たのか、なんとしても知りたいという情熱に駆られた。

## 4

剣のことを知っているのは主人側の家族だけだったものの、その日の午後には、屋敷に集まった全員を巻き込むような、ある種恐ろしいほどに喜ばしい出来事があった。玄関ホールで電話を取ったヴァージニアが弾けるような叫び声を上げたものだから、オーウェン家の兄弟とヘンリーが慌てて駆けつけたほどだった。

「まさか！——」

「どうしたんだ、ヴァージニア！」駆けつけた三人が叫んだ。

「待って！——いつ？——ここに？　いまから？——ああ、わたしにはずっとわかっていましたとも！神様が必ずあの子をお守りくださるって！」

「ヴァージニア！　いったい何事なんだ？」ほかのゲストたちも集まってきたが、ヴァージニアの桃色の顔は、肌の下で感謝の蠟燭が燃えているかのように上気していた。

「今夜なのね？　ええ、すぐにでも！　午後のあいだに！——ああ、なんてことでしょう！」

それからヴァージニアが振り返った。

「バーティよ！」消え入りそうな声で彼女は言った。

「なんだって！」

「生きていたの！　いま家にいるって！　ここへも今夜、来るそうよ！」

「バーティ・ペイトンが！」

「そう——ああ、どなたか、オーデコロンを取ってきてくださらないかしら——なんだかこのまま——気絶してしまいそう——」

「上の部屋からわたしの嗅ぎ塩《スメリングソルト》＊を取ってきてちょうだい、シビル——」

「いいえ、大丈夫——」ヴァージニアは笑いながら泣いていた。

「いったい誰なんだい？　あの若いペイトン君と関係のある方なのかな？」チャールズ・オーウェンが言った。

「ああ、四歳離れたハンフリーの兄だ。一九一六年から行方不明になっていたんだ。ペイトン家は、ここから十二マイルほど離れたウィチェルムに住んでいてね」

「そいつはまた！　ご家族はいったいどんな気持ちだろう！」

「一九一六年からだって！」

**嗅ぎ塩**　気付け薬。アンモニア臭を有する。

「死者が目覚めたようなもんじゃないか！」

「そいつは――すごいな！」

その現実について考えれば考えるほど、一同の驚きはいやますばかりだった。アガサだけはその場にいなかったので、蘇った男についても知らずにいた。彼女は自室のベッドに、服を半ば脱いだ格好で横たわり、ぐっすりと眠っていたのだ。お茶の時刻を告げる銅鑼の音にさえ目を覚まさなかった。ヴァージニアが扉を押して部屋の中をのぞいたが、アガサを起こすことはせず、そのままそっと扉を閉め直した。それから階段を下りる途中でジェームズに出くわした。

「アガサは眠っているわ」ヴァージニアがささやいた。

「眠らせておこう。今朝の話は、じつに突拍子もなかったからな。アガサには――その――あの手のことを経験しがちな傾向でもあるのかい？」

「いいえ、まったくあの子らしくないと思うわ」

「とにかく、見ただけであの剣を実在させることはできないからな。正直、わたしも困惑しているんだ」

「わたしが困惑しているのは、次から次へと、情報が増えているように思えることなの」ヴァージニアが言った。「最初に話を聞いたときには、肌が浅黒いことも、素晴らしい目をしていることも、頭の形のことも、何ひとつ言っていなかったのよ。それでいて、アガサほど正直な人も珍しいんですから」

「アーサーが勘違いしているだけで、この屋敷にはずっと剣があったのかもしれないぞ」

「だとしても、どうしてアガサの部屋に？　あの子は、床から拾ったと言っているのよ」

「アガサは確かに正直だが――」ジェームズが疑わしげな口調で言った。

「あの子を疑うなんてありえないわよ、ジェームズ！　そもそも、剣をこの屋敷に持ち込んで、あんな話をでっち上げる理由がどこにあるというの？」

「しかも、彼女の荷物はわたしが自分で運んでいるしな」ジェームズが考え込んだ。

「とにかく、着替えの時間まで眠らせておきましょう」

「眠っているあいだに、今度はあの剣を消してくれればいいんだが」ジェームズがぼやいた。じつは少し、心配になりはじめていたのだ。

「そうね、すべてが夢であれば、剣が現れたときのように、あっさり消すこともできるでしょうから」

そう言ってヴァージニアが階段を下りはじめると、ジェームズのほうは階段を上がって自分の部屋へと向かった。

　アガサが伸びをして、体の隅々まですっきりしているのを感じながら目覚めたときには、もう七時に近かった。ああ、なんて眠りだったのかしら！　ちょっと忘れられないくらいだわ！　アガサはそう思いながら、小さな旅行用の時計に目をやった。たったの二時間半しかたっていないのね！　まるで人生をゆっくり過ごしたみたいだったのに！　このささやかな午後の短い時間に、なんだか歴史的なことが起こりつつあるみたい！　アガサはベッドから跳ね起きると、クローゼットについた背の高い鏡に近づいた。ドレスも着ていなければ、室内用の靴も履いていない。自分の肩と背中が素晴らしいことは自覚しており、それが嬉しくもあった。手入れをするだけの価値がないとでも？　それは預かり物であり、負債であり、約束でもあった。アガサはすでに胸の中で、その美しさに承認を与えながら大きな喜びに包まれていた。バスローブを手に取った。それから紫檀の扉を少し開いて、外をうかがった。なにしろこの部屋の唯一の欠点は、階段のすぐ上にあることなのだ。部屋を横切り、バスルームに向かった。ドレスが準備されていないところを見ると、彼女を起こさないよう指示が出されていたに違いない。けれどドレスなら自分で選べばいい。アラセイトウ色のドレスは違う――アガサは風呂を使いながら、手持ちのドレスに思いをはせた。金色のビロードのドレスにしましょう。喜びの、そして昇りゆく太陽の金色。それはもちろん、彼女の持つ歌声の色でもある。部屋に戻ると、ドレスを取り出した。外からは到着した車の音が聞こえてきたが、とくに慌てはしなかった。ほかの人たちもまだ自分の部屋で支度をしているはず。ディナーに合わせてきたゲストが、少し早めに到着しただけのことだ。ハンフリー・ペイトンの声が聞こえたような気がした。ハンフリーはアガサを崇拝しており、しつこくまとわりついたまま、ひとりにさせようとしない。けれどアガサが、ハンフリーのために金色に輝くことは決してないだろう。「もしもうひとりわたしがいたら、喜んで差し上げるのよ」と、アガサはハンフリーに言う。「でもわたしはひとりしかいないから、まだとっておきたいの」ハンフリーは、あきらめずに求婚すると言った。今夜もまた、試みるつもりなのだろうか。そんなことをしたって何も変わらないのに。シビル・トレヴォーもまた、ハンフリーにぞっこんだ。どうしてシビルから求婚しないんだろう？　シビルは、それができるくらいに現代的な女性なのだ。アガサは違う。彼女はどんなくくりにも当てはまらない。アガサはアガサであり――いまは金色のドレスをまとって、彼女の心臓のごとき芳醇な紅色《べにいろ》に艶めいている紫檀の扉を通り向けていく。

　階段の一番下の段まできた。ディナーの前には、いつも軽食のトレイが図書室に準備されている。アガサは、貝を思わせる丸味を帯びた手すりの先端に手を置いた。と、別の手に触れ、驚いて目をやった。日に焼けた浅黒い手。それから彼女は、ふたつの瞳――男の瞳を見下ろしていた。じっと彼女の目を見つめ返している。アガサはその瞬間に、ほんとうの人生がはじまったことを悟った。奇跡が起こったのだ。

## 5

その夜のディナーでのアガサの席は、パーティ・ペイトンからは離れていた。アガサの隣にはハンフリー・ペイトンが、もう片側にはジェームズがついていた。ジェームズはアガサに特別な心配りの必要を感じているようだったが、ハンフリーの気遣いはそれ以上だった。これまでだってチャンスなどなかったというのに、まるでまだ希望が残っているとでもいうかのように！　アガサはもうひとりとの間には、求愛も受諾もいらないことがわかっていた。それはただそうなのだ。封印をされた完璧な円。素晴らしいわ！　アガサは、ハンフリーに行方不明の兄がいるという話さえ聞いた覚えがなかった。ここにいる人たちが、わたし以上の優先権を感じているなんて信じられない、と思いながらアガサは笑った。優先権！　なにしろ、そこには最初も最後もないのに。ただ、封印のなされた完璧な円があるだけ。アガサの小さな笑い声を聞きつけて、ジェームズは、自分の不安が杞憂ではないことを悟った。アガサの中では何かが起こりつつある。この屋敷に現れたのは見知らぬアガサなのだ。浅黒くて長身の軍人めいた男を夢見ながら、存在しなかったはずの剣を取り出してみせるアガサ。誰からも、深く愛されているはずのアガサなのに！

ディナーが終わった。死から驚くべき復活を果たした長身の男は、まだアガサに紹介されていなかった。居間にいる楽団がチューニングをはじめた。アガサはふいに、ほっそりと形のいい顔についたふたつの大胆な瞳が、力強いまなざしを自分に向けているのを感じた。そしてその瞳にまっすぐな問いかけを読み取ると、にっこりとうなずいてこたえた。そのまま部屋を出た。二分もすると男が合流した。そこは、ふたりの手がはじめて出合った場所、渦巻形の装飾がついた階段の手すりの端のところだった。

「すっかり日焼けしているのね！」自分でも、完璧な切り出し方だと思いながらアガサは言った。

「ああ、そうだな。日に焼けた男は嫌いか？」男が言った。

アガサは笑った。いつかはこんなふうに笑う日が来るだろうとわかっていた。「色の白いあなたなんて好きになれるとは思えない。いったいどこにいたの？」

「その話は勘弁してくれ！」男も笑った。「なにしろこの二十四時間は、いままでどこにいたのかの話しかしていないんだ！　まったく、どこにはいなかったんだろうな？」

「わたしが、そういう意味で聞いたんじゃないことはわかっているはずよ」

「きみはこの屋敷に泊まっているのかい？」

「ええ」

「まだ、あの百合の庭はあるのかな？」

「あるわ」

「じゃあ外に出て散歩しよう」

「いいのかしら、こんなにすぐに。みんながあなたと話したがっているのよ!」

「俺はきみと話したいんだ」

「でも、あんまり長くなってはいけないわ」アガサが言った。

ふたりは図書室の窓から外に出た。屋敷の反対側からはにぎやかな音楽が聞こえていたけれど、窓を閉めるとだいぶ静かになった。

「名前は?」男が言った。

「知らないとでもいうの? アガサよ」

「アガサ」男は舌の上で誓いの言葉でも味わうかのように繰り返した。「俺はバーティだ」

「知ってるわ」

「どうしてあの手すりで、俺に手を預けたんだ?」

「わたしには、あなたのほうから預けたように思えたけれど」

「じゃあ、いまは預けてくれ」

アガサは、手をゆだねた。

「さあ、こっちを向いて」

「あら、もう向いてるわ」

「そうか——」

アガサは自分からも相手に唇を重ねていた。金色のビロードが、バーティの黒と白に混じり合った。

「さてと、結婚はいつにしようか」バーティが言った。

アガサが、いつでもあなたの好きなときにと返すと、バーティは考え込んだ。

「きみだってもちろん、俺がとんでもない邪魔者だってことには気づいてるよな？」

「どうして？」

「まずは、ハンフリーのことがある」

「彼から何か聞いているの？」

「結婚したいと思っている女性に会ってほしいと言われた」

「希望なんかほとんどなかったことは、あなたにもよくわかっているくせに！」

「だとしてもやっぱり、俺が現れたせいでいろいろなことが面倒になっている。早くも気づいちまってね。すべてがいい具合に落ち着いていたんだよ。問題なく、スムーズに。そこへいきなり現れたところで、俺には居場所がないってわけだ」

「ほんとにそう？」アガサの笑い声は、百合の中の噴水が立てる水音のように音楽的だった。「なら――試してみて――」

ふたりはキスをしたまま、しばらくは、鉛の噴水に立つ新古典主義の像のように動かなかった。

「こんなのって」アガサは体を離しながら言った。「どう考えても馬鹿げているわ。あなたは中に戻らないと」

「またしばらくしたら、外に出ると約束してくれるか？」

「ええ、でも、あなたとじゃない。さあ、行きましょう」

あとでハンフリーと庭に出なければならないことは、アガサにもわかっていた。だがいまの彼女には、ハンフリーのことを考えている余裕などありはしない。ほかの者の哀しみによって、バーティにとっての大切なものが増えるのだ。バーティは踊らなかった。彼の知っているダンスは、もう十一年も前のものなのだから。だがどうだってかまわない。誰のそばで踊っていようと、アガサの心は彼のために踊っていた。一緒に踊っている相手が誰なのかさえ気にしていなかった。バーティはアダム様式のマントルピースのそばの、よく見えるところ立っていたが、そこには常に人が集まり、誰かが加わったり立ち去ったりしていた。アガサがその前を通るときには、必ずバーティと目が合った。それからバーティが、その場を離れた。ジェームズに近づいて、何やら話しかけている。わたしのことだろう、とアガサは思った。それについてなら、何を賭けたところで大丈夫なはずだ。

数分後には、ジェームズがアガサに近づいてきた。いかにも悩ましげな表情をしている。気の毒なジェームズ、とアガサは思った。わたしのせいで大変な一日になってしまって！

「この曲を踊りたいかい、アガサ？」ジェームズが言った。

まあ！　この人をからかう必要があるかしら？「いいえ、じっくりお話がしたいわ」

「図書室ではどうだろう？」

「誰かがあそこでプロポーズでもしていなければ」アガサは笑った。

図書室には誰もいなかった。ジェームズはぎこちなく、どうしたものか決めかねている様子で切り出した。いつもの判断力をすっかりなくしているようだ。

「いましがた、とんでもない話を聞かされたところでね――まったくとんでもない！　理解に苦しむ！」

「なんのこと、ジェームズ？」（どうしてこの人に付き合う必要があるの？　大きな声で、世界に向かって宣言してやりなさい）「わたしが、彼と結婚の約束をしたことかしら？」

「数時間前に会ったばかりの男なんだぞ！　ありえない！　信じられん！」

「ごく普通のことだなんて言うつもりはないのよ」アガサはおとなしく認めた。「でも、結婚は普通のことではないんだから」

「だが手順がある――段階を踏んで――適切な関係を――」

「あら！」アガサが素早く遮《さえぎ》った。「完全に適切だし、それ以上の関係だと思うわ。それに段階なんて、そんなものは理解できない」

「よくない、不健全だ――闇の中に飛び込むような真似をすれば、結局は非難されることに――」

「でも、わかるのよ！　それにわたし、ハンフリーとは結婚できない」（なにしろジェームズはずっと、わたしがハンフリーと落ち着くことを望んでいたのだ）

「ふたりの中では、ハンフリーのほうが常に堅実だった」

「でもジェームズ、まさかあなた、わたしの気持ちを変えられると思っているわけじゃないんでしょ！」

アガサが笑った。

「常識をもって慎重になってほしいと思っているだけだ――わたしはパーティを心から信用できたことがないし――」

「一か八かに賭けるようなタイプだものね」

「一か八かとは！——とにかく、これからさまざまな調整が必要になるはずだ——バーティの死が公的に確認されたことは一度もなかったが、自然とある推測のもとに必要な手順が取られてきたんだ——」

「つまり一家の方々は、バーティが戻ったことを喜んではいないと？」（だってジェームズの言葉のとおりであれば、ハンフリーの幸運は、あっさり終わってしまうわけだから）

ジェームズの顔にショックの色が浮かんだ。まるで、みんながバーティの帰還を心から喜んでいないとでも言いたそうじゃないか！

「アガサ」ジェームズは言った。「失礼だが、今日のきみの態度にはどこかおかしなところがあるね。わたしだけでなく、ヴァージニアやアーサーも気づいている」

アガサから放射されるエネルギーが、いくらか弱まったかに見えた。彼女は少し声を落として言った。「今朝のことなの？」

「まだ説明がついたとはとても言えないからな」

アガサは眉をひそめながら、「なんだかバーティとわたしは、ふたりともお荷物みたいね」と、おもむろに言った。

「今朝の出来事を蒸し返すと、きみの話には——その、いくらか矛盾があった——」

「そうね」

「きみが自分でも知らないうちに——無意識に——なんといったらいいのか——なんらかの方法で、あの剣をこの屋敷に持ち込んだということはありえないだろうか？」

アガサの表情がパッと晴れた。「ありえないわ。わたしは、お話ししたとおりの場所であの剣を見つけたの。それに、そういうことであれば——」彼女は決心したように付け加えた。

「そういうこととは？」

「つまり、バーティとわたしがふたりともお荷物であるのなら、別々にご迷惑をかける時間はできるだけ短くしたほうがいいと思うの」

「婚約を発表すると？」

「婚約なんてしないわ。すぐに結婚するんですもの。早速、ハンフリーにも話をしてきます」

## 6

最初の喜びが落ち着くと、死から蘇った若者のもたらす、日々への影響を考慮する必要が出はじめた。バーティのほうが年上で、幼少のころから、より支配的な性格だっただけになおさらだった。しかも家を離れていた男が最初に取った行動が、戻ってから数時間もたたないうちに、弟が妻にと望んでいた女を奪い取ることだった場合、その特殊性たるや著しいものになるだろう。

まずは車の件からはじまった。一家では二台を所有していたが、一台はフォードの小型自動車に過ぎず、小用で村との行き来をするのに使っているものだった。もう一台は、威風堂々たるイスパノ・

スイザ*だ。バーティは戻った翌日、誰に確認することもなくイスパノ・スイザに乗ると、夜遅くまで帰ってこなかった。バーティとしてはこれが当たり前の態度であって、単純に自分の習慣を取り戻しただけのつもりだった。その翌日、バーティが車にエンジンをかけようとしたところで、ハンフリーがガレージに現れた。

「その車を使うのなら、昼までに戻ってきてもらえないかな?」ハンフリーは言った。「午後に、町まで出かけたいんだ」

「列車を使えばいいじゃないか」バーティが言った。「俺は一日こいつに乗りたいんだ。トンプソンに頼んで、十二時半の列車に間に合うようにフォードで送ってもらえよ、な、いいだろ」

「もちろん、用事に一日かかるっていうんなら」ハンフリーは肩をすくめながら言った。

それで全てに説明がついた。なにしろ、なんであれ用事にはなるわけだから。様々な理由によって、数日内に結婚するのは不可能だということがわかった。なかでも一番大きな理由は、バーティがおとなしく棺の中にとどまっていなかったことで、否定のしようもなく全てをひっくり返してしまったところにあった。バーティなどいないほうがよかった、などとは誰も口にしない。だが彼がいないままのほうが、何もかもすっきり収まっていたのだ。バーティは服でさえ、自分の服が調達できるまでは弟のものを借りねばならなかったし、どのようにしてお金を受け取るべきかについても、まだ決まっ

**イスパノ・スイザ**　一八九八年、バルセロナに創業した自動車製造会社。スペイン人の創業者とスイス人の技術者にちなんだ社名。

てはいなかった。

　とりあえずの小遣いとして、五十ポンドを受け取った。だが五十ポンドで結婚はできない。

「もし役に立つようなら、あのフォードをプレゼントさせてもらうよ」傷心のハンフリーはそう言った。

「それはどうも」バーティは、軽い運動でもするように筋骨のしっかりした体を伸ばしながらこたえた。あやうく、アガサをフォードに乗せるくらいならおまえらを地獄送りにすると口にしかけたが、そうはせず、弟の肩に片手を置いた。なにしろバーティは、ことが自分の望む形で運んでいるかぎりは物分かりのいい若者なのだ。「気持ちは察するよ」バーティは言った。「おそろしく辛いだろうし、同情もしてる。だがこう言っちゃなんだが、彼女は何があってもおまえと結婚することはなかったはずだ。だったら、俺がもらって悪い理由もないだろ？　もしも俺がおまえに、恋人を乗せてまわるのにフォードを使ってくれなんて頼んだとしたら、俺は吊るし首にされても仕方がないと思うね！」

「兄さんがいなければ、彼女は僕と結婚したはずだ。ジェームズもそう言ってる」

「ジェームズは年のいった女中みたいなやつだからな。彼女なら、そんなことは言わないさ！」

「僕の気持ちなんか、どうだっていいみたいだね」

「ほんとに悪いと思ってる。嘘じゃない。だがこっちだって、おまえを出し抜いたわけじゃないんだ。俺は何がどうあっても身を引いたりはしなかったろうが、きちんと通告はしたはずだ」

「彼女をここに連れてくるときにも通告をお願いしたいな。家にいないようにするから」

「いい加減、男になって受けとめろよ」バーティは、わずかに軽蔑をにじませながらそう言うと、車をスタートさせた。

ふたつの屋敷は十二マイル離れており、車で行けば十五分ほどだ。人々は垣根の奥からエンジンのうなりを聞き、車体が閃くのを目にしながら、車が土埃の中に消えていくのを見守った。バーティにフォードなどありえない！　それから車を扇形窓の下に寄せると、ためらいのない足取りで降りていく――鍛え上げられた体には弟の服をまとい、弟のカミソリで髭を剃り、ロマのように浅黒く、尖った頭は髪を短く刈り込んで、瞳は大胆に煌めいている。「今日はどこに行きたい？」バーティはそう言いながら、花から香りを引き出す太陽のようなまなざしでアガサを包み、彼女の内なる美を表へと引き出していく。そしてアガサが松林と言えば松林へ向かうし、もしもアガサが空へと言えば、空へ飛ぼうとするだろう。食事をバスケットに詰め、四分の一マイルほど走って松林に入ると、車は置いて、散歩をしてから腰を下ろした。会話もしっくりと噛み合って、ひたすら互いのことと、ふたりに起きた驚くべき現実について語り合った。

「ああ、待っていられたことがほんとうに幸せだわ！」アガサは、バーティに向かってささやいた。その日のバーティのアガサに対する話しぶりは、ときに、ほかの人に対するものとは違っていた。だが歳月を越え、紫檀の扉を抜けて名乗りを上げ、力強い本物の唇を彼女の唇に重ねた男にとっては、それが似つかわしくもあるだろう。

「だが、なんて長かったんだろう！」

「長かったからこそ、いまはかぎりなく幸せに思えるの！」

「俺はずっときみを知っていて、愛していたんだ！」

「どうしてそんなことがありえるの？」

「ありえないか――いや――ありえるのかも――」そのまま言葉は、アガサの唇の上でかき消えた。

「バーティ！」

「俺の天使！」バーティは息をついた。

「わたしたちは一体なのよ――」

「だとすると、きみに裏切られたら、俺は何を殺せばいいんだろう？」

「わたしに裏切られる夢でも見たの？」

　この会話の意味は？　だがふたりには、互いの言いたいことがはっきりわかっていた。バーティの言葉の意味がよくわかっていたからこそ、ほかのみんながたずねたことを、アガサはあえてたずねなかったのだ。そんなときバーティは、あくびをし、戦士のような体を伸ばしながら言う。「ああ、あらゆる場所さ――中央アフリカ、ヌビア、アビシニア*、あの砂漠――」この手の過去の断片が時折出てくることがあったとしても、それは彼女に向かってというよりは、彼女のいる場で誰かに話している場合が多かった。なぜなら彼が彼女を求めてアビシニアなどをさまよう旅は、地理的なものではなく、時にまつわるものなのだから。彼女に対する切望が、バーティに時の砂漠を越えさせて、その肉体を父親の屋敷へと連れ戻したのだ。彼らふたりは、以前からそれを別々に知っていた。それがいまでは、共に知るようになったのだ。

　アガサにもひとつ、たったひとつだけ、バーティから隠していたことがあった。あの剣にまつわる話だ。剣のことは考えまいとしていた。バーティが自分の心を読み取るのではとさえ恐れていた。もしも剣がふたりの間に入れば、何か、名も知れぬ災いが自分たちの身に降りかかるのではないかと。それにはもうひとつ、差し迫った理由もあったのだ。

　あの朝、ヴァージニアに語ったアガサの話がそうだったように、バーティの二重の放浪の話は、肉体にまつわるものもそうでないものも二転三転した。アガサはそれに気づきながらも、ジェームズのように、指摘したり、証拠の価値をうんぬんしたりはしなかった。そんなことをして、どうなるというのだろう？　バーティが、これこれのことがある時にある場所であったと話したのち、その場所が変わったとしても、それはどのみち奇妙なことであり、バーティもアガサと同じように無邪気に嘘をついたに過ぎないのだ。とにかく彼は、現れたままとどまっている。アガサは時折バーティの体に両腕を回す。情熱からというよりも、ほんとうにそこにいることを確かめたい一心で。

「なあ」ある日、ふたりで静かな松林の下に並んで横たわっていたとき、バーティがふいにこう言った。「どうして結婚する必要があるんだろう？」

「どうして？」アガサはそう繰り返してから笑った。「わたしを、ハンフリーにでも引き渡したくなったの？」

「俺が言いたいのは」バーティは続けた。「いま、ふたりはこうしてここにいる。それに俺たちが知るかぎり、ふたりはずっと一緒だったんだ。なんて言うか——よくわからないんだが——教会での結婚にはふさわしくない何かがあるような気がして——」

**アビシニア**　エチオピアの旧名。

アガサは、浅黒く力強い手に自分の手を重ねながら、ゆっくりと口を開いた。

「わたしはあなたのものよ。いまも、どこにいても、どんなときにも。儀式なんか関係ない。わたしたちはいまここに、ふたりきりで、松の木の下にいる。でも、できれば結婚式はしたいわ」

「まったくこれは悪魔の仕業だな」バーティには、たとえばアガサのことを〝俺の天使！〟と呼ぶように、ときどき言い回しのなかで悪魔や天使を持ち出す癖があった。「つまり、なんらかの仕事につく必要があるってことさ。別にハンフリーが騒いでるとか、そういうことじゃない。俺は長いあいだ家を離れていた。ハンフリーがお山の大将になっていたのも当然といえば当然だ。そこにいきなり俺が現れて、自分の女を奪い取っちまった。と、少なくともあいつはそう考えてる――」バーティは、深いまなざしでアガサを見つめた。「――だがきみは、そうじゃないのをよく知っているよな。星のような目をしたきみは、やってきたと思ったら行ってしまうんだ！」

「バーティ！　何を言ってるの？」アガサは驚いて叫んだ。

「何を言ってるのかって？」バーティは小さく笑った。「生きていくための糧を得ようと思ったら、何かしらする必要があると言ってるんだ。ところが俺は、ハンフリーに対してやいやい言うのはごめんだし、そのことで両親を悩ませたくもない。実際、またも結婚を延期にしたのは、何もきみのためではなかったんだ」

アガサは、残っていた無邪気さを目にたたえてバーティを見つめた。「わたしはあなたのものなんだから、好きにしてくれていいのよ」

「俺たちはすぐに結婚するつもりだったのに。面倒ばかりで何ひとつ決まりやしない」

「わたしだったら、教会なんかなしでも結婚するわ、バーティ」

「え？　いや、だめだ！　あんなことを言うなんて最低のクズだった！　外国暮らしが長かったせいだな。なにしろ午前中にお茶の支度をしてくれたり、ディナーの銅鑼を鳴らしてくれる使用人はいないし、請求された金を払えなければ令状をもらうような生活なんだ。ふたりでなんとかしよう。さっき教会について言ったことだが――きちんとわかったうえで口にしたんなら、俺なんか首をくくられたほうがマシだ！」

　どうしていまじゃいけないの？　はじめたように続ければいい。彼の言うとおりじゃないかしら？　ふたりの甘くて暗い謎に、教会なんかどんな関係があるというの？　真夜中に紫檀の扉を抜けてきた者を、教会ならば忌むべきものと捉えるだろう。異教徒的で、邪悪なものだと。そしてふたりを、外縁の闇へと放り出すに違いない。バーティが再び外縁の闇に戻るときがきたら、アガサも一緒でなければ。だがもしアガサを連れていけないとなれば、危険に囲まれた際のよすがとして、バーティには何か別のものが必要になるだろう。あのとき、抜き身の剣を手にしていたように。松林は静かで、鳥の声さえしない。あの手すりの上で彼女の手を取った手が、いまは彼女の手の中にある。覚悟を決めながら、アガサはその手を引き寄せた。その手が、力強く彼女を抱き締めてくる。

「ふたりきりなのよ、バーティ」アガサはささやいた。

そう言ったとたん、三十ヤードと離れていないところで犬が吠え、犬を呼ぶ男の声が聞こえた。

アガサはバーティの腕から逃れると、サッと立ち上がり、服から松の葉を払った。

「行きましょう」アガサは言った。

心は決まっていた。いますぐに結婚しなければ。教会での結婚を望んではいたし、異教徒的で邪悪だという見方も正しいのかもしれないと思った。教会が正しいのであれば、おそらく、救済と浄化もあるのではないだろうか。

## 7

アガサは自ら英国国教会の事務所におもむき、結婚許可証をもらってきた。空がまた微笑みかけていたので、朗らかな気分で出かけたのだった。扇形窓のある屋敷は、近々閉め切られることになっていた。ジェームズが、あるロワールの城を、もう一度訪れようと思い立ったのだ。そんななか、ある晩、ヴァージニアが突然大きな声で言った。「ジェームズ！　わたしたちときたら、なんて馬鹿なのかしら！」

「またどうしてそんなことを？」ジェームズが言った。

「だって、わたしたちが留守にしているあいだ、この屋敷はアガサとバーティに使ってもらえばいいじゃないの」

「ハネムーンとしてかい？」

「そうよ。使用人たちにはお給料を払ってあるわけだし」

「誰も思いつかなかったとはな」

「いいでしょ？」

「だが車はおいていけないぞ――」

「バーティなら、車の一台くらいどうとでもできるでしょうし――」

「アガサがこれ以上、剣を持ち込まないでくれるといいんだが」ジェームズからこうして同意が得られると、その晩のうちに電報が打たれた。

　アガサは結婚許可証をポケットに入れてバスに乗り、ラドゲート・ヒルを下った。心が少しでも落ち着けばと、これからある場所を訪れるつもりだった。ジェームズからはふたつの住所をもらっていた。ひとつはチェルシーの古い通りで、もうひとつはそこから近い、ピムリコーにある建設業者の事務所だ。あの紫檀の扉について、できるかぎりのことを突きとめておきたかった。

　どうして知りたいのかは、自分でもよくわからなかった。あの部屋には何度も泊まってきたのに、艶やかな白い扉がついていたあいだは誰かが入ってくることもなかったのだ。だがあの珍奇な紫檀の扉に替わったとたん、いろいろなことが起こりはじめた。なにしろ最初の夜に、煌めく剣を持ったバーティが現れたのだから。そして同じように煌めく瞳で、彼女の瞳を求めたのだ。それ以来、彼があの部屋に現れたことはない。あのような形で姿を現す理由もない。次の晩には、適切な形で屋敷に足を踏み入れたのだから。あの――鍛え抜かれた、浅黒い、確固とした肉体を持って。いったい今回のことは、あの扉とどんな関係があるのだろう？　ほかの扉からでは、バーティがああして現れることなどできなかったのかもしれない。みんなは冗談めかして〝アガサの扉〟と呼んでいるけれど、アガサ自身は、自分のではなく、彼の扉であることを知っていた。そしてバーティは、あの扉を抜けてもう一度部屋に入らねばならないのだ。結婚初夜を彼女と過ごすために。

「スローン・スクエアです」

アガサはバスを降りた。街路図に目をやると、探している通りは十分と離れていなかった。早速歩きはじめ、ジェームズに教えてもらった住所を探し当てた。ジェームズの言っていたとおりだった。つまり、そこには何もなかったのだ。通り沿いに空き地があるだけで、〝売地〟の看板が出ていた。

それ以上の情報はない。そこで彼女は、もうひとつの住所に向かった。

そこではスタッフがお辞儀をもって美女を丁重に招き入れると、椅子を準備した。実際アガサは非常に美しかったので、通りを歩いていても、振り返らない人のほうが少ないくらいだった。バーティのおかげだ。アガサは時々鏡の中をのぞき込むようにしながら、自分に向かって語りかけた。「今朝は目の下がちょっと疲れているみたいよ」そしてバーティを思いながら、彼が愛情を込めてさまざまな言葉で呼ぶ、自分の瞳に出合うのだ――やってきたと思ったら去ってしまう瞳に。バーティのことを考えるだけで、何かが外にあふれ出すような感じがする。いまも彼のことを考えているわね？　なんとかして彼を引きとめようとしているのかしら？　彼を救うために？――事務所の人々は、彼女に座るよう勧め、周りを取り囲むようにしてから、手紙のつづりやファイルを持ってきた。

ええ（と彼らは言った）、確かにその仕事はうちで請け負いました。担当されたのは？　メリットという若い男ですね。事務所にいるか見てきましょう。それから感じのいい態度の若い親方が部屋に入ってくると、こちらのお嬢様の聞かれることに、なんであれこたえるようにと告げられた。

だが、メリットの知っていることは多くなかった。確かに、紳士がひとり扉を見にきたことは覚えていた。痩せ型の、髪に白いものの混じりはじめた紳士から、この家に弧状の壁はないか、この扉はどの部屋についていたのかと聞かれたことも。だがメリットにはこたえられなかったのだ。バーキーか、でなければビルが知っているかもしれない――。

だがバーキーとビルは仕事で留守にしており、呼び戻すこともできなかった。

「いつの時代の建物だったのでしょう？」アガサはたずねた。

さあ、建物の年代というのは、壊すものよりも建てるものに関係があることですから。それでもおそらくはチャールズ一世か二世の時代。あるいはジョージ王朝かもしれません。あの紳士は、扉にご満足されていないのでしょうか？

アガサとしてはあの扉に言い尽くせぬほどの満足を覚えているのだが、そんなことを告げるわけにもいかないまま、事務所をあとにした。

それから自分の暮らしている家具付きの部屋に戻った。しばらくはバーティとふたりで、やはり家具付きの部屋を借りることになるのかもしれない。けれど、ここはだめだ。アガサはその部屋に対し、バーティのフォードに対する程度の評価しかしていなかった。バーティには仕事を見つけてもらわなければ。彼女自身も働く必要があるのかもしれない。ひとりであれば、影のようにはかない精神上の遺産と、温かくもてなしてくれる数人の友と、年百ポンドによって、いつまでも待ち続けることができる。結婚さえできるかもしれない。けれど、その先は？　アガサは考えに考え続けた――。

その夜、アガサは軽い知り合いと観劇に出かけ、案の定、求婚をされた。アガサは嬉しかった。それもまた、バーティへの贈り物になるのだから。その翌日はバーティと会うことになっていた。イスパノ・スイザで来たバーティと町で落ち合い、アガサに合わせればティールームで、バーティに合わせればハイド・パークでランチを取ることになるだろうだろう。そのあとは借り受けた扇形窓の屋敷まで送ってもらうことになる――。バーティは時間通りにやってきたし、ランチはハイド・パークで取った。そのまま屋敷には向かわず、また松林に行った。アガサが自分を差し出した、あの場所に。いまは結婚許可証がアガサのバッグに入っており、教会で式が行なわれることになっている。アガサは嬉しかった。

「今夜のアガサときたら、ほんとうに輝くばかりの美しさだこと！」その夜、バーティが屋敷を去ったあとで、ヴァージニアが崇めるように言った。一家のトランクはもう荷詰めが済んでおり、翌日の昼前には出発する予定だった。機転を利かせ、結婚祝いはあとで贈ることになっていた。もう少したって、ほんとうに必要なものがわかってからのほうがいいだろうと。

「いまのアガサは、美しくあるように特別な心配りを期待されているわけだからね」アーサーが目をいたずらっぽく煌めかせながら言った。

「自分の屋敷だと思って使ってちょうだい」

「使用人を含め、何もかも自由にしてもらっていいんだが、残念ながら車だけはどうしても必要なのでね――」

「ああ、なんてご親切なの！」アガサが胸をふくらませながら声を上げると、それから間もなく、一同は寝に着くため自分の部屋に引き上げた。

　翌朝を迎え、一家の者たちが出発したら、結婚式が終わるまで、彼女のいるこの屋敷は、バーティにとって閉ざされることになる。その夜部屋に入りながら、ふと、ある考えがアガサの頭に浮かんだかと思うと、一瞬鼓動が怪しくなった。わたしがこれから結婚しようとしている人は、いまわたしが閉めた、この紫檀の扉を見たことがない。食堂と居間と図書室には入ったことがある。けれどバーティは、一度たりとも二階に上がったことはない。実際アガサとも、この屋敷で過ごした時間より、松林で過ごした日のほうが多いくらいなのだ。そこに奇妙な点は何もない。紫檀の扉についても奇妙な点などありはしない。ただ本来なら扉についてもっとわかっていてもいいはずが、驚くほど何もわからないままだとは思うけれど。帳簿にはっきり記録が残っていることを除けば、扉の取引そのものが伝説だったかのようだ。それからアガサは電気を消し、扉のことを忘れた。なにしろ結婚式を二日後に控えた女にとっては、扉以外にも考えることがたくさんあるのだから。

いや、少なくともあるはずだったが、奇妙なことに、そうではなかった。どうやら、バーティのほうにもないようだった。普通なら、独身男としてのさよならを友人たちに告げているところだろうし、新婦側も、おしゃべりのかしましい娘たちに囲まれているはずだ。だがバーティには友だちがいないし、アガサの友人たちも、翌日の昼前にはフランスに向け旅立ってしまう。一家が戻ったらどうするのかは、闇に包まれたように、何もわからないままだ。おそらくは家具付きの続き部屋を借りるか、でなければバーティはまた旅に出たがるかもしれない。今度はアガサも一緒に連れて。バーティが放浪中、どうやって生きていたのかについてはわからないままだったが、荒っぽい生活だったことは間違いないだろう。だがアガサは、過去の彼の生き方など気にしてもいなかった。バーティの肉体には、彼女にとって特別な魂が宿っているのだ。彼らの愛にひそむ暗黙の系譜を表す言葉が見つからなかったため、ふたりは単純に〝それ〟と呼んだ。なぜなら彼女は〝それ〟がために待っていたのであり、ついには〝それ〟がふたりを引き合わせたのだ。何があっても〝それ〟は存在し続け、永遠に取り消すことのできないものとしてあり続けるだろう。

翌日の正午前に車の支度が整い、荷物の積み込みも終わると、ジェームズが時計に目をやった。

「出発の時間だ」ジェームズは言った。

「それではね、アガサ。どうか、どうか、お幸せに！」ヴァージニアがそう言って、アガサにキスをした。

「わたしたちはみんな、言葉では尽くせないほどきみの幸せを願っているんだ」ジェームズが言った。

「全員からキスを受けてもらうよ、アガサ」

そして彼らはキスをした。ジェームズからはじまって、最後にヴァージニアがもう一度キスをすると、車は出ていった。

アガサは屋敷の中に戻った。大きな孤独感が、いきなりのしかかってきた。老嬢めいた優しい一家が、一緒にいていかに気持ちのいい人たちか、いまさらのように思い知らされた。部屋から部屋へと歩いてまわった。なんだか屋敷がばらばらになってしまったかのようだ。扇形窓は確固としてそこにあり、艶やかな階段の手すりにもその感じはあったが、アダム様式のマントルピースは、購入者であり持ち主でもあるジェームズがいないと、なんだか突然借り物めいて見えた。パーティの服が、そして新婚のベッドが、やはり借り物であるように。シャンデリアの煌めきが、古い記憶を反射しているかのようだ。鉛の貯水槽は台座の上で、噴水になどなるはずではなかったのにとささやくかのごとくやわらかな水音を立てている。アガサは、バーティが来てくれることを願った。そしたら少なくとも、車で連れ出してくれるはずだから。じつのところその午後は、迎えにきてもらい、バーティの家で家族と会うことになっていた。すでに三度訪れていたが、そのたびにハンフリーが気をきかせ、留守にしてくれたのがありがたかった。アガサは家の正面側についた、踊り場の窓のひとつから外を眺めながら、ハンフリーが今日もそうしてくれることを願った。そのときに、電気的なクラクションの音が聞こえて、スピードに乗った車が私道に入ってくるのが見えた。アガサは帽子とコートをつかんで走りながら、自分でもどうして走っているのかわからなかった。バーティは帽子をサッと脱いで、玄関ホールを近づいてくる。

「この家の方たちはもう出発したのか？」バーティが言った。

「二時間も前にね」

「ちぇっ、ご挨拶したいと思っていたのに。もう少し早く家を出たかったんだが、なかなか解放してもらえなくて」

「ちょうど準備ができたところなの。あなたを待っていたのよ」

「急ぐ必要なんかないだろ？」

だがバーティのキスに何かを感じ取って、アガサはステップのほうに進んだ。

「いまはわたしが女主人なんだから、玄関を閉めておかないと」

バーティは一瞬目を見開いてから、「おっと、そうか」と言って、また帽子をかぶった。

表の門から道に出ると、アガサはそんなにスピードを出さないようにと頼んだ。なにしろ通りの生垣が、ぼんやりした灰緑の塊になってあっという間に流れていくのだ。

「だがさっさと行って、やっつけちまったほうがいい」バーティは言った。「まったく、こんなことにはもううんざりだ！」

「こんなことって？」

「どうでもいいようなくだらない話ばかりさせられることさ！　食う物と、屋根のついた場所さえあれば――」

「わたしたちには、とても素敵な屋根があるわよ。少なくとも数週間は――」

「将来を先々まで見通した生活設計とかなんとか！　そんなことどうしてわかるよ？　それこそ地震があるかもしれないじゃないか！　まるで、それだけでは充分じゃないみたいに言いやがって！」

アガサの心が沈んだ。「それはハンフリーのことなの？」アガサは言った。「ほら――物事の白黒をはっきりさせるとかよく言うけれど――」

そこで車が勢いよく角を曲がったので、沈んでいたアガサの心臓がまた持ち上がり、いっそ口から飛び出しそうになった。あとはふたりとも黙り込んだ。

アガサには見えていた。いま近づきつつある屋敷の主人が誰かについては疑いようもない。バーティだ。バーティがすべての背後にいる。気高いバーティは、ハンフリーが所有権の放棄などを言いだしたところで聞く耳も持たないだろう。それでいて、軽蔑の色もあらわに、百ポンド程度のはした金のことで大騒ぎするのかと弟を問い詰めるのもまた彼なのだ！　もしバーティがハンフリーの立場にいたら、彼がいま、弟に望んでいるとおりのことをするはずだった。バーティは金を嫌っている。そして彼が、自分が数エーカーの土地に落ち着いて、うつらうつらしながら過ごすなんて考えられないと言っているときでさえ、彼の目には、アガサがほかの誰とも、バーティを産んだ母親とさえ分かち合っていないものが、やはり残っているのだった。

　書斎の黒っぽい壁には、家族会議の残像がしみついているかのようだった。食事のあとで休みにいったペイトン氏の代わりに、ハンフリーが主人役を務めた。ペイトン夫人もいた。いまにも壊れてしまいそうだ。一度はこの世から息子が消えたことで、それから息子の戻ってきた最初の喜びが破壊されてしまったことで、倍も年を取っていた。アガサはハンフリーと握手をした。ハンフリーは、常識はずれの理不尽な兄の前で、理性的な自分を見せようと必死なようだ。どうやらひと息つく時間があったらしく、ハンフリーはまたその問題を蒸し返した。

「さてと、みんなが充分に考える時間を持てたわけだから」と、ハンフリーは言った。「少なくとも、どこまで話がまとまったのかを確認させてもらえないかな？」

「どうぞどうぞ」バーティが言った。長椅子に体を預け、頭のうしろに両手を当てている。「もう説明したつもりだったんだが」

「あれが説明だというんなら、兄さんは、自分と違う意見を持つ相手を大いに馬鹿にしたことになるね」ハンフリーが言った。

「仕事を見つけようと努力はしてると言ってるじゃないか。おまえには俺にはない人脈があるんだから、便宜を計ってくれてもいいはずだ。とにかく俺は、自分の現状について、なんの文句も言っちゃいない」

「結局僕たちは、兄さんの銀行に過ぎないってわけだ。こっちにもその準備はあるんだよ。だとしても、限度額は設定しておくべきだと思うんだ」

「つまり、一日に何度食事をして、一年に何着スーツが必要だか知りたいってことか？」

「兄さんと話をするのは不可能だよ。とくにこんな状況では無理だとわかっているべきだった――」

哀れなハンフリーは、そこで自制するように言いやんだ。

　アガサの瞳は、すがるようにして、老いたペイトン夫人に向けられていた。夫人はふらつきながら立ち上がると、アガサの腕に手を伸ばした。

「わたしのダリアを見にいきましょう、アガサ」

　夫人も、ほかの家族と同じようにバーティの支配下にあったし、それに抵抗するようなこともほとんどなかったが、彼女はバーティの母親であり、アガサは息子が結婚する相手なのだ。夫人は彼女をちらりと見ただけで、アガサを得るのがどういうことかを理解した。これほどの愛を持っている人の目には、バーティの悪いところなど見えるはずがない！　ああ、なるほど。人は、こういう相手を見つけるべきなのだ。これまでの経験が、先のことは知らないほうがいいと夫人に告げていた。バーティが死んだと信じていたほうが、このような形で息子を取り戻すよりも、ある意味ではよかった。死んでいたほうがよかったということではない。ただ、そう信じている状態のほうがよかったのだ。彼女が息子の帰還を生きのびられるのか。それは、ほんとうに難しい問題だったが、もう一度失ったら、生きのびられないことだけは確かだった。だから夫人は、アガサの腕が最終的に息子をつなぎとめてくれるよう願ったのだ。

「あの子たちのどちらにとっても、とても辛いことなのよ」夫人は震える声でダリアに向かってぼやいた。「ハンフリーも苦しんでいるってこと、忘れないであげてちょうだい」

アガサはため息をついた。「わたしが問題の種なんですね」だが、それが真実でないことはわかっていた。問題の種は、彼女でもバーティでもない何かなのだ。

「あの子が差し上げられる以上のものを望んだりはしないわね？」

「しません」アガサは低い声でこたえた。

「あの子は向こう見ずだし、情熱的だわ。けれど、その手のことは長続きしない。いつかは燃え尽きてしまう。あの子は、あなたさえ捨てるかもしれないのよ」

「わかっていますし、覚悟もできています。人はみな、自分のチャンスをつかむしかない。そしてこれが、わたしのチャンスなんです」

「守れるかどうかもわからない約束など、自分自身にしないほうがいいわ」老いて疲れた母親が言った。

「あれは真実なんでしょうか？」アガサが、年を重ねた女に対する若い女らしく、ごくゆっくりと問いかけた。「二度目のチャンスを与えられたとしても、人はまた、まったく同じことを繰り返すというのは」

「わたしにはわからない――それをあなたに語るには、あまりにも多くの問題を見過ぎてしまった」

「というのも」アガサは夫人の体に腕を回し、上から目をのぞき込んだ。「わたしにはバーティという人がわかっているんです。彼は暴君だわ。自己主張が強いあまり、言い分なんかろくに聞きもせずに、相手の意思を笑い飛ばしてしまう。けれど、そんなふうに誰かの意思を扱っていいはずがありません。わたしが幸せでいられるのは、ほんの短いあいだでしょう。そもそも、幸せを感じられるのかどうかもわかりません。彼と一緒にいて幸せな時間は、もう終わってしまった気がするんです。だとしても、バーティがもう一度わたしの前に現れたら、そう、たとえ千回でも、わたしは同じことをするでしょう」

「あなたが正しいことを願っていますよ」

「あら、わたしは幸せではないかもしれない――でも、正しいはずです！」

それからふたりは、まるで何か他人事《ひとごと》でもあるかのように、結婚式についての話を続けた。

アガサは、ペイトン夫妻と一緒にお茶を飲んだ。まもなく、バーティが彼女を探しにきた。彼女を屋敷まで送る支度ができたのだ。バーティが一緒に屋敷に入るつもりなのはわかっていたが、アガサは入れるべきではないと心を決めていた。決めていることは、もうひとつあった。それもほどなく、バーティに伝えることになるだろう。

「いつでもいいわ」アガサは言った。

バーティは行きよりもさらにスピードを出した。たまたま見かけた人がいれば、時間に迫られ、切羽詰まった苦境に追い詰められているようだと思ったことだろう。扇形窓の前で、バーティは車から飛び下りると、アガサが鍵を取り出すのを待った。だがアガサは、鍵を手にしたまま動かなかった。

「おやすみなさい、バーティ」アガサは言った。

「扉を開けろよ」

「あなたが帰ってからね」

「入れるつもりはないってことか？」

「入れるわけにはいかないのよ、バーティ。わかるでしょ」

バーティは突然笑いだした。「なるほど、それも全体の一部ってことか。俺はしきたりにのっとった一日を過ごしてるってわけだ。まずはハンフリーで、お次はこれか。だがもちろん、きみの言うとおりだよ、愛しい人。使用人だっているんだしな。よくわかった」

「もうひとつ、お願いしたいことがあるの」アガサは言った。

「なんだい？」

「明日は来ないで。あさっての朝に、教会で会いましょう」

「明日はまったく会えないっていうのか！」バーティはあっけにとられた顔で言った。

「次に会うのは、教会でよ」

「何かあるな。いったいなんなんだ？　話してくれ」バーティがせっついた。

「あなたを愛しているだけよ、バーティ」

「百合の庭に、はじめてきみにキスをした場所に行こう」

「いまはだめよ、バーティ。このまま屋敷に入りたいの。あなたにも帰ってほしい」

「俺がハンフリーとどういう取り決めをしたか、知りたくもないのかい？」

「またあとで教えて。お願いよ、バーティ――」

アガサは顔を仰向けた。

数分後にはもう、バーティは帰途についていた。だがその運転のゆっくりなことといったら、道路に新たなタールが敷かれ、イスパノ・スイザの車体に汚れがつくのをおそれているかのようだった。

## 8

アガサは彼の母親に言った——バーティと幸せになれるチャンスなど自分にはないのかもしれないし、その時はすでに終わってしまったのではないかと。松林の中に、もう一度、ひとりきりで訪れたい場所があった。そして今度は、犬を連れて銃を持った男が現れようと問題はない。明後日にはバーティの妻になり、一緒に屋敷に戻ってくるだろう。だがあの、教会の助けもなしに行なおうとした儀式こそ、ほんとうの結婚であるべきだったという思いが、言葉にできないほど愛おしく、心に迫っていた。ああ、わたしはどれほどの痛みをもって彼を愛していることか。そしてあの松林での午後がほんとうにすべてだとしたら、その痛みは、このうえなく耐えがたいものになるだろう。けれど、どうしてすべてでなければならないの？ バーティはこの屋敷に、この部屋にやってくるはずじゃないの。しかも、最初に入ってきた、まさに、あの扉を通って。

アガサは電気スタンドをつけ、ベッドに横たわっていた。薄い本が置いてある。『テンペスト』だ。

アガサの目が、開かれたページの文章に吸い寄せられた。

『あの実体のない仮面劇がはかなくも消えていったように、あとにはひとすじの雲も残らない——』

これはあの夜、彼がやってくる数時間前に読んでいた文章――。

あの時には、彼の目しか見えなかった。それからなんとなく、浅黒い肌をしていることや背の高いことがわかって、ぼんやりと、あの尖った頭の形が――。

だがその後、彼は彼女の唇から、魂そのものを飲み、味わった――。

もうひとつ、彼がまだ一度も入ったことのない扉がある。誰ひとり、入ったことのない扉が――。

それからアガサは、彼が剣を手に現れたことを思い出した。

アガサがいま、自分は恐れていないと言ったら、それは嘘になるだろう。

彼女は、自分でも理由のわからない恐怖を抱いていた。なにしろ理由などありはしないのだから。解体工事を担当した男は、あの古い扉が、家のどの部屋にあったのかわからないと言い、ジェームズも年代を突きとめられないまま、アガサが冗談半分で、自分の使っている部屋にぴったりだとほのめかすとその意見が採用された。この扉は、あまりにも多くの奇妙さをはらんでいる。そしてすでに神秘的なひとつの成就を取り込んだわけだが、今度はまたひとつ、破滅を取り込もうとしているのかもしれない。電気スタンドの向こうでやわらかく輝いているところは、普通の扉のような単なる静物にさえ見えない。平らな扉であれば静かに安らいでいるものだが、弓のように湾曲したこの扉は、バネと圧と力を感じさせる。そしてアガサがあのとき見たのは、その扉に背を向け、剣を手に、彼女を探していたバーティだった。

ある決意が、閃光のように脳裏を照らした。この部屋を使ってはだめ。バーティには、入らせてもいけない。それにできるだけ――ああ！　だけど不可能だわ！　なんといっても、この屋敷で一番目を引くものだし、階段を三分の一も上がったら目に入る。どうしたって見られてしまう。カーテンで覆ってしまおうか、外して地味な白い扉につけかえようかと、さまざまな思いが激しくアガサの頭の中を駆けめぐった。だが、他人の家の扉を勝手にどうこうできるわけもない。何はどうあれ、別の部屋を使うことならできる。アガサは夢中になって、ほかに使える部屋はないかと考えた。もちろんヴァージニアの部屋はだめだ。あそこで初夜を迎えるわけにはいかない。ジェームズとアーサーが一緒に使っている部屋も使えない。どこであれ、この家の人たちの部屋はありえない。古い部屋ならいいかもしれない。メイド用の部屋、物置用の部屋、屋根裏部屋。とにかく、紫檀の扉の部屋でなければどこでもいい。使用人からは奇妙に思われるだろうけれど、ほかにはどうしようもないのだから――。

　アガサは、次から次へと、頭の中で部屋を検討しながら眠りに落ちた。

　翌朝になると、できるだけ大胆な表情を装って家政婦長を探し、仮の女主人として最初の指示を出した。自分の荷物を、別の部屋に移してほしいと頼んだのだ。

　ミセス・ブラッドリーは、わかっていますと言わんばかりに顔をほころばせた。アガサは使用人たちのお気に入りだったから、みんなが自分のことのように、アガサの結婚に胸を高鳴らせていたのだ。

「もちろんですとも！」ブラッドリーは言った。「わたしがお嬢様でも、同じように考えると思いますわ！」

　アガサは驚いたような顔をした。

「いつもお使いの部屋も、お庭が下にあって素敵なお部屋ですけれど」ブラッドリーは続けた。「あのお部屋は、ずっとミス・アガサのお部屋でしたもの。もう間もなくしたらミス・アガサはいらっしゃらなくなるわけですし――」

「ええ、そうよね！」

「それにメイドたちも大喜びしておりますから、とてもお断りするわけにはいきませんわ――」

「みなさん、ほんとうによくしてくださるのでありがたいわ」アガサは心を込めていった。

「あら！　人にはそれぞれ好みがありますからね、ミス・アガサ。ある方が大いに気に入られたとしても、また別の方は違ったり。どのお部屋をお考えですか？」

「ご家族のお部屋でないところがいいの」

「見てまわられる時間があるのでしたら――」

　アガサはブラッドリーと一緒に屋敷を回ったが、どのあたりがいいかについては、すでに心づもりがあった。紫檀の扉からは、できるだけ離れた場所だ。となると、選択肢は屋敷の端の二か所。だがその片側の上階は美術工芸品用の作業場のようになっていて、磨いたり修繕を行なったりするほか、見飽きたものを一時的にしまっておく場所にもなっている。つまり、残る部屋はひとつしかない。行ってみると壁にはディミティ*が張られ、絨毯《じゅうたん》も敷かれておらず、真鍮のベッドには、フェルトで覆われることさえないまま、マットレスのスプリングがむき出しになっていた。ブラッドリーは背を向けようとした。

　ところがそこでアガサが、「このお部屋、とてもいいわ」と言った。

**ディミティ**　浮畝縞のある平織り綿布。

「ミス・アガサ！　恥をかかせるおつもりですか！」

「とてもすっきりしていて、いいと思うの」（「それに、異常な感じのする扉もないし」と、アガサは頭の中で付け加えた）

「ですが、カーテンひとつないんですよ！　ミス・ヴァージニアにはどうご報告したらいいのか」

アガサは笑った。「この部屋が、ペイトン家のほうを向いているのが気に入ったようだとでも言っておいて」

「それに、ミスター・バーティにだってどう思われるやら。あの方には、最高のものを準備したところで充分過ぎるということはないんですよ！」ブラッドリーが抵抗するように言った。

「あら、彼なら、わたしの持っている最高のものを手にすることになるのよ――わたしはこのお部屋がいいの。お願い、ミセス・ブラッドリー、間に合うように準備できるかしら？」

「それはできますとも。ご心配にはおよびません。ですが、ベッドで読み物をなさるときに、わざわざ立たないで消せるようなランプさえないんですよ」

　それに対するアガサの返事は、ブラッドリーから、執事のミスター・クルックスに伝えられた。家庭的な温かみのある穏やかな男で、クックと笑う声を、家のあちこちで響かせるのが好きでもあった。

「そしたらお嬢様は、あの美しい、水たまりのような瞳でわたしを見つめましてね。これからへの思いが、瞳からこぼれ落ちそうなくらいでした。それから頬をすぐそばまで、肌の上気が感じられるくらいまで寄せてきて、にっこりしながら言うじゃありませんか。『あなたはベッドの中で本を読んだのかしら、ミセス・ブラッドリー』って。まあ、そういうことよ。ああ、ミスター・バーティは幸せ者だわ。あの方にそれがわかっていればいいのだけれど！」

約束を守ってバーティは姿を現さなかったので、アガサはその午後、何年もなかったほどの長い散歩をした。あの場所までは、カラスが飛ぶなかを六マイルも歩かねばならない。だがアガサには、車を使えないことが嬉しかった。わざわざ歩くことで、巡礼めいた雰囲気を味わうことができたから。だが、巡礼というのは正しい言葉ではないだろう。巡礼には教会がつきものであり、その地はあの午後に、アガサが教会など無視しようと提案した場所なのだから。アガサはようやくたどり着いた。松林の中でも、ほとんど訪れる者がなく、年末から次の年末までのあいだ、犬を連れて銃を持った男がひとり通りかかるかどうかの静かなところだ。アガサは、いい香りのする乾いた松葉の上に身を横たえた。バーティと一緒に横たわった、まさにその場所に。自分がバーティの力強い手を取り、引き寄せるのを感じた。明日にはそれが現実になる。一枚の扉を通ってバーティはやってきた。けれど、彼が出ていく扉があってはならない。抜け目なく部屋は変えておいた。さすがのバーティでさえ、ディミティが壁に張られている部屋の、工場生産されたあの平凡な扉から出ていくことはできないはず！　わたしは彼をつなぎとめ、見つけだし、幸福の中に落ち着かせるだろう。彼がこの先、死ぬまでに必要とする時空は、すべてわたしの心の中で見つかるはず。もらってきた許可証は、どの地でも有効だ。とはいえアガサには、結婚するふたりのどちらかが、式を行なう教区に十五日以上住んでいることを申告する必要があった。アガサはにっこりしながら署名をした。バーティが戻ってきてから十五日が経過していたのだ！　そこでふたりは、ペイトン家のそばの教会で式を挙げることになった。出席するのはバーティ本人のほかに、彼の両親と、年老いた医師のベン先生だ。医師はアガサを新郎に引き渡す役目を、ジェームズに託されたのだった。式のあとは、バーティの計画しているように町まで車で行って、愉快なマチネでもどこかで観てから、仮住まいとなった屋敷へと引き上げることになるだろう。

　アガサは松林に長いこと横たわったまま、ひたすら考え続けた。この世界は、わたしにとてもやさしかった。友だちに恵まれ、一年に百ポンドほどの収入もあって。そしていま、わたしの人生に影のようにつきまとっていた遺志が、現実の光の中で受け継がれることになる。アガサは最後にもう一度だけ、周囲に目をやった。あのとき、彼女の犠牲は受け入れられなかった。だがここで、ほかでもないこの場所で、彼女は自分を捧げようとしたのだ。アガサは松葉の積もった大地に顔を寄せ、くちづけた。それから立ち上がると、もと来たほうへと顔を向けた。

　屋敷に戻ると、ブラッドリーが出迎えてくれた。

「わたしたちの働きをご覧になりたいですか、ミス・アガサ？」ふたりは連れ立って、棟《むね》の端にある部屋へと向かった。最高を尽くしたところでミスター・バーティには充分ではないかもしれないが、ミス・アガサにとっては違った。どこから調達してきたのやら、床には紫がかった深紅色の絨毯が敷かれている。しっかり糊を効かせたレースのカーテンは、太いブルーのリボンでまとめられ、窓の上から床へと垂れている。ベッドには明るい黄色《プリムローズイエロー》のキルトカバーが掛けられ、頭の側の壁には、ホルマン・ハントの絵＊〈世の光〉の複製画が飾られている。ほかにも絵が何枚かあるほか、マントルピースの上には陶製の装飾品があしらわれていた。

「とても楽しい作業でしたわ」ブラッドリーが言った。「この屋敷には、新奇なものが結構ありますからね。たとえば、ミスター・アーサーがお持ちの中国女性の人形なんかは、頭にいっぱいツマミがついていますけれど、わたしには何がなんだか！　あのハントの絵は――」ブラッドリーは、この屋敷の人々の、ちょっとしたスピーチ好きなところを受け継いでいた。「――わたしからの贈り物ですの。サドラー*の絵はミスター・クルックスからです。それからあちらの装飾品は――」ブラッドリーは、またそちらを差して見せながら言った。「アニーから借りました。あの子が、自分の幸せな日のために準備してきたものなんですよ。とてもいい子ですから、あまり長いこと待たずに済むといいんですけれど」

ヴァージニアやジェームズからどれほどの贈り物をもらったところで、この部屋を準備してくれた温かな心遣いほど胸に迫ることはないだろう。アガサは装飾品をはじめ、カーテンからリボンひとつ、取り除こうとは思わなかった。

「ああ、ほんとうにご親切に」アガサは言った。「でも今夜は、もうひとつの部屋で眠ろうと思うのよ」

「なるほど。それではちょっと勝手が変わってきますね」ブラッドリーはそれから了解したように言った。「お荷物は全部準備が整っていますので、明日の昼間に移動するようにいたします」

**ホルマン・ハント**　イギリスの画家ウィリアム・ホルマン・ハント（一八二七―一九一〇）。ラファエル前派の一員として知られる。

**サドラー**　イギリスの画家ウォルター・デンディ・サドラー（一八五四―一九二三）。ユーモラスな画風で注目された。

そしてアガサはその晩、最後にもう一度だけ、紫檀の扉の部屋で眠った。

## 9

結婚式は、どういうわけか一連の流れに組み込まれたピースのように思えた。安らぎを提供してくれる静かな屋敷、不確かな将来、現実でないような雰囲気。何かしら覚えていなければおかしいのだが、式が終わってみると、アガサはほとんど何も覚えていなかったし、さして重要なことではないようにさえ思われた。つかんでいたベン先生の腕も、バーティの両親の姿も、バーティ自身の存在さえも、ほとんど意識に入らなかった。教区牧師が、低い、どこか普通のおしゃべりをするような声で何かを言っているあいだも、彼女の思いは、あの松林をさまよっていた。バーティに指輪をはめてもらった瞬間でさえ例外ではなかった。膝をついていた姿勢から立ち上がり、教会を出たときにも、まだ何かが起きるのを、誰かが「おしまいだよ」と言ってくれるのを待っているような気分だった。

ロンドンまでの移動も、シャンパンを楽しんだランチも、やはり現実味を欠いていた。ランチのあとはどこかの劇場に行ったが、アガサは仕切り席におとなしく腰を下ろし、楽団でヴァイオリンを弾いている真剣な女の顔をぼんやりと眺めていただけで、内容はほとんど頭に入ってこなかった。周りでは人々が笑い、光と色と音楽が混じり合っている。ヴァイオリンの女は、自分で生活費を稼いでいるはずだ。アガサは、自分も生きるために何かをしなければならないのだろうと思った。隣ではバーティが時折笑っているから、どうやら楽しんでいるようだ。アガサは指にはまった新しい指輪に触れてみた。これは間違いなく現実だ。バーティはあそこに、教会にいた。だから大丈夫なはず――そこでバーティが立ち上がった。軍人のように体をこわばらせている。指揮者が振り返り、〈ゴッド・セイブ・ザ・キング〉の演奏をはじめた。アガサは、ヴァイオリンの女が楽器を小脇に抱えて退場するのを見送った。劇場の外に出ると、バーティから待っているようにと言われた。一本離れた通りに車をとめてあったのだ。アガサは写真を眺めながら待った。バーティが戻ってくると、アガサは車に乗った。周りには、車、バス、タクシー、路面電車、バンが走っている。バーティが性急に車をスタートさせては、唐突にブレーキを踏んでいる。それから広々とした長い道路に出て、車が一気に進みはじめた。アガサは工場の点在する開けた場所に目をやって、車がロンドンから遠ざかりつつことを見てとった。

「ふう！」バーティは、車が生垣や野原や森のある場所に来たところで声を上げた。「これで少しは、この車を自由に走らせてやれそうだな――」

ブラッドリーをはじめとする使用人が、家の玄関のところに集まっていた。バーティもいまでは自分の服を着ている。ただし金を払ったのは別の誰かであり、いまは他人の使用人により、自分のものではない屋敷で歓待されている。にもかかわらず、家を持たないバーティは、アガサを抱き上げて屋敷の敷居をまたいだ。ブラッドリーは相変わらずお祝いムードの中にいた。ふたりの部屋には、すでに火も入れてあった。部屋の暖炉は長いこと使われていなかったうえに、歓迎の意を強めたい気持ちもあったのだ。バーティはガレージに車を入れにいった。アガサは、ロンドンからの帰り道がもっと長ければよかったのにと思った。まだ七時だ。太陽も空の高いところにあるから、バーティがまたどこかに車で連れ出してくれるかもしれない。だが一時間後にはディナーだ。ディナーには一時間かかるから、終わったら九時。その時刻は、新婚の夫婦が部屋に引き上げるには早過ぎるだろうか？

アガサは自分が震えているのを感じた。階段の上には、あの紫檀の扉が。だが新たにつけられた鍵をかけたうえで、鍵はしまってある。バーティがこれから、一日に二十回もあの扉を見ることになるのはわかっていた。この屋敷にいる以上、何度も前を通るのだから。けれど、そんなことで何も変わりはしない。アガサは、バーティを扉から引き離したいという衝動に駆られた――それもいますぐに。バーティはガレージで、車を休ませようとしている。ふたりの部屋に行くには、もうひとつ別の階段がある。けれど使用人用の階段だから、屋敷の裏手を通らないと――。アガサはそう考えながらもすでに歩きはじめ、ガレージへと急いだ。

バーティはちょうど両開きの扉を閉めるところだった。アガサはできるだけ、さりげない口調を心がけた。

「あら、そこにいたのね！　お部屋を見たくない？」

「そろそろ着替えの時間だ。荷物はもう、運び込まれているのかな？」

「ええ、二階の部屋にね。さあ、案内するわ。わざわざ遠回りをしなくても近道があるから――」

アガサはバーティの手を取ると、舗装された中庭をいそいそと先導した。

バーティが、屋敷に入る道筋について何かを言うことはなかった。ふたりは洗い場の並ぶ厨房を通り過ぎ、木肌がむき出しの、質素な階段の前に出た。上の踊り場に出ると絨毯が敷かれていて、そこにふたりの部屋があった。アガサが扉を押し、中に入った。バーティが扉を閉め、部屋に目をやった。バーティ用の正装と、アガサ用のイヴニングドレスが、プリムローズイエローのアイガーダウンの羽根布団の上に広げてあった。だがバーティはそちらには目を向けずに、マントルピースの上の飾り、リボンでとめられている糊の効いたカーテン、ジャムのように赤い絨毯、ハントやマーカス・ストーン*の絵を見つめている。それからふいに、真珠のような声でころころと笑った。

「おいおい、アガサ、まさかずっと、こんな部屋を当てがわれていたわけじゃないんだろ！」バーティが大きな声で言った。

ここは大胆に、巧みに役を演じ切らなくては。そこでアガサは自分も笑いながら、バーティの袖を両手でつかんだ。

「もちろん違うわ、ダーリン。わたしが使っていたのは別の部屋よ——」アガサは、ダーリンという呼びかけに込めた愛情を、まなざしにまで含ませながらバーティを見つめた。「でもこのお部屋が、みんなにどれだけの喜びを与えたかわからないかしら」それからアガサは、ただただ善良な心から何かしらをこの部屋に寄付しなかった使用人はひとりとしていないのだと語った。

バーティは聞いていなかった。まるで瞳が耳でもあるかのように、アガサを見つめている。階段の下で、はじめて彼女と出会ったときのように。バーティの片腕が、アガサの体に回された。

**マーカス・ストーン**　イングランドの画家（一八四〇—一九二一）。歴史画、風俗画のほか、ディケンズ『大いなる遺産』など小説の挿絵でも知られる。

「どんなに古い部屋だろうと、きみにキスをするには充分だ」バーティはつぶやいた。

ふたりは壁紙の上に掛かったマーカス・ストーンの絵に見下ろされながら、立ったままキスをした。

「だがやはり気持ちは変わらない」バーティはおもむろに口を開いた。「これほどの屋敷にいる以上は、当然――」

アガサは狡猾さを深め、偽善者になって、失望し傷ついているふりをした。

「でも、わたしが選んだのよ。ヴァージニアやジェームズの部屋はいやだったから――わたしがこの部屋を選んだのに――」

アガサの勝利だった。バーティはまた彼女を腕に抱き締めながら、「ああ、愛しい人!」とささやくように言った。

だが、部屋まで連れてきた通路をそのまま引き返すわけにはいかず、数分後には表側の廊下に出ていた。アガサの心臓は、ホールを見下ろす階段の上でふいに締めつけられた。バーティが、紫檀の扉の前で足を止めたのだ。

「変わってるな」バーティは言った。「こんな扉は見たことがない」

ふたりはそのまま階段を下りた。

だが居間に入ると、アダム様式のマントルピースの前に立ちながら、バーティはまた、ふたりの部屋についての話題を蒸し返した。「この屋敷は、俺たちの好きに使っていいと思っていたんだが」バーティは言った。

アガサは神経質に笑った。「あら、バーティ、わたしだってそれくらい承知のうえなのよ――」

「ああ、だが、俺なら立派な車があるときに、きみをフォードに乗せたりはしない」

「わたしのことをほんとうに愛してる？　じつはちょっと考えがあるのよ、バーティ――」

「なんだい？」

「ハネムーンをこの屋敷で過ごすのはやめにしない？　どこかほかの場所に行くのはどうかしら。お金なら少しはあるから――」

「いや、この屋敷に問題はないよ。気に入ってる。ただ」そこで着替えの時間を告げる銅鑼が鳴った。

「急いで着替えにいったほうがよさそうだな――」

バーティは男性用の、アガサは女性用のバスルームに案内された。またしても、バーティが例の扉の前で足を止めた。「ディナーまで何分ある？」

「三十分」

「だったら急いだほうがよさそうだ」

アガサのほうが先にバスルームを出た。そのまま早足でふたりの部屋に戻ると、急いでドレスに着替えた。バーティの考えていることくらいはわかる。屋敷の中でも、使われていない区画にある部屋でわざわざ過ごすなんておかしいと思っているのだ。実際、そのとおりでもある。わたしの判断が、そもそも馬鹿げていた。一緒にこの屋敷を離れることができさえすれば――。アガサはさらに急いだ。

バーティが、正装に身を包んで現れたときには、すでに準備ができていた。

「一階で待っているわね」アガサは微笑みながら横を通り過ぎ、扉を閉めて、居間へと下りた。

バーティは、二番目の銅鑼が鳴るまでに下りてこなかった。食堂ではメイドと執事が待っている。アガサはホールに出て、階段を見上げた。バーティの姿が見えた。紫檀の扉のノブを、回そうとしているところが。

## 10

ディナーが終わると、図書室にコーヒーが運ばれ、ふたりきりになった。背の高い窓のそばに立ったアガサの体にバーティの片腕が回され、並んで百合の庭を眺めた。素晴らしい八月の夕べで、日が陰りはじめている。幸福な暗黙の合意があるかのように、ふたりの唇は離れたままだ。数分のあいだ、ふたりは黙りこくっていた。

「短い夜になりそうだ」バーティがそっと言った。

これは、午前三時半には夜が明けることを言ったのかもしれなかった。

「覚えているかい？——あそこに出たときのことを」バーティが、鉛の噴水のほうにうなずいてみせた。

「ええ」

「一緒に来てくれと誘う必要さえなかった。きみはただ、ついてきたんだ」

「あなたのほうから来たのよ。わたしはずっとあそこにいたわ」

「素晴らしかったな」

アガサは黙っていた。

水が百合の葉に跳ねかかり、空はくすんだ金色に染まっている。ふたりは言葉もないまま庭に出た。かつてと同じ場所に立ち、向き直った。彼女の右手が彼の左手の中に、彼女の左手が彼の右手の中におさまっている。そのまま、長々と見つめ合った。

「どこが気に入っているかわかるかい？」

「教えてちょうだい」アガサは消え入りそうな声でたずねた。

「俺たちはここで、この噴水のそばではじめてキスをした。きみの声は、噴水のように音楽的で。俺は求婚する必要さえなく、ただ、いつにするかと聞くだけでよかった。きみは『あなたの好きなときに』とこたえたんだ。そしていま、俺たちはここにいる」

「いまが永遠なのよ。だんなさま、そろそろ部屋に戻らない？」

「だめだ」

「だめ？」

「あの部屋には戻らない。俺たちがキスをした、この噴水のそばを離れたくない。夜のあいだも、きみの寝息と一緒に噴水の音を聞いていたい。俺はこの上の部屋が欲しい。庭と噴水と、きみが欲しい」

アガサは膝からくずれ落ちそうになった。バーティも、アガサの手から突然力が抜けたのを感じていた。

「おいで」彼が言った。

「バーティ」アガサがふいに、声を震わせながら言った。「すぐに行って車の準備をしてきてちょうだい。ロンドンに行きたいの」

「ロンドンに行くには遅過ぎる」なんだろう。アガサはバーティの声の中に、見知らぬ人を思わせる何かを感じた。

「出かけたいの。この屋敷にはいたくない。あなたと一緒ならどこでもいい。あの松林に行きましょう。松葉が一夜のソファになってくれるわ。そしたら明日には出かけましょう。この屋敷にはいられない。どこにでも行く――あなたと一緒ならどこにでも行くから――」

「俺はここにいたい」

「車を取ってきて、取ってきてよ――」

「屋敷に入ろう、アガサ」

「いや、いやいやいやいや――」アガサは両手を振りほどこうとした。

「屋敷に入るんだ」

そこでふいにアガサは抵抗をやめ、屋敷に入った。いったん図書室に戻ると、あとは扉まで部屋を横切るだけだ。アガサは扉を背にして立った。この屋敷の人たちから剣について質問された朝も、やはりこうして立っていた。アガサは扉を遮るようにして、両腕を開いた。

「バーティ」アガサはゆっくりと言った。「ここは通さないわ」

「通してもらうつもりはない」当世風の軽いスラングを口にするときの彼とは、別人のような口調だった。「通してもらうつもりはない。きみも一緒に連れていく。いますぐにだ」

「ああ、お願い、愛しい人、あの部屋はだめ！」叫びが勝手に喉から漏れたが、〝あの部屋〟という言葉を口にした瞬間、アガサの中で命の火が消えかけた。

バーティの明るい瞳がおどった。「え！」

「あの扉に入ってはだめ」今度もまた、言葉が勝手に飛び出してきた。

「ああ、あの扉か！　どうしてだめなんだ？」

「バーティ！」アガサが腕をバーティのほうに突き出し、またしてもその右手は彼の左手の中に、そして女が指輪をはめる手は、男が剣を握る手の中におさまった。「愛してる、心の底から愛してる、お願い、わたしを連れ出して！　生きているかぎり、あなたを愛し続けるから——あなたの奴隷になるから——どんなことを頼まれようとすぐに聞いてあげるから——どうか、これだけは許して！」

「俺の選んだ部屋に入るべきじゃないと言うのか？」

「あの部屋に入ってはだめ、あの扉を抜けてはだめ！」

バーティはこたえる代わりに、アガサを扉の前から力づくで押しのけると、大またでその横を通り過ぎた。

アガサも少し進んでから、また足を止めた。バーティが足を止めたからだ。突然決意がゆらいだかのように、貝を思わせる階段の手すりの先のところで立ち止まっている。アガサの目の中で、バーティが何かを探るかのように片手を上げ、それからまた、ためらうように足を進めた。階段のほうにではなく、居間のほうへ。アガサも唇に指を当てながら忍び足であとを追うと、その長い部屋に目をやった。シャンデリアが垂れ、奥にはアダム様式のマントルピースがある。

バーティは暖炉を見下ろす恰好で、アガサには背を向けていた。何かを探すかのように、頭がかすかに動いている。黒いジャケットに包まれた、軍人を思わせるたくましい背中が、白い壁の前で模様のように浮かび上がっている。というのも、あたりには黄昏《たそがれ》の光しかなく、アガサは記憶を頼りに部屋を見ていたのだ。それにたとえ一瞬電気をつけて、それからまた消したとしても、結局何も見えはしなかっただろう。だが階段を見上げると、屋敷の上階には、まだ日の名残《なごり》が差し込んでいた。アガサは、居間をバーティに近づいた。

「バーティ、バーティ——わたしの大切な、大切な人——」

バーティが口を開いた。「ああ！　きみなのかい、アガサ？」

「今夜は初夜なのよ。わたしはあなたを待っているのよ」

「部屋の準備はできてるのかい？」

ああ！　けれど、あの部屋の鍵は安全な場所に隠してあるのだから！　アガサはバーティを腕の中に抱き寄せながらささやいた。「わたしは待っているのよ、バーティ——待っているの——」

「準備はできてる」

ふたりは抱き合うようにして居間を進み、ホールに出た。そのまま、ゆっくり階段を上りはじめる。扉の前に立った。いったい何が問題だというの？　バーティはディナーの前に扉を試していたから、開かないことを知っている。それに鍵は、わたしが持っているのよ。

にもかかわらず、バーティは立ち止まった。アガサには、ほの暗い袖口から突き出た彼の手が、ノブをまさぐっているのが見えた。何か聞き取れないことをつぶやいている。力づくになるのを恐れながら、アガサはやさしく彼を引き離そうとした。バーティがまたつぶやきはじめた。

「心のどこかにあるんだ――心のどこかに――」そう繰り返している。何かを思い出そうとしているかのように――。

ああ！

アガサは悲鳴を上げそうになった。いったい、いまのはなんだったの？　扉自体が向こう側から音を立てた。まるで鼠が這うような音。何かが屈服しかけているような。一瞬前まではリネンフォールドがあったところから、縦に伸びた黄昏の光の筋が差し込んでいる。羽目板が横に滑りながらきしむ音と共に、光の幅が大きくなっていく。バーティの指が、それを探り当てていたのだ。

開口部は、かがんで体を横にすれば通れる程度の大きさがあったが、バーティはかがむことも体を横にすることもなかった。その代わりに現在の手を、数世紀の時を宿した開口部に入れ、新しく取りつけられた近代的な鍵を外したのだ。扉は開き、開いていたリネンフォールドは、きしみながらまた元の位置に戻った。

## 11

バーティは望んだ場所にいた。百合の香り、噴水の音、そしてわたし。でもここはどこで、いつなの？　空間は？　時は？　人間の愛に時空は大き過ぎる。虚空に愛は存在しない。神は偉大だけれど、人の心に触れるため自らの姿を小さくし、初夜の床では我々の体に入り込む。もしわたしたちが別の愛を持っているのであれば、この体を貫くのは神ではなく、ほかの存在ということになってしまう。だとすれば、それは誰？　わたしのバーティは何者？　悪魔を愛する者で、わたしは嘆き苦しむことになるの？　いいえ、違う、違う、違うわ！　彼はバーティで、家族は、ここから十二マイルのところに住んでいる！　彼はバーティで、今日の昼間にはわたしの指に指輪をはめ、その肉体でわたしを崇めると約束してくれた！　彼の肉体が十一年も行方不明になっていたのは何かの間違いだったのよ！でも、そんなことどうだっていい。彼はここにいるのだから。自分で選んだこの部屋に。しかも、結婚の初夜に。

　部屋にはまだ、周りが充分に見える程度には、ほのかな明かりが残っていた。クローゼット、ナイトテーブル、そして昨晩アガサが眠ったベッド。けれど、バーティの肌の色がやけに濃く見える。赤みがかった茶色の扉と同じくらいに。両目に加え、イヴニングシャツの白い輪郭も見えていたが、それも次第にぼやけながらかすんでいく。瞳だけが明るく輝き、あたりを見ている。それから彼が、いかめしい声で言った。

「ずいぶん長いこと留守にしていた。帰ってこられるとも思っていなかった。おまえは貞節を守ったのか？」

　仰天したあまり、アガサは言葉を失っていた。

「我々の父親の世代であれば、貞操帯《ていそうたい》をつけさせたところだ」彼は続けた。「うちにもひとつある。弟のところにな。あいつときたらなんでも持っていやがる。だが俺はお前に、約束以上の枷《かせ》をかけはしなかった。いま、こうして戻ったぞ。おまえは貞節を守ったのか？」

「バーティ――！」ようやくかすかに声が出た。

「弟がすべてを取るだろう。なんでもくれてやるさ。だがおまえだけは、誰にも渡さない」

「バーティ！　わたしはあなたのもの、あなたのものよ！　抱き締めて、抱き締めてちょうだい！」

アガサはぞっとしながら叫んだ。

「俺は長いこと留守にしすぎた」彼がまたつぶやいた。「おそらく、帰ってくるべきではなかったのだろう」

「こわいわ、いったい何を言っているの？　あなたは一九一六年に、ギーユモンで行方不明になったのよ！」

　彼が素早く問い返した。「どこだって？」

「ギーユモン。でなければティプヴァルかしら。あなたの話は、聞くたびにどこかが変わっていたから」

　アガサは、彼が首を振るのを感じ取った。

「ギーユモンもティプヴァルも知らんな。なんだかフランスのような響きだが。俺が知っているのはエッジ・ヒルだ。あの丘には登ったものの、バンバリーの兵士に追われて下った。俺たちは叛逆者のエセックスと戦い、ルパートがやつらを切り刻んだんだ。チャルグローヴなら知っている。それからネイズビーもな！――そのフランスの土地では、いったい誰が戦ったんだ？」

「バーティ！　バーティ！　あなたは戦争に行っていたのよ！　今回の戦争に！　その戦争は、世界《グレート・》大戦《ウォー》＊と呼ばれているのよ！」

「では、俺の聞いているところではそんな名で呼ばせるな！」彼は冷ややかに言った。「〝大反乱《グレート・レベリオン》〟と呼ばれるべきものだ！　どこの王が、叛逆者を相手に戦争などするものか」

「ああ、この人はいったいなんの話をしているの？」

「それから俺は行方不明になったんだ！」バーティの声が響き渡った。「法が制定された。免責大赦法*が。だが俺はそこにいなかった。おかげで恩赦を受けることができなかった！――ブレークと一緒にチュニスにいたのさ。あそこにはカルタゴがあって――カルタゴが――カルタゴ――カル――カル――すまない。この世界ではあちこちで戦争をしているから――」

「バーティ、バーティ、バーティ！」アガサにはそれしか言えなかった。次に何がくるかもうわかっていたのだ。バーティは、さらに時をさかのぼろうとしている。

「ちょっと待て――俺は、獅子心王*と共に、アクレにいたんだ。だがカルタゴは――」

世界大戦！　大反乱！　十字軍！

「あの戦いではスイスの傭兵が、身の丈よりさらに半分も長い剣をふるっていた。だがここには武器がない。風と閃光だけだ。俺に短剣と争いをくれ！――カルタゴと言ったのはおまえか？」

それから彼が、満足そうに短く叫んだ。

「そうか！　わかったぞ！　スキピオはなんと言った？『カルタゴ滅ぶべし』。だが実際に滅ぼそうとしたのはカトーだった。彼らは百二十年間も戦い続けたんだ。ハスドルバルの妻は、カトーに唾を吐きかけたうえで、子どもたちを連れ、火の中に身を投じた――それは多くの戦いがあったんだ――多くの、多くの戦いが――」

アガサはこれ以上耐えられなかった。少なくとも電気をつけることはできるはず。そこで素早く動くと、紫檀の扉のそばにあるスイッチをつけたとたん、部屋に光があふれた。

一瞬、アガサは電気をつけて正解だったと思った。バーティがまばたきをし、自分の服を見つめたからだ。服装は何ひとつ変わらないのに、顔だけは、ディナーのときとまったく違うしかめ面にゆがんでいる。

「どんな魔術を使った？」バーティの厳しい声に、アガサはあとずさった。

「なんだこの部屋は？　扉は知っている。だがこの家具は？　どうして何もないところに光が灯った？　こたえろ！」

わたしには勇気があるかしら？　この取り憑かれた、見知らぬ野獣のような男に身をゆだねる勇気が。

ああ、必要なのが勇気だけなら――もしも勇気が役に立つのであれば――。

だが彼が同じ質問を繰り返し、アガサは我に返った。

「おまえは貞節を守ったのか？」

**世界大戦**　ここでは第一次世界大戦を指す。

**免責大赦法**　一六六〇年、イングランドに制定された法。清教徒革命（一六四二―四九　〝大反乱《グレートレベリオン》〟とも呼ばれる）で王党派に敵対した者たちに恩赦を定めたもの。

**獅子心王**　プランタジネット朝イングランドの王、リチャード一世（一一五七―一一九九／在位一一八九―一一九九）の異名。戦時の勇猛さにちなむ。

アガサの心はもう落ち着いていた。自分に迫っているものを悟ったのだ。アガサは微笑んだ。

「ああ、いいえ！」

「俺はおまえを、貞操帯ではなく言葉で縛った。弟がおまえを愛していることは承知していた。あいつは遺産を手にするだろう。そんなことは構わない。俺は長いこと留守にしていた。言葉は単なる言葉に過ぎない。俺が死んだと思ったのか？」

「あなたが来ることはずっとわかっていたわ」

「おまえは聖女アガタから名前をもらっている。おまえは聖女でいたか？」

アガサは聖女のように立ち尽くしながら、微笑み、待っていた。「あの日、松林で終わらせるべきだったのよ、バーティ」

彼はまた部屋に目をやってから、大またで横切ると、素早い手つきでクローゼットの扉を勢いよく開けた。まるで、男が出てくるとでも思っていたように。誰もいなかったが、別のものが見つかった。剣だ。彼は剣を手に取った。バーティはまじまじと、揺るぎのないまなざしで、思い出すように剣を見つめた。

「これは魔術だ」彼はぼやいた。「あれは、俺の部屋についていた扉。これは、俺の剣だ。だがほかのものはどれも見たことがない——これが、奇妙じゃないとでも言うのか？」その強い口調を受けて、アガサの心は喜びにふくらんだ。もう、長くは続かないはず。

「早く刺して、バーティ」アガサは言った。

「どうして扉を開けようとしなかった？　鍵は持っているはずだ。どうして俺が、あんな秘密の方法を使って開けるはめになったんだ？」

　秘密の方法ですって？　ああ、彼の知っている以上の秘密があるのに！

「俺が教えてやろう。あいつがここにいたのだ。俺の弟が。おまえは時間稼ぎをしようとした。あいつが窓から庭へ逃げ出せるように――何か言いたいことはあるか？」バーティが、大きな声で挑みかかるように言った。

「そうよ、愛しい人。わたしはずっと、あなたに遅れることを恐れていた」アガサは言った。

「祈りは？」

「もう祈っているわ」

「おまえはつくづく美しい」バーティは、名前を受けた聖女のごとく肌をさらしたアガサの胸元を見つめながら言った。「その美を傷つけるのが厭《いと》わしい。おまえはほかの方法を選ぶこともできる。ただし今夜のうちにやるのだ」

「いいえ、これでいいわ。時間を無駄にするのはやめましょう――」

「ならばいくぞ――ハッ！」

　揺れる視界の中で、バーティの顔が突然茶色にぼやけた。それから最後に、あの明るい瞳が見えたかと思うと、アガサはそのまま沈んでいった。

# 12

バーティの記憶は、ある点まではっきりしている。部屋を変えたいと思ったことは覚えているらしい。なにしろドレッシングルームにさえならないような部屋で、バスルームからもやたら離れていたので気に入らなかったのだ。それから、紫檀の扉のある部屋を見にいったことも覚えている。だが一連の出来事が、あの扉に関係があるとは思っていない。確かにバーティは、あの扉を見せられたとたんに激しく震えはじめた。だがそれには、ほかの説明があるのだろう。彼女を愛していた、と彼は言う。そしてあれは俺たちの初夜だったのだと。ふたりは部屋に引き上げた。それからどうにかして――どうやったのかは説明できなかったが――あの扉を開けた。バーティが覚えているのはそこまでだ。剣については、儀式用の装飾的なものなら一本くらい持っていたかもしれないが、世界大戦では剣などあまり使われなかったというばかりだ。そして見せられた剣については、何ひとつ知らなかった。

　当然、このような男を自由にしておくことはできないものの、バーティはそう遠くないうちに、おそらく別の自由を手に入れることだろう。なにしろ常に放浪癖があり、拘束されることを嫌う傾向があったのだ。アフリカ――であれどこであれ――あちこちをさまよったのがよくなかったのだろう。バーティはいま、小さな庭を与えられている。その手入れをしているために、昨年の夏には、それこそこんがりと日に焼けてしまった。みんなが会いにくる。だがジェームズは一度も来ていない。彼こそは哀れまれるべきだろう。なぜならとくに拘束されているわけではないものの、やはり奇妙な考えに取り憑かれてしまったのだから。それは剣にまつわるものだ。ジェームズはもはや、剣のある場所には博物館でさえ足を踏み入れることができないし、彼をよく知らない人は、ジェームズの前では剣の話題を持ち出さないようにと釘を刺される。

　いっぽう誰であれ、紫檀の扉についてなら、好きなだけ話をすることができるのだが。

# 主《あるじ》のいない家

A・M・バレイジ

高澤真弓 訳

Nobody's House

A. M. Burrage

二つのぼんやりした光に照らされ、大きな玄関ドアの戸口を挟んで、二人は向かい合った。風の強い秋の夕暮れ時で、応対に出た管理人のパーク夫人の手には、ろうそくが握られている。見知らぬ男の背後では、低く流れる黒っぽい雲から残光が漏れていた。二人の間で、吹きつける風にろうそくの炎が黄色い旗のように揺らめき、玄関広間の洞穴のような暗闇が、向かってきたり退いたりする。好奇心とためらいの間で迷っている魔物か何かのように。

男は背が高くて肩幅があり、年の頃は五十代はじめぐらい。白髪まじりの口髭と顎鬚は、ともにきれいに整えられ、黒いベロアの帽子を、広い額を覆うように目深にかぶっていた。一昔前に流行《はや》ったケープ付きの外套のせいかもしれない。まだそんな年でもないだろうに、長く生き過ぎてしまったような雰囲気があった。

ドアが開いた際、彼は内ポケットを探っていて、一通の封書を取り出してからようやく口を開いた。

「フレイク&リンパニー商事からの下見許可証を持参しました」そう言って、パーク夫人に封書を差し出す。「こんな時分に押しかけて申し訳ありません。列車を一本逃してしまい、次が来るまで時間がかかってしまいました。差し支えなければ、中を見せていただけないでしょうか？」

ゆっくりと、やや緊張気味に、あらかじめ用意していた言葉を繰り返しているかのように彼は言った。とても低く、穏やかで静かな声だった。パーク夫人は戸口から身を引いた。

「お入りになりませんか？」彼女は言った。「残念ながら、ご覧になるにはあまりいい時刻ではありませんけど。ろうそくの灯りだけでご案内しなければなりませんから。ここでは電気もガスも使えないもので」

彼は中に足を踏み入れ、相手をじっくりと眺めた。彼女は、背が高く痩せこけた、一般には『有能』だと言われる類《たぐい》の中年女性だった。造物主は、彼女を病院の看護婦長にでもさせるつもりだったが、人生はままならず、結婚もせずにしがない管理人の身に甘んじているといったところか。正直で働き者だが、温かみに欠ける——その姿に、彼女の人となりが表れているようだった。

「申し上げにくいのですが」感情のこもらない、冷静な声で彼女はつけ加えた。「とりあえず、ありのままの状態でお見せすることになります。どなたもお見えにならないと思っていましたから。最近では、訪ねてこられる方はほとんどいらっしゃらなくて。それに、これほどの広さのお屋敷だと、綺麗にしておくには、とても一人では手が回らないんです」

「長い間、誰も住んでいなかったとか？」男は思いついた言葉を口にしてみた。

「あれ以来ですから——」そこで彼女は、不意に言葉を飲み込んだ。「二十年以上になるはずです」自分の頭上にろうそくを掲げて彼を振り返った。「ここは、立派な玄関広間なんですよ。皆さん、階段が素晴らしいとおっしゃって。借手か買手がすぐに見つからない場合、階段を取り払って、屋敷とは別に売却するつもりだそうです。立派なオーク材の羽目板もたくさんあって。書斎は——」

聞いているかどうか確かめようと彼女が振り返ると、男ははっとした様子で、身震いしながら細く長い指先をこすり合わせていた。

「失礼しました」彼は言った。「長い時間、列車に乗っていたものですから、体が冷え切ってしまって。お手数をおかけしますが、お茶を一杯お願いできませんか」

「ええ、御用意いたしますね」彼女は答えた。「ちょうど飲もうと思って、薬缶《やかん》を火にかけていたところです。どうぞこちらへ。火のそばで暖まってください」

パーク夫人は先に立って広間を進むと、奥にあるベーズ張りのドアを抜けた。足元が暗くないか確認しようと振り返った際、彼がわずかに足を引きずっていることに気づいた。男は、彼女のあとについて短い廊下を歩み、炉火の光を受けて赤く染まった広い厨房を通り抜けると、さらにその先の廊下を通って、管理人の居間用に設けられた小部屋へと入った。そこは、息が詰まりそうなほど暖かかった。真紅のテーブルクロスの上で、石油ランプが明るい光を放っていた。部屋には、美しさに欠ける実用一点張りの家具が所狭しと置かれ、歴史に埋もれていく無名の人たちの写真が、ごてごてと飾り立てられている。見るともなしに男が目をやると、どこかの制服を着たパーク夫人や、後ろが膨らんだスカートをはいた彼女の母親、頬髭を生やし、窮屈そうな一張羅《いっちょうら》に身を包んだ彼女の父親の姿があった。しかしここは、暖炉で赤々と火が燃え、真鍮の五徳に載った薬缶がかすかな音を立てながら、蓋をカタカタと動かしている。明るくてむっとするほど暑く、物が溢れかえった平凡でつまらない部屋だが、少なくとも、あの暗い廊下や、隙間風の吹き込む、気が滅入るようなあの陰鬱な玄関広間から逃れられた安堵感があった。

「こちらでお茶を召し上がってください。私は厨房でいただきますから」管理人は言った。

「何をおっしゃる。どうか御一緒願います。お話もしたいですし。ああ、これが下見許可証です。ほらここに……スティーブン・ロイズ——私の名前です……下見を許可すると……」

彼は、仰々しいレターヘッドの入った社用の便箋に親指の爪を走らせた。パーク夫人は、読む気もなさそうに、タイプ打ちの文面をちらりと見やった。彼女にしてみれば、下見許可証など余計なものでしかない。それよりも、帽子を取り、薄くなった鉄灰色の髪をあらわにした、このロイズなる人物の方に興味がわいた。話し方はいかにも紳士的だが、身なりからは裕福には見えなかった。買い手にも借主にもなりそうにない。この屋敷にふさわしい人物の姿を思い描けたわけではなかったのだけれど。

「かまわなければ、コートを脱がせてもらいますね」パーク夫人が食器棚にカップと受け皿を取りに行っていると、彼が言った。「部屋が暖かいので」彼は椅子の背に外套をかけた。「ここにはお独りで？」

「ええ」

「襲われたりしませんか——不安なんかに？」

彼女はぱっと顔を上げた。

「不安ですって？　不安にさせるものがここにあるとでも？」

「いや、そういうわけでは。寂しさに耐えきれないという人もいますから。それはそうと、どうしてこの屋敷はこんなにも長い間、買い手がつかなかったのでしょう？」

パーク夫人は、苦笑いを浮かべた。

「簡単なことですよ」彼女は言った。「主《あるじ》のいない家だからです」

「主のいない家——というのは？」

「これほどの大邸宅を管理できる財力がある人は、ふつう、屋敷と一緒に土地も欲しがるものです。でも土地を買うことはできません。土地を欲しがらない人は、ここまで大きな屋敷を維持管理するだけの余裕はない。この地所はスカーティング少佐に売却されました。少佐はご自分の屋敷をお持ちです。だから土地を貸して、屋敷の方は貸すか売るかしようとしていらっしゃるんです。これまで、それはもう多くの方をご案内しましたけど、自分の考えを変えてでも、という方はただの一人もいらっしゃいませんでした」

「不思議だな。いい屋敷なのに。だけど、土地が……なるほど、そういうことなんですね。ところで、元々の所有者はどなたです？」

パーク夫人は、動揺したように、カップと受け皿を慌ててテーブルに戻した。

「ハーボイズという、家柄の良い方です」彼女はそう言ってから、不意に身を強張らせると、わずかに首を傾げ、何かに耳を澄ますような仕草を見せた。

「何か聞こえるんですか？」彼が鋭い口調で問うた。

「いいえ、お茶をお淹れしますね」

「何か聞こえるような気がする時がある、違いますか？」

彼女はそれには答えず、薬缶にかがみこんだ。ティーポットにたっぷりとお湯が注がれるまで待ってから、ロイズは静かに同じ問いを繰り返した。

「何か聞こえる？」彼女はどこかぞんざいな物言いで、彼の言葉を繰り返した。「いいえ。どうしてそんなことを？」

「いいえ、別に。ただ、こういう古い屋敷だと……」

「あいにく、妄想にふける質《たち》ではありませんので。ええと……ミルクとお砂糖はいかがです？」

その態度は、その話はしたくないと暗に示していた。彼女の目に怯えの色が見えた。注意深く観察している彼には、彼女が孤独を飼い馴らしているわけではないとわかった。ここにいるのは、自分で思う以上に苦しんでいる一人の女性だった。気を張ることでやり過ごしてこられたのかもしれない。しかし、その意志の力も、長い闘いを続けているうちに徐々に失われつつあった。パーク夫人は何かを恐れ、心の奥底で常にその恐怖と闘っているのだ。

「ありがとう」彼はカップと受け皿を受け取った。「そのハーボイズ氏はどういう人です？　御存命ですか？」

「さあ、どうでしょう」

「この屋敷にまつわる話などありませんか？　ここで何か起きたんじゃないですか？」

「存じません」

「お言葉ですが、ご存じなことがあるはずですよ」

「あるにはありますけど……。あなたがお聞きになるようなことでは……」

彼女は口ごもった。その目に、またもあの怯えの影が浮かんでいることに、彼は気づいた。

「話していただけますか」静かに彼は言った。

「それはできません。スカーティング少佐が知ったら、仕事を失いかねません。私が客を追い払おうとしていると、お思いになるはずですから」

「そんなことで退散する私ではありませんよ。そのハーボイズという御仁は、誰かを撃ったのだとか――」

「まあ！」彼女は手にしていたカップと受け皿を音を立てておろした。「では、もう何かお聞きなのね！」

「少しだけですが。隠さずお話になった方がいいですよ。聞いたところで、有望な買い手としての私に何の影響もありませんから」

パーク夫人は片手を額に滑らせた。

「お話ししたくないんです。なにしろ、独り暮らしなもので……」

彼女ははっとして思いとどまった。自分が別の存在を認めようとしていることに気づいたからだ。これまでずっと拒み続けてきたというのに。

「そうですね」思いやるようにロイズは言った。「だけど、時々、物音が聞こえるんでしょう？　どんな音が？」

「いいえ、ただの気のせいです。風の音かも。風が強いと、足音や人の声のように聞こえることがありますから。他にも何か聞こえてくるような気がする時も……たぶん、どこかの開いているドアが閉まる音ではないかと」

　彼は夫人の方へ身を乗り出してきた。その目は、異様なほどの興味を浮かべてきらめいていた。

「つまり、銃声を聞いたということですね？」そう尋ねた声は囁《ささや》きに近かった。テーブルクロスに載せた彼女の片手が、不安げに丸まった。

「銃声のようにも聞こえますけど。ああ、でもそんなはずは……」

「噂では、亡霊が出るらしいですね？」熱っぽい口調だった。

「噂というのは……、まあ、ある家で悲しいことが起きると、人は必ず――」

「人は関係ない。あなたはどうお思いですか？」彼の声音が変わってきた。気持ちの高ぶりとともに、荒っぽい大きい声になっていった。「ここには亡霊が出るんですか？」

　ロイズのまなざしと口調には、有無を言わせぬものがあった。彼女は抗《あらが》えず、重い口を開いた。

「わかりません。物音は聞こえますけど。でも、何でもないと自分に言い聞かせているんです」彼女はハンカチを手探りした。「そう思い込むしかなかったんです」

「では――何も見てはいないんですね？」低い、緊張した声だった。

「ええ、ありがたいことに！　日が落ちてからは、絶対に書斎には近寄らないようにしていますから」

「書斎？　やはり、そこだったか。それで？」

　パーク夫人はお茶をごくりと飲むと、震える手でまた自分のカップを満たした。

「二十年ほど前のことです」彼女は低い声で、しぶしぶ話しだした。「この場所は、ジェラルド・ハーボイズ氏が所有していました。彼はずいぶん若くて――三十そこそこで、愛すべき人物でした。ちょっと変わっているという人もいましたが、ハーボイズ家の人間は、みんなどこか変わっていたんです。大の狩猟好きで、乗馬にかけては、このあたりで一、二を争うほどでした。馬小屋の大きさときたら、ご覧になったらきっと驚かれたでしょうね。彼が造らせたんですよ。

「彼は、ホーンフィールドマナーのグレイズ家のお嬢様と結婚しました。可愛がっている馬よりも、その若い妻を大事に思っていたと言っている人もいます。彼女も馬を乗りこなしていて、夫妻と、ブリンクチャーチのピーター・マーシュ氏の三人はいつも一緒でした。ハーボイズとマーシュは、揺りかごにいる時からの付き合いだったんです。マーシュとハーボイズ夫人との間で実際に何かあったのかどうか、私にはわかりません。長年、あれこれ言われ続けていますが、二人とも亡くなってしまった今となっては、永遠に謎のままでしょうね。

「あるクリスマスの時期に、ハーボイズが狩猟中に落馬して、足を骨折してしまいました。彼の変わり者の血が暴れだしたのは、その折れた足の療養中でした。おそらく、猟場に行けなかったことが、そういう事態を招いたのでしょうね。足の快復には時間がかかり、一月の終わりになっても、杖をついて歩くのがやっとの状態でした。ハーボイズ夫人は、近場でキツネ狩りが行われる際は毎回欠かさず参加して、猟犬を先に立てて獲物を追っていましたから、夫が出歩けない分、いつもよりピーター・マーシュと会う機会が増えてはいたんでしょう。だけど、ハーボイズ氏が嫉妬しているとか、二人の仲を怪しんでいるとか、そういうことは誰も知らなかったようです。

「そして、一月末のあの日、ハーボイズ夫人は狩りに出かけていて、彼女の夫は一日中、書斎の炉端にいました。その日の午後は、拳銃の手入れをして機嫌よく過ごし、綺麗になった銃を、マントルピースの上の手の届くところに置いていきました。ハーボイズ夫人が戻ってきたのは、あたりが暗くなってからです。その日は、ピーター・マーシュが彼女の案内役を務めていたので、彼も一緒でした。彼女は、お茶とポーチドエッグを居間に運ぶよう命じ、またその一方、ウィスキーで喉を潤し、ハーボイズ氏に猟の様子を話して聞かせるために、ピーター・マーシュを書斎に送り込みました。彼が書斎に入っていくらも経たないうちに怒声が聞こえてきて、その後、銃声が響きました。執事が部屋に飛び込むと、ピーター・マーシュが床に倒れて事切れ、ハーボイズ氏は、暖炉の前の椅子に坐ったままで、片手に拳銃を握り、食い入るように死体をみつめていたんです」

　彼女が口を閉ざすと、静けさの中でロイズの激しい息遣いが聞こえた。彼はうつむき、テーブルの端あたりに視線を向けていたので、彼女にはその表情が見えなかった。

「ハーボイズ氏は」彼女はふたたび話し始めた。「裁判では、銃が発射された瞬間のことを何も思い出せないと言って、無罪を訴えました。マーシュが部屋に入ってきてから、執事が死体の上にかがみこむまでの間に起きたことを、何一つ覚えていない、と。彼の弁護士は心神喪失の申し立てを行いましたが、陪審員たちは受け入れませんでした。彼らは有罪を宣告したうえで、減刑するよう勧告しました。彼の死刑は無期懲役に変更されました」

　彼女はふと話をやめると、眉を寄せた。

「もう二十年前のことでしたから……。二十年たったら仮釈放になります。彼がもし生きていれば、すでに釈放されたか、もうじきそうなるはずですね」

　ロイズはゆっくりと顔を上げると、ぎらつく目を彼女に向けた。

「それで、ハーボイズがやったと、あなたは思っていますか？」彼は聞きただした。

思ってもいない質問に、パーク夫人は面食らった。

「もちろんですとも！　当然でしょう！　他に何があるっていうんです？　部屋にはあの二人しかいなかったんですよ。それ以外にあんなことが起きるはず、ないじゃないですか」

ロイズは突然、立ち上がった。青ざめた顔が汗の粒で光り、その目は激情に駆られ、爛々と輝いていた。

「断言してもいい」彼は叫んだ。「ハーボイズがやったとは、私には思えない。私はあの男のことを知っていたんだ……」

パーク夫人は驚きに目を見張った。その口から小さな悲鳴が漏れる。

「――とてもよく知っていたんだ、子供の頃も、少年時代も、大人になってからも。学校も一緒だった。誓ってもいい、あいつは人を殺せるような男じゃないんだ！　どんな状況証拠を並べ立てられようが、あいつを知っている私の気持ちは、微塵も揺るぎはしない。狂気の発作に襲われることがあったと言うやつがいた。それも嘘だ！　しかし、狂っていようがいまいが、あいつがそんなことをしたはずはない。あいつは妻を愛していたんだ――そして、幼馴染のピーター・マーシュも。ハーボイズにとって、二人はかけがえのない存在だった。あいつにはそれがわかっていた。だから――」

彼は急に話をやめると、声を落とした。

「怖がらせてしまったね」彼は言った。「そんなつもりじゃなかったんだ。ああ、でも考えてもみてくれ！　あの恐ろしい瞬間を何一つ思い出せないまま、この二十年間、獄中で衰弱していったハーボイズという男のことを。今この時でさえ、自分が罪を犯したのかどうかわからずにいるんだ。それがどんな気持ちか、考えてみてくれ」

パーク夫人は、血の気の失せた顔を上げた。唇が小刻みに震え、片手は心臓のあたりにそっと伸びていた。早鐘のように打つ心臓の鼓動が、体を震わせているようだった。

「どうしてここにいらしたの？」言いようのない恐れのあまり、彼女は甲走った声で叫んだ。「この家を買いたいわけではないんでしょう！　最初から、買うつもりなんてなか――」

「そう、ないんだ」ロイズは言った。「ここに来たのは、事実を知るためだ」

「何ですって？」

「奇妙なことが書斎で起きていると聞いた。いろんな噂を耳にした。そしてあんたは、足音や人の声や銃声のような音が聞こえると話してくれた。わからないのかい？　二十年前のあの夜、書斎で何が起きたのかは誰も知らないんだ！　生き残った男は何も覚えていない。もしも、ピーター・マーシュがここにいるという話が本当なら……ああ、わからないかい？　それが真実を知るための、ただ一つの方法なんだ……それしか手は……」

パーク夫人は立ち上がると、そのほっそりとした体を障壁にするかのように彼女とドアの間に身を置いた。

「書斎に行かせるわけにはいきません」彼女は厳しく言い放った。

「行かなきゃならないんだ。そこで一晩過ごすつもりだ。ピーターが現れるまで待つ――」

「そうはさせません」彼女は繰り返した。

「いや、行かせろ。わからないのか？　これは、一人の男が生きるか死ぬかの問題なんだ」

彼女は後じさっていき、ドアにぶつかりそうになった。

「狂気の沙汰だわ！」彼女は声を張り上げた。「日が暮れたあと、あの部屋で平気でいられた人なんて、これまで一人もいなかったんですよ」

「私なら大丈夫だ」

「こんなことがばれたら、私はお払い箱になってしまう」

「ばれやしない。仮にそうなったら、償いはする。ほら、特別待遇を受けるための金を用意してきた」そう言うと、胸ポケットから紙幣の束を無造作に引っ張りだして、テーブルに放った。「いくら欲しい？　五ポンド？　十ポンド？　それとも二十か？」

パーク夫人は紙幣の束から目が離せなかった。彼女は金の値打ちを知っていた。それに、この広い屋敷に、逆らえば危険になりうる男と二人きりだ。

「さあ」ロイズは言った。「五ポンドやろう。それを受け取って、物分かりよくなってくれ。では、これから書斎に向かう。私が火を熾す。何か坐るものはあるかな？」

「いいえ」まだ紙幣の束に目をやったまま、彼女がつぶやいた。

「では、お許しいただけるなら、椅子を一脚持っていくことにするよ」彼はもう一度紙幣の束をつかむと、五ポンドだけ取り分けて、残りをすべて胸ポケットに戻した。そして、五ポンドを手にパーク夫人へ歩み寄ると、その金を彼女の手に押しつけた。女の指が紙幣を包み込んだ。

「こんなこと、間違っている」彼女は小声でつぶやいた。

「間違ってはいない。悪魔を呼び出してでも、今夜、私は真実をつかむんだ。さあ、一緒に来て、書斎に火を熾こすのを手伝ってくれ」

彼女は何も言わず、のろのろと向きを変えると、食器棚まで行き、一番下から薪の束と古新聞を取り出し、中身が半分ほど入った石炭バケツの中に入れた。それから、真鍮製の燭台に立てた一本のろうそくに火をつけ、ドアに向かうよう身振りで彼を促した。彼は椅子を一脚手にすると、彼女についていった。

屋敷全体がしんと静まり返る中、二人は厨房を抜け、広間へと続く廊下を進んだ。絨毯《じゅうたん》の敷かれていない床を歩く足音が、がらんとした屋敷に響き渡る。神聖ささえ感じられる静寂を打ち砕くこの音は、彼女にとって、恐怖の大王の手にもたらされた新たな武器に等しかった。男の重々しい足音の一つ一つに、極度に張り詰めた神経は抗議の声を上げていた。彼女をとり囲む、ろうそくの灯りの届かない暗がりに、上階にずらりと並ぶ無人の部屋に、闇の世界に潜むあらゆる種類の眠れる恐怖、形のない嫌悪すべきものが目覚め、聞き耳を立て、近づいてこようとしている気がする。音の消えた屋敷は、ひそかな動きに満ちているようで、暗闇のしみ一つ一つに危険が潜み、彼女の心が作り出した、おぞましい幻影が住み着いていた。彼女の後ろを歩いている男は、神経がないのか、何も感じないほど神経が麻痺しているのか、どちらかのようだ。

どうやら、彼はこの屋敷を知っているらしい。広間で彼女を追い越して前に出ると、まっすぐ書斎のドアに向かった。彼は勢いよくドアを開けると、背後のろうそくの灯りが照らし出す先へと踏み込んでいった。

書斎は、細長い角部屋だった。長い窓の列が炉床の正面にあり、さらにもう二つがドアに面している。壁はオーク材の羽目板でできていて、マホガニー色に染色されていたが、薄暗い光の中では、壁に喪服がかかっているかのように黒く見えた。

彼が、ドアと一番手前の窓の間をうろついている間、パーク夫人は半ば目をつぶるようにして、石炭バケツを手に急いで暖炉まで行った。彼は何かを探しているようだった。ほどなく、彼はそれを見つけた。

「羽目板の一つに穴があったぞ」発見したと言わんばかりの声だった。

パーク夫人の心臓が跳ね上がった。

「ええ」彼女はどもりながら言った。「そ、それは——銃弾の穴です。弾《たま》がそこに撃ち込まれたんです、あのあと——あのあとで——」

「ああ」彼はそっと言った。「そうだったな」彼は、椅子を抱えて炉床まで行くと、その片隅に、損傷した羽目板とドアに向き合うように椅子を置いた。「実は、あの日の午後、もう二十年以上も前になるが、私はここに坐っていたんだ——」

パーク夫人の手から石炭バケツが落ちて、派手な音を立てた。その口が発したか細い、くぐもった悲鳴に、彼女の感じた恐怖と驚愕のすべてが表れていた。

「そこに坐っていたんですか！　あなたが！　ジェラルド・ハーボイズ！　ジェラルド・ハーボイズ、あの殺人犯なのね！」

彼は静かな声で答えた。「ジェラルド・ハーボイズだろうが、スティーブン・ロイズだろうが——そんなことはどうだっていい。殺人犯かどうかは——神のみぞ知るだ！　だが、今夜それがわかるはずだ。火をつけてくれ、それがすんだら、私を一人にしてくれないか」

パーク夫人は彼を残して、こけつまろびつ、厨房の裏にある、洗練さとは無縁の小部屋に戻った。しかし、さしもの恐怖も好奇心には勝てず、ふたたび書斎のドアの外まで引き返すと、震えながら耳をそばだて、その時を待った……。

本来の自分自身に立ち戻るために、ハーボイズは椅子に腰を落ち着け、まずは暖炉の火を熾こしにかかった。外套のポケットから拳銃を取り出し、手を伸ばしてマントルピースの上に載せる。すべてを終えると、じっと部屋を見張った。

暖炉の炎は、影たちに奇妙な動きをもたらしていたが、変化の激しい影の舞踏の中に、捜し求めているものはなかった。やがて彼は声を出して話し始めた。ひそやかだが、よく通る声だったので、ドアの外で身を震わせているパーク夫人は、息が詰まりそうになって思わず喉元に手をあてがった。

「ピーター、ピーター」おもねるような声だった。「聞こえるかい？　今、僕は、あの晩、僕が坐っていたのとまったく同じ場所に坐っているんだ。怪我した足を足台に載せてね。ここにいるよ、あの忌まわしい拳銃もある。なあ、ピーター、出てきてくれないか？　いつもここにいると聞いたんだ――親友に撃たれて、安らかな眠りにつけないらしいと。ピーター、僕はきみを撃ったのか？　頭が真っ白なんだ――何も思い出せないんだ！　二十年間、ずっと思い出そうとしてきた。この二十年間、心穏やかだった日は一日もないんだ、ピーター。おい、出てきて教えてくれ！　僕は知りたいんだ――

知りたいんだよ！　どこかおかしいんだ、ピーター。僕がそんなことをしたはずはない。きみを撃てるはずないだろう？」

　一番手前の窓とドアの間に目を据えたまま、彼は黙り込んだ。長い沈黙ののち、涙にくれんばかりに声を詰まらせて、不意に言葉を発した。

「僕を憎んでいるから、姿を見せたくないのかい、ピーター？　僕は頭がおかしくなっていたのか？　やっぱり僕はやってしまったのか？　僕を憎まないでくれ、ピーター。もう十分苦しんできたんだ！　情けをかけてくれ！　なんとしてでも、今夜、この苦しみを終わらせたいんだ。ああ、神よ、僕を憐れんでくれるよう彼を説得してくれ！　ピーター、僕らはずっと友達だったじゃないか。学生時代のこと……忘れちゃいないだろう、僕らのチームのことを？　夏の夜、囲い地の菩《ぼ》提樹《だいじゅ》の下で何時間も話し込んだことは？　ゼミナールの親睦会は？　領主亭《ローズ》に行ったことは？」

　彼は延々としゃべり続けた。様々な思い出が、次から次へと浮かんでは消えていく。ひんやりとした露の降りた朝。守備練習のために、寄宿舎から慌てて飛び出す十一人のクリケット選手たち。暗い教室に並ぶ、やる気がなさそうな少年の列。ペンのひっかく音。明るい日差し。緑の芝生を走る白いユニフォーム姿。タッチラインでのもみ合い。スクラムの形成。どんよりとした十一月の空に、くっきりと浮かび立つゴールポスト。そのどの場面をとっても、そこにはピーター・マーシュの姿があった。

「ピーター！」彼はもう一度、大声で呼びかけた。「聞こえないのかい？　出てきてくれよ。きみはこの世に戻っている、みんなそう言っているんだ。あの女は、きみの音を聞いているよ。きみは——緋色のコートを着ていたね、あの晩、この部屋に入ってきた時。憶えているよ……きみがそこに倒れているのを見た時……血はほとんど出ていなかった。僕はここに坐って、ミュリエルを待っていたんだ。きみたち二人が車道をやってくるのが聞こえたよ。ミュリエルは何かに笑っていた。きみたち二人は、外で馬丁に話しかけていた。それから、きみが玄関広間に入って、ミュリエルがお茶を命じ、二階に上がっていくのが聞こえたんだ。それで僕は思った。『彼女は僕に顔を見せにも来ない。役立たずになった僕なんて、彼女にはいなくたっていいんだ。ピーター、ピーター、ピーター、大事なのはあいつだけだ。ああ、きっとそうだとも！』僕は言った。『不自由なのは足だけじゃなかった、僕は目も見えていなかったんだ。見ていたのは、二人の間には何もないふりをしていたあいつらの偽りの姿だけ……。二人の囁きやそれらしいやり取りをこの耳で聞いていたのに』たちまち、僕の中に憤怒の炎が燃え上がった。『くそったれめ！』僕は言った。『足の悪い男から妻を奪ったらどうなるか、思い知らせてやる！』その時……きみが入ってきたんだ」

　外で震えているパーク夫人の耳に、彼のしゃがれた叫び声が聞こえた。

「ピーター！　ピーター！　ああ、神よ。記憶がよみがえってきた！　きみはそこにいたね、今立っているその場所に、ドアの取っ手に手をかけて。そうだった！　そしてきみが言ったんだ――今、思い出したよ――『一緒に一杯やろうよ、ジェリー。凍えそうなんだ。とんでもない東風でね』ピーター！　ピーター！　そんな目で見ないでくれ！　思い出した……思い出したよ。ああ、神よ、お慈悲を……お慈悲を！」

　部屋中にしゃがれた絶叫が響き渡り、すさまじい音を立てて椅子がひっくり返ったその直後、半狂乱の叫びが上がった。

「思い出した……思い出した……くそっ！　きみが僕に背を向けた時……ちょうどそんなふうに……」

一発の銃声がはっきりと聞こえ、間を置かず二発目が続いた。その後、主のいない家を静寂が包み込んだ。屋敷のただ一人の生ける居住者は、オーク材の手すりにしがみついて気を失わんばかりになっていた。

パーク夫人がなんとか書斎に踏み込んだのは、それから三十分後だった。暖炉の炎の光は、相変わらず壁や床で踊っていた。ほんの一瞬、赤味を帯びた一筋の光が、奇っ怪な姿をとらえた気がする――緋色の上着を着て、うつぶせに倒れた男のようなものを。

ハーボイズは、顔を伏せ、崩れるように炉床に倒れていた。その手には拳銃が握られ、こめかみのむごたらしい銃創は、幸いなことに見えなかった。思い出したがために迎えた最期だった。

翌朝、警察は、もともと銃弾の穴が一つあいていた羽目板に、もう一つ別の穴を見つけた。それらは横に並び、一インチと離れていなかった。

# 森のなかの死

シャーウッド・アンダーソン

平戸懐古 訳

Death in the Wood

Sherwood Anderson

そのばあさんは、おれが育った町の近くの農場に棲《す》んでいた。田舎町に暮らしていれば、こういう老婆を見たことがあるだろうが、しかしどういう人物なのか、実はだれもあまりよく知らずにいる。ぼろぼろの馬車に乗ってきたり、籠《かご》を提げてとぼとぼ歩いてきたりして、町にやって来る。鶏を何羽か飼っていて、その卵を売りに来るんだろう。籠に入れて雑貨屋に持っていって、それで物々交換する。塩漬けの豚肉とか豆、それに砂糖や小麦粉を数ポンド貰ってゆく。

それから肉屋を訪ねていって、犬用に粗肉《あらにく》がほしいと言う。十とか十五セントを支払う。支払いながら、なにか貰えないかと訊ねる。むかし肉屋は、求める相手には肝臓《レバー》をくれた。おれの家でもよく食べた。あるとき兄弟のだれだったかが、共進会の広場そばの屠殺場で、牛の肝臓をまるごとひとつ貰ってきた。うんざりするまで食べた。一セントも掛からないんだが、以来おれは、肝臓のことを思い浮かべるのも嫌になってしまった。

それでその農場のばあさんは、肝臓とスープ用の骨を手に入れた。町のだれの家も訪ねたりせず、必要なものを手に入れると急いで帰っていった。老いた身体《からだ》にはかなりの荷物さ。だがだれも、ばあさんを馬車に乗せてやろうとはしなかった。みんな道路を突っ走っていって、ばあさんが居たことにすら気づかない。

　おれがまだ幼かった頃、炎症性リウマチとかいう病《やまい》で寝込んでいた夏から秋のあいだ、こういうばあさんが家のまえを通って、よく町を訪ねてきた。それから重い荷物を背負って帰っていった。がりがりに痩せた大柄な犬が二、三頭、その後ろを付いていった。

　このばあさんに特別なところがあったわけじゃない。ほとんど誰も気にしない、名前も判らないような他人のひとりでしかなかった。だが、このばあさんがおれの頭のなかに入り込んできた。長い年月が経ったいまになって、おれは突然、あのばあさんのこと、ばあさんの身に起こったことを思い出した。それはひとつの物語なんだ。ばあさんの苗字はグライムスという。夫と息子と暮らしていた。町から四マイル離れた小川の土手にある、塗装もしていない小さな家に棲んでいた。

　夫と息子は荒くれ者だった。息子のほうは二十一歳にして、すでに刑期を済ませた身だった。夫のほうは噂によると、馬を盗んでは別の郡に流していた。たびたび馬が行方不明になって、するとこの男も居なくなっていた。盗みの現場を押さえられたことはなかった。一度、おれがトム・ホワイトヘッドの貸馬車小屋のところでだらだらしていると、この男がやって来て、正面の長椅子に座った。別の男たちも二、三人そこに居たんだが、だれも話しかけようとはしなかった。この男は数分のあいだ座っていたが、そのうち立ち上がって出ていった。出てゆくとき、振り向いて男たちをじっと見つめた。

嘲《あざけ》るような感じが眼に浮かんでいた。「おい、おれは仲良くしてやろうとしたんだ。でもあんたらは話なんかしたくないらしい。町に来るとどこだってそうだ。もしいつの日か、あんたらの大事な馬が一頭行方不明になったって、知ったことじゃねえよな」実際にはなにも言わなかった。「あんたらのなかのだれでも良いから、顎をぶち割ってやりてえ」男の眼がそう言っていた。その眼つきに震え上がったのを覚えている。

この夫はかつて金持ちだった家に生まれた。名前はジェイク・グライムス。いまになってはっきりと思い出せる。父親のジョン・グライムスは、まだこの土地が新しかった頃に製材所をもっていて、金を稼いでいた。それから酒を飲むようになり、女を追いまわすようになった。この男が死んだとき、金はほとんど残っていなかった。

ジェイクが残りを使い果たした。すぐに材木が底をついて、土地もほとんど売り尽くしてしまった。ジェイクは結婚相手になる娘を、あるドイツ系の農夫から奪い取った。六月のある日、ジェイクはこの農夫のところで小麦の収穫を手伝ったんだが、当時、この娘のほうはまだ若くて、死ぬほど怯えていた。そうだ、農夫がこの娘を狙ってたんだ――彼女は、たしか年季奉公に出された娘で、農夫の妻はふたりのあいだを疑っていた。夫の居ない隙に、この妻は娘にきつく当たった。それで妻が町まで買い出しに行かねばならなくなると、農夫がこの娘を追い廻した。娘はなにもされてはいないと言ったが、まだ若いジェイクには、信じて良いのかどうか判らなかった。

初めてふたりで出かけたとき、ジェイクは娘を簡単に自分のものにした。もしドイツ農夫が喰って掛かってこなかったら、あいつはこの娘と結婚しなかっただろう。ある夜、この農場で脱穀作業をしながら、ジェイクは馬車でいっしょに出掛けようと娘を誘った。それで次の日曜の夜、彼女を迎えに来た。

娘は雇い主に見つからずに農場を抜け出してきたんだが、馬車に乗り込もうとしたところで、農夫が姿を現した。ほとんど日が沈んでいて、この男は馬の頭のそばに突然ぬっと現れた。手綱を摑んで馬を押さえつけたんで、ジェイクのほうは乗馬鞭を握りしめた。

ふたりは激しく争った。ドイツ農夫は屈強だった。妻に知られようが構いもしなかったのかもしれない。ジェイクは相手の顔や肩を鞭でぶっ叩いたが、馬が急に暴れたので、降りるはめになった。

それからふたりは死に物狂いで闘った。娘はそれを見ていなかった。暴れた馬が走り出して、娘が止めるまで一マイル近く暴走したんだ。娘はどうにか道端の木に馬を繋いだ（おれはどうしてそれを知っているんだろう。幼い頃、町の噂話で聞いたのが、心に引っ掛かっていたのに違いない）。ジェイクが娘を見つけたのは、ドイツ農夫を倒した後のことだった。馬車の座席に縮こまって、泣きながら、恐怖に打ちのめされていた。ジェイクに色んなことを話した。あのドイツ人に迫られたこと、一度なんか納屋に追い詰められたこと、運悪く家のなかでふたりきりになったとき、農夫が娘の服を胸元から下まで力任せに引き裂いたこと。あのドイツ男、門のところで自分の妻が立てた音を聞かなかったら、あたしを手籠《てご》めにしていたかもしれない、と娘は言った。農夫の妻は町まで買い出しに行っていた。そうだな、馬を納屋に入れるところだったんだろう。ドイツ農夫は妻の眼に留まらぬよう、こっそりと畑に戻っていった。話せば殺す、と娘は脅された。この娘になにが出来たかね。納屋で家畜に餌をやっているとき、服を破いてしまったと嘘をつくほかなかった。いまちゃんと思い出したが、やっぱり彼女は年季奉公に出された娘で、自身の父や母の居場所も知らなかった。父親なんて居なかったかもしれない。おれの言いたいこと、判るだろう。

そういう年季奉公のこどもってのは、しょっちゅう酷い扱いを受けていた。親の居ないこどもで、実態は奴隷だ。当時、孤児院なんてものは全然なかった。だからこの手のこどもらは、どこかの家に合法的に年季奉公へ出された。その結果どうなるかは、ただ運の問題だった。

## II

この娘はジェイクと結婚して、男の子と女の子をひとりずつ産んだが、女の子は亡くなった。

それから彼女は、黙々と家畜の餌やりに専念した。それが仕事だった。ドイツ農夫のところでは、娘が農夫と妻に食事をつくっていた。この農夫の妻はどっしりした腰付きの屈強な女で、ほとんどの時間、夫といっしょに畑に出て仕事をしていた。娘がふたりに食事をつくって、納屋の牛に餌をやって、豚に餌をやって、馬と鶏に餌をやった。毎日のほとんどの時間、若かった娘は、なにかに食べ物を用意し続けていた。

それから娘はジェイク・グライムスと結婚して、この男にも食事をつくらねばならなくなった。もともと小柄だった娘は結婚から三、四年経って、こどもをふたり産んだ頃になると、華奢な肩が曲がっていた。

ジェイクはいつも図体のでかい犬を何頭か、家の近くに繋いで飼っていた。家のそばには使われていない製材所があって、そのそばに小川が流れていた。盗みをしていないときは馬を売って生活していて、痩せた馬をたくさん飼っていた。三、四匹の豚や牛も飼っていた。グライムス家に残った数エーカーの土地で放牧していて、ただジェイクはほとんど世話をしなかった。

ジェイクは借金して脱穀機を買って、数年のあいだ動かしてみたものの、ろくに返済できなかった。だれもあいつを信用しなかった。夜のうちに穀物を盗むんじゃないかと疑った。あいつは仕事を探しに遠くまで行かねばならなくなって、それには金が掛かりすぎた。冬になると狩りをして、すこし薪を割って、近くの町で売った。息子が育つと、こいつも父親みたいになった。いっしょになって酒を飲んだ。家に戻ったとき食べるものがないと、ジェイクは妻の頭をぶっ叩いた。彼女は鶏を数羽飼っていたが、そのうち一羽を急いで絞めなければならなくなった。全羽絞めてしまったら、もう町に行っても卵を売ることが出来なくなる。そうしたら彼女に出来ることなんてあっただろうか。

あのばあさんは生きているあいだ、なにかに食べ物を用意することばかり考えていなければならなかった。豚に餌をやって太らせて、秋には屠殺できるようにしておく。そしたら夫がその肉を町に持っていって売った。夫がやらなければ息子がやった。ふたりはよく喧嘩した。そういうとき、ばあさんは脇で震えながら立っているほかなかった。

ばあさんはひたすら黙っている習慣を身に着けた——そういうふうに定まってしまった。老けて見えるようになった頃——まだ四十歳にも達してなかったんだが——ときどき、夫と息子がふたりとも馬の商売をしているとか、酒を飲んでいるとか、狩りをしているとか、盗みをしているとか、そういう用事で不在のとき、ばあさんはぶつぶつ独り言を呟きながら、家や納屋の周りを歩き廻った。どうやってみんなに食べ物を用意すれば良いのか——それがばあさんの問題だった。犬どもにも餌が必要だった。納屋にも馬や牛にやるための干し草が足りていなかった。鶏にも餌をやらなければ、卵を産んでもらえない。売る卵がなければ、町でものを買うことができない。農場で生きてゆくのに必要なものだ。ありがたいことに、夫に食べ物を用意する必要はなくなった——ある意味では。結婚して間もなく、男の子と女の子が生まれてすぐのことだ。夫が長いあいだどこに出掛けていたのか、妻は知らなかった。ときには数週ものあいだ家を空け、息子が育ってからは、ふたりで居なくなることもあった。

　ふたりはばあさんに家のことをすべて任せきりにしていたが、ばあさんには金がなかった。知り合いも居なかったし、町で話しかけてくれるひとも居なかった。冬になると、暖炉に入れる薪にするため枝を拾い集めて、ほとんど穀物のないなかで、家畜に餌をやり続けねばならなかった。

　納屋の家畜は腹を空かせて声をあげ、犬どもはばあさんの後を付いて廻った。冬になると、雌鶏はあまり卵を産まなくなった。納屋の隅に群れて身を寄せているのを、ばあさんはじっと見つめていた。もし冬の納屋で雌鶏が卵を産んだことに気づかなければ、卵は凍って割れてしまう。

　冬のある日、ばあさんはわずかな卵を携えて町にやって来た。犬どもがその後を付いてきた。午後三時近くまで家を出られず、出た頃には雪が酷《ひど》くなっていた。数日のあいだ具合が優れず、ばあさんはぶつぶつ独り言を呟《つぶや》きながら歩いていた。薄着で、肩が曲がっていた。ぼろぼろの穀物袋の底に卵を入れていた。数個しかなかったが、冬には卵の値が上がる。肉や豚の塩漬け、砂糖、珈琲豆と交換できるだろう。それに肉屋から肝臓をひと切れ貰えるかもしれない。

　町に着いて卵を売っているあいだ、犬どもは店の外に寝そべっていた。取引はうまくいって、必要なものを思ったよりも多く手に入れた。それから肉屋に行くと、そこで肝臓と犬用の粗肉を貰った。

　だれか他人から親しげに話しかけられたのは、本当に久しぶりのことだった。ばあさんが店に入ったとき、肉屋はひとりで店番をしていて、こんなに具合の悪そうなばあさんが、こんな天候の日に外出していることに動揺した。ひどい寒さで、午後になってから一度は止んでいた雪も、ふたたび降りはじめていた。肉屋はばあさんの夫と息子のことを言って、罵《ののし》りの文句を口走った。ばあさんは肉屋が喋《しゃべ》っているのを見つめていた。その眼には穏やかな驚きがあった。もし亭主か息子がこの穀物袋に入れた肝臓とか肉付きの骨を取ろうとするならば、そいつこそが飢え死にしてしまえ、と肉屋は言った。

　飢え死にですって。でも、なんだって生きているのなら、食べ物を用意しないといけないでしょう。男どもにも食べ物が必要だし、馬だってまともなやつじゃないけど売れるかもしれないし、牛だって痩せてしまってもう三ヶ月も乳を出してくれないけど、食べ物を用意しないといけないでしょう。

　馬に牛、豚に犬、それに男たち。

## III

ばあさんは、できれば暗くなるまえに帰り着きたかった。犬どもがその後を付いていって、重くなった穀物袋が背中に括《くく》られているのを、くんくんと嗅いでいた。町の外れまで来ると、ばあさんは柵のところで立ち止まって、服から紐を取りだして袋を背中に縛り直した。このために紐を持ってきたんだ。縛り付けると、運ぶのが楽になった。両腕が痛んでいた。柵を乗り越えるのが大変で、一度ばあさんは落下して雪に埋もれた。犬どもが周りを跳ね廻った。ばあさんはもたもたと苦戦したが、どうにか立ち上がった。そうまでして柵を乗り越えたのは、丘を越えて森を抜けるのが近道だったからだ。道路を通ることも出来たんだが、そうすると一マイルは廻り道になる。歩き切れるか不安だった。しかも家畜に餌をやらねばならなかった。干し草と玉蜀黍《トウモロコシ》がすこし残っていた。夫と息子がいくらか持って帰ってきてくれるかもしれない。ふたりはグライムス家に唯一残る、がたがたの馬車によぼよぼの馬を付けて、さらにひょろひょろの馬を二頭つないで出掛けていた。馬を売って金を手に入れようとしていたんだ。酔って帰ってくるかもしれない。帰ってきたとき、家になにか食べ物を用意しておいたほうが良い。

　息子は十五マイル離れた郡役所のある町の女と付き合っていた。粗野で乱暴な女だった。一度、ある夏、息子がこの女を家に連れてきた。ふたりとも酒を飲んで酔っていた。ジェイク・グライムスは不在で、息子と女はばあさんを使用人みたいに使った。ばあさんは気にしなかった。慣れていたんだ。

なにが起こっても黙ったままでいた。それがばあさんの流儀になっていた。ドイツ農夫のところでまだ若い娘だった頃からそうやってきたし、ジェイクと結婚してからもそうやってきた。息子が女を家に連れてきたとき、ふたりは夫婦みたいに一晩じゅういっしょに寝ていた。ばあさんはそれにも驚かなかった。驚くことは、もう若いうちに済ませてしまっていた。

穀物袋を背負って、深い雪を掻き分けて、ばあさんは開けた草地を苦しそうに抜けると、森に入った。

道はあったが、辿《たど》るのは難しかった。木の密集する丘を越えたところに、小さな空き地が広がっていた。むかしそこに家を建てようと思った者が居たのかもしれない。町で見かける宅地ほどの大きさで、庭付きの家が収まりそうだった。道はこの空き地の脇に続いていたが、ばあさんは木の根元に座って休むことにした。

愚かな選択だ。座ってみると、背中の荷物を木の幹に預けるかたちになって、身体が楽になった。だが、後で立ち上がることが出来るだろうか。ばあさんもすこしそれを心配したが、そのまま静かに眼を閉じた。

しばらく寝ていたらしい。ひとはあまりに寒くなると、それ以上は寒さを感じなくなる。あの日は午後になってすこし暖かくなったが、それから雪がまえより酷くなっていた。その後しばらくすると天気は回復して、月まで顔を出した。

グライムス夫人に町まで付いてきた四頭の犬は、どれも長身でがりがりに痩せていた。ジェイク・グライムスやその息子みたいな男どもは、だいたいそういう犬を飼っていて、蹴ったりして虐待するんだが、犬は出てゆかない。グライムス家の犬どもは飢え死にしないよう、自分たちで餌を探さねばならなくて、ばあさんが木にもたれて眠っているあいだ、周りを漁っていた。茂みやそばの草地で兎を追っているうちに、別の農家の犬が三頭、群れに加わっていた。

しばらくして、犬どもは空き地に戻ってきた。七頭ともなにかに興奮していた。こんなふうに寒く晴れ渡って月の出ているような夜は、犬に影響する。奴らがいまだ狼で、群れをつくって冬夜の森を駆け廻っていた頃の古い本能が、戻ってくるのかもしれない。

ばあさんのところに戻ってきた犬どもは兎を二、三匹捕まえて、当座の空腹は満たされていた。奴らは輪になって空き地を走り廻りはじめた。ぐるぐると円を描いて、鼻がまえの犬の尾に触れるように走った。雪に覆われた木々の下で、冬の月に照らされて、犬どもは空き地に奇妙な光景を描いていた。静かに円を描きながら、柔らかい雪を踏み分けて走り廻った。犬どもは音を立てなかった。ただぐるぐると円を描いて走っていた。

もしかしたら、ばあさんは死ぬまえに、この犬どもの姿を見ていたかもしれない。一度や二度くらいは眼を醒まして、老いて霞《かす》んだ眼でこの不思議な光景を見たのかもしれない。

もうあまり寒さを感じてはいなかったと思う。ただ眠いだけだ。生命はしぶといものだ。もしかしたら意識が朦朧として、ドイツ農家で年季奉公をしていた頃だとか、母親に置き去りにされるよりも昔の頃のことを夢に見ていたかもしれない。

あまり楽しい夢ではなかったと思う。あの娘は楽しい経験なんてあまりしていなかった。ときどきグライムス家の犬が一頭、ぐるぐる走り廻る円から抜け出してきて、ばあさんのところまでやって来た。この犬は彼女の顔に自身の顔を近づけた。赤い舌を口から垂らしていた。

犬どもが走り廻るのは、なにか死の儀式のようなものかもしれなかった。狼のもつ原始的な本能が、月夜を疾駆したことで犬どものなかに湧き上がって、犬どもはそれが怖かったのかもしれない。

「もうおれたちは狼じゃない。ひとの僕《しもべ》たる犬なんだ。生きてくれ、ひとよ。ひとが滅べば、おれたちはまた狼になってしまう」

件《くだん》の一頭の犬は、ばあさんが荷物を木に預けているところまでやって来て、彼女の顔に鼻を押し付けると、どうやら満足したようで、仲間が駆け廻っているところまで戻っていった。グライムス家の犬は四頭とも、ばあさんの生きていた夕方のうちに、同じことをした。おれはこういうことを、後になって知った。おとなになってから、イリノイ州の森のなかで、やっぱり冬の夜だったが、犬の群れが同じように走り廻っているのを目撃したんだ。この犬どもも、おれが死ぬのを待っていた。こどもの頃、あの夜に、あのばあさんを待っていたのと同じだ。ただおれに同じことが起きたとき、おれはまだ若かったし、死ぬつもりもまったくなかった。

ばあさんのほうは穏やかに、静かに死んだ。グライムス家の犬が一頭、彼女のそばにやって来て、ばあさんが死んでいるのに気がつくと、犬は七頭とも走るのをやめた。

犬どもは、ばあさんの周りに集まってきた。

さて、ばあさんは死んでしまった。生きていた頃は彼女がグライムス家の犬どもに餌をやっていたわけだが、これからどうなるだろう。

ばあさんが背中に縛り付けていた穀物袋には、塩漬け豚とか、肉屋で貰った肝臓とか、犬用の粗肉とか、スープ用の骨が入っていた。町の肉屋が突然の憐れみに打たれて、穀物袋いっぱいに詰め込んでくれたやつだ。ばあさんにとっては大変なほどの収穫だった。
それが今度は、犬どもにとって大変な収穫になった。

## IV

グライムス家の犬が一頭、突然ほかの犬どもの輪から飛び出して、ばあさんの背中の袋に噛みつくと、ぐいぐいと引っ張り出した。もしこの犬どもが本当に狼だったなら、この一頭こそが群れの頭《かしら》だっただろう。この犬のやったことを、ほかの六頭が真似して繰り返した。七頭の犬がその牙を、ばあさんが背中に縛り付けていた穀物袋に突き立てた。犬どもはばあさんの身体を、空き地の真ん中まで引き摺っていった。ぼろぼろに擦り切れた服は、肩口のところから簡単に裂けた。彼女が発見されたのは一日か二日が経った頃だったが、このとき服は尻まで完全に破けていて、しかし犬どもは彼女の身体に危害を加えていなかった。穀物袋から肉を手に入れただけだ。発見されたとき、ばあさんの身体は硬く凍りついて、肩幅があまりに華奢《きゃしゃ》で、身体があまりに小さかったので、死んでいる姿がきれいな娘のように見えた。

こういうことはおれが幼かった頃、中西部の町だとか、近くの農場なんかで何度か起こった。猟師が兎を追いかけていって、このばあさんの遺体を見つけたんだが、触れることはしなかった。なにかがこの男を怯《ひる》ませた。雪で覆われた小さな空き地の真ん中が円形に踏み分けられた跡だとか、その場の静けさだとか、犬どもが穀物袋を引き摺ったり抉じ開けようとしたりして遺体をぐいぐい引っ張った跡だとか、そういうなにかがこの猟師を怯ませたんだ。彼は急いで町に戻っていった。

おれは兄弟のひとりといっしょに町の大通りに居た。この兄は新聞配達の仕事をしていて、夕刊を店から店へと配達していた。じき夜になるところだった。

猟師は食料品店に入って、森で見たことを語った。それから金物屋へ行って、次に雑貨屋へ入った。町の男たちが歩道のところに集まってきた。それから連れ立って森への道を歩いていった。

兄は新聞配達を続けるべきだったが、そうしなかった。だれもが森に向かっていた。葬儀屋も警察署長も向かっていた。荷馬車に乗った者たちもいて、森への道を進んでいったが、馬の蹄鉄が擦り減っていたので、凍った路面でつるつると滑った。歩きのおれたちと変わらぬ速度だった。

町の警察署長は大柄な男で、南北戦争で脚に傷を負っていた。重い杖を持って、片足を引き摺りながら、急いで道を進んでいった。兄とおれがその後に続いて、そこに男たちや少年たちが加わった。

ばあさんが道を外れたところに辿り着いた頃にはもう、あたりは暗くなっていたが、空には月が出ていた。警察署長は他殺の可能性を考えて、猟師に何度も質問していた。猟師は銃を肩に担いで隣を歩いて、犬がその後ろに続いた。兎猟師がこんなに注目されることは滅多にない。彼は警察署長といっしょに行列の先頭を歩きながら、この機会をいっぱいに味わっていた。「傷はなかったと思いますよ。きれいな娘で、顔が雪に埋もれてました。いや、俺は知らん娘ですね」実のところ、猟師は遺体をじっくりと見たわけではなかった。怖くなったからだ。この娘は殺されたのかもしれない。だれかが木の影から飛び出してきて、俺も殺されるんじゃないだろうか。午後遅く森のなか、葉の落ちた木々からは枝が剝き出していて、地面が雪に埋もれていて、あたり一面が静まり返っているような頃には、なにか不気味な感じが心と身体に忍び寄ってくる。加えて近くで奇怪な事件でも起きていたなら、すぐに逃げ出すことしか考えられない。

男や少年たちの行列は、ばあさんが突っ切っていった草地を進んで、警察署長と猟師の後を追いながら、丘を上がって森に入っていった。

兄とおれは黙っていた。兄は新聞の束が入った鞄を肩に掛けていた。町に戻ったら、家に帰って夕飯を食べるまえに、新聞配達を続けなければならない。兄が勝手に決めていたようにおれも手伝うのであれば、ふたりとも帰るのが遅くなる。母か姉が夕飯を温めなければならない。

まあ、帰ってからの話の種にはなるだろう。こどもにはそんな機会、めったにあるものじゃない。食料品店に配達したとき猟師が入ってきたのは運が良かった。この猟師は町の外の人間だった。兄もおれも、それまで見たことのないひとだった。

そうして、男たちと少年たちの行列は、件の空き地に辿り着いた。冬の夜だったからすぐに暗くなってしまい、ただ満月がすべてをくっきりと照らしていた。兄とおれは、ばあさんの死んだ木の間近に立っていた。

月光のなかに横たわった彼女の姿は、老いているようには見えなかった。ひとりの男が雪に俯せた彼女をひっくり返して、おれにはすべてが見えた。おれの身体がなにか不思議な感覚で震え、兄の身体も震えた。寒かっただけかもしれない。

兄もおれも、女性の身体というものを見たことがなかった。硬く凍った肉体に雪が貼りついていたから、あまりに白く、美しく、大理石のように見えたのかもしれない。町から来た者のなかに女性はひとりも居なかったんだが、町の鍛冶屋が外套を脱いで、彼女の身体に被せた。それから腕で抱きかかえると、町に向かって歩きはじめた。ほかの者たちも黙ったまま付いていった。このときはまだ、だれも彼女がだれなのか判っていなかった。

## V

おれは一部始終を見ていた。雪のなかの楕円のかたち。犬どもの走り廻ったところがまるで小さな競馬場のようになっていた。おとなたちが困惑しているところ。白く剝き出した若々しい肩。おとなたちの囁《ささや》く声も聞こえていた。

おとなたちは、ただ困惑しているようだった。遺体を葬儀屋まで運び込んで、鍛冶屋、猟師、警察署長、それに何人かがなかに入ると、扉が閉ざされた。もし父がそこに居たらなかに入れたかもしれないが、おれたちみたいなこどもは入れてもらえなかった。

いっしょに新聞の残りを配達してから家に帰って、この話を報告したのは兄だった。

おれは黙っていて、その日は早く寝た。もしかしたら兄の話し方が不満だったのかもしれない。

後になってから、町でばあさんに関わる別の話を断片的に聞いたのに違いない。彼女がだれなのか判明したのは翌日で、調査が行なわれた。

夫と息子がどこかで見つかって、町に連れてこられた。ばあさんの死にふたりを結びつけようとする試みはうまくゆかなかった。ふたりには完璧なアリバイがあった。

だが町の者たちはふたりに反感をもった。ふたりは出てゆかねばならなくなった。ふたりがどこに去っていったものか、おれは聞いたことがない。

おれが覚えているのは、森のなかのあの光景だけだ。そこに立っていた男たちや、素肌の剥き出した少女めいた姿。雪に俯せた顔、犬どもの走り廻った跡、頭上に広がる冷たい冬の空。白い雲の欠片が空を漂っていた。木々の隙間を吹き抜けていった。

あの森の光景は知らぬ間に、おれがいま語ろうとしている話の核心と化していった。周辺の欠片たちは、そう、ずっと後になってから、ゆっくりと集めなければならなかった。

いろいろなことがあった。若い頃、おれはドイツ人の農場で働いた。そこに雇われていた娘は雇い主を怖がっていて、その妻は雇われ娘を嫌っていた。

その農場でいろいろなことがあった。また後になってから、犬どもといっしょに奇怪で神秘的な冒険をした。月の明るい澄み切った冬の夜、イリノイ州の森でのことだ。それからまだ学校に通うこどもだった頃、あれは夏だったが、友だちとふたりで町から数マイル離れた小川に沿って歩いていって、あのばあさんの棲んでいた家に辿り着いた。彼女の死後、そこにはだれも棲まなかった。扉は蝶番《ちょうつがい》から外れていて、窓硝子《ガラス》はすべて割れていた。友だちとおれが表の道に立っていると、二頭の犬が、たぶんどこかの農場の犬がうろついていたんだろうが、家の角のところから駆けてきた。どちらも長身でがりがりに痩せていて、柵のところまで来ると、道に立っている俺たちをぎょろぎょろと睨みつけた。

　そういうすべてが、ばあさんの死の物語が、歳を重ねるにつれて、おれには遠くから聞こえてくる音楽のように感じられてきた。その音の欠片は一度にひとつずつ、ゆっくりと拾い集めてゆかねばならなかった。理解してゆくことが必要だった。

　死んだ娘は、生きものの命を養うように運命づけられていた。すくなくとも、それが彼女のしたことだった。彼女は生まれるまえから生きものの命を養ってきたし、こどもの頃、ドイツ人の農家で働く娘だった頃、それから結婚した後も、歳をとってからも、死ぬときでさえ、生きものの命を養っていた。牛に鶏、豚に馬、犬、それに男たち。彼女は娘を幼い頃に亡くしてしまったし、息子ともしっかりした関係を築くことがなかった。亡くなった夜、彼女は家に帰ろうと急いでいたが、やはり生きものの命を養うための食べものを背負っていた。

　彼女は森のなかの空き地で死んだが、死んだ後ですら、生きものの命を養い続けた。

　そう、おれたちが帰宅して兄がこの話をしたとき、母と姉がそれを聞いていたあの夜、兄がこのことを理解していたとは思えない。兄も幼すぎたし、おれだってそうだった。だがあれだけ完全なものには、独特の美が宿っている。

　そのことを強調したいわけじゃない。おれはただ、どうしてあのとき兄の話を不満に思って、それからずっとおなじ不満を抱きつづけてきたのか、説明したいだけなんだ。どうしておれがこの単純な話をくりかえし話さねばならないと感じているのか、判ってもらいたいだけなんだ。

# 死んだ女

デイヴィッド・H・ケラー
森沢くみ子 訳

The Dead Woman

David H. Keller

妻と部屋で発見された男は、いくぶん混乱し、どことなく途方に暮れていたものの、ごくまともな感じだった。手にしたナイフを捨て、トランクから中身を取り出しはしたが、とくにその場を取り繕おうともしなかった。

捜査を担当した警部補が優秀な人物だったのが幸いして、厳しい取り調べも行わなければ、自白文を書かせることさえしなかった。当局としては、単純明快な事件だという感触があったせいかもしれない。少なくとも、本件を感情に左右されることなく、あくまで科学に基づいた手法で取り扱った。じゅうぶんな食事と清潔なベッドが与えられた男は、翌朝、入浴してひげを剃ったあと、精神科医のもとへ連れていかれた。

精神疾患の専門家は、男を椅子にゆったりと座らせた。葉巻をたしなむと知ると、一本すすめ、男は受け取った。そして、穏やかで心地よい雰囲気のなか、精神科医は意見を述べて、質問をした。

「トンプスンさん、昨日あなたがあのような行動をとったのには、それなりの事情があったからでしょう。その事情について、なにもかも聞かせてもらえませんか」

トンプスンは精神科医をじっと見つめた。「話したところで、信じてくれるでしょうか」

「ご自分が真実だと信じていることを話してくれているのだと考えて、私は真摯に受け止めるつもりですよ」

「それこそ願ってもないことです」トンプスンはささやくように言った。「これまで相談した人たちがそうしてくれていたら、せめて私の話を考慮しようとしてくれてさえいれば、あんなことにはなってなかったかもしれません。ですが、いつも私がおかしいのだと決めつけて、一人として蛆の話を真剣には聞いてくれませんでした。

　結婚生活はうまくいっていたと思います。世間並みではあったはずです。まあ、男と女では相容れないものもありますし、私も妻のリジーと多少は意見が合わないこともありました。といっても、激しい言い合いになるほどのものじゃありません。念を押しておきますが、口論なんてそんなにしたことはなかったんです。

　一年くらい前、リジーの健康状態のことが頭から離れなくなりました。体調が悪くなってきましてね。先生も結婚しておられるならおわかりでしょうが、妻の健康というものはいつだって気にかかるものです。決まった相手と暮らし、世話を焼いてもらったり、一緒に出かけたりするのにすっかり慣れてしまうと、その相手が病気にかかって死んだら、残された側はどう生きていけばいいのかと考えずにはいられなくなります。いえ、将来に不安を感じるからこそ、症状を重く見てしまうのかもしれません。

　いずれにしても、妻は体調を崩していて、いやな感じの咳はするし、痩せはじめていました。そのことを本人に伝えて、薬局で滋養強壮剤を買って飲ませたりもしました。でも、妻は私の気持ちを汲んで飲んではくれるんですが、具合が悪くなっていることはがんとして認めようとしないんです。今は細身なのがブームだし、咳は神経が過敏になっているだけだからと言い張って。

妻は医者に診てもらおうとしませんでした。義母に相談しても、笑い飛ばされて、リジーがもっと喜ぶようにしてやれば、たちまち太るよと言われる始末。実のところ、家族も友人も誰一人として、妻の具合が悪いとは思っていないようでした。それで、私も妻の体調のことを口にするのはやめたんです。もっとも、妻が夜に咳き込む様子や、なかなか寝つけないせいで、私はつらい状況にありました。日中は忙しく働いている身ですから、ほとんど眠れないとなると、頭がおかしくなりそうで。ついにしかたなく、私は妻に頼んで、予備の寝室でやすむことにしました。

寝室を分けても、状況はたいして変わりません。咳が聞こえてくるんです。そして妻が眠ってしまうと、足音を忍ばせて彼女の部屋へ行き、無事を確かめずにいられなくなる。咳にはさんざん悩まされていましたが、聞こえなくなればなったで、妻の身になにかあったのではないかと、いっそう不安に駆られましてね。

ある晩、恐れていたことが現実となりました。しばらく激しい咳が続いたあと、ぴたりとやんだんです。家の中は静まり返っていました。踊り場の時計が時を刻む音が耳を打ち、屋根裏で鼠が木を囓《かじ》る音が響きます。自分の鼓動さえ聞こえてくるようでしたが、妻のいる寝室からはどんな音もいっさいしないんです。

妻の寝室へ行って明かりをつけたとき、すべてが終わったのだと悟りました。いえ、確信があったわけじゃありません。私は簿記係であって、そういったことには門外漢ですから。かかりつけ医に電話することにしました。電話機へと向かいながら、私はどう伝えればいいのか悩みました。なにしろ、かねてより妻は健康そのものだと言って譲らない医者でしたから。そこで、妻の様子がおかしいので往診してほしいとだけ伝えることにしました。私は声が震えないようにしながら、そんなふうに往診を頼みました。

ひげでも剃っていたのか、医者が到着したのは小一時間も経ってからです。医者は妻の寝室へ入っていきましたが、私は戸口のところでためらっていました。聴診器で心音を確認したり、脈を測ったりしていた医者が、そのうち、かがめていた身を起こして言ったんです。『どこも悪くありませんがね。熟睡しているだけですよ。どんな点がおかしいと思ったんです？』

私は仰天のあまり、言葉につかえながら、妻の咳が聞こえなくなってとかいうようなことを答えるのがやっとでした。医者は声をあげて笑い、私の肩を叩きました。

『奥さんのことを心配しすぎですよ、トンプスンさん』

さあ、葛藤の始まりです。病気について詳しいはずの医者が、妻はどこも悪くないと言う一方で、簿記係にすぎない私は、悪くないどころではないとわかっているんですから。どうすればよかったのでしょうか。誤診だと医者に伝える？　別の医者に往診を頼む？

医者が帰った頃には夜が明けてきていたので、私はキッチンへ行って、コーヒーを淹れはじめました。もう手慣れたもので、卵とベーコンも焼くんですよ。食事が終わると、ひげを剃って、会社へ行く仕度をします。ですが、すぐには出かけず、妻のベッド脇でしばらく椅子に腰かけていました。悶々としながらも、私より医者のほうがよくわかっているのだと繰り返し自分に言い聞かせるほかありませんでした。

　出社前に、私は義母に電話しました。リジーが体調を崩しているので、そばにいてやってほしいということを簡単に説明して、自分はずっと職場にいるのでいつでも連絡がとれると伝えたんです。それから、ようやく家を出ました。外で日差しを浴びると気分が軽くなりましてね。会社で何時間か帳簿を確認したあとは、なんて馬鹿な考えにとらわれていたのかと自分を笑い飛ばせそうになっていたほどです。

　義母から電話はかかってきませんでした。午後六時に帰宅すると、家には普段どおり明かりが灯っています。そして、妻と義母が居間で私を待っていて、夕食の準備ができていると言うんです。当然のことながら、私はベッドから出てきている妻を目にして驚きましたが、態度には出すまいとしました。夕食の席で、私は二人から疑念を抱かれないよう気をつけながら、できるだけ注意深く妻を観察しましたよ。妻はいつものように少しずつ料理を口に運んで嚙んでいるものの、飲み込むときはどこか不自然で、動きにも妙にぎこちないところがありました。ただ、義母は気に留めていないようで、ともあれ、なにも言いませんでした。帰り際に、別れの挨拶をしに玄関まで送っていったときでさえ、義母はリジーの様子がいつもとちがうとか変だとか思っているようなことは一言も口にしませんでしたね。

　義母が帰ってしまうと、私は皿洗いに取りかかりました。夜はよく、妻が表通りに面した居間で座って道行く人々を眺めているあいだ、洗い物をしていたんです。キッチンを片付けてから、私は葉巻に火をつけて居間へ行き、少しばかり話しかけましたが、妻は返事一つしませんでした。実際のところ、あれからのちもリジーが私と口を聞いたことはなかったように思います。ほかの人たちとはしゃべっていたはずですけどね。

葉巻を吸い終えると、私はおやすみとだけ言って、予備の寝室へ向かいました。しばらくして妻が主寝室で立ち動いている音が聞こえてきたものの、ベッドに入ったのでしょう、静かになりました。もう咳もしていません。咳のせいで睡眠不足が続いていた私は、そのことについては心の中で快哉をあげていました。そして、頃合いを見計らって、蠟燭に火を灯し、片手で光を遮《さえぎ》るようにしながら、足音を忍ばせて妻の様子を見に行ったんです。妻は目を開けていましたが、白目を剥いていて、息も止まっているじゃありませんか。少なくとも、見た目では息をしているのがわかりませんでしたから、口元に手鏡をかざしてみたのですが、いっこうに曇りませんでした。

翌日も同じことの繰り返しです。義母が来てくれて日中はうちで過ごし、夜に私が家に帰ると三人で夕食を摂って、そのあと私が洗い物をする。お湯は熱く、食器の汚れが落ちていくのが気持ちよくてね。私は普段より洗うのに時間をかけていたかもしれません。妻が座って窓の外を眺めている居間へ行くのはどうにも気が進まなかったんです。

それでも、居間へ入っていきました。その夜は葉巻も吸わずにです。鼻を利かせたかったものですから。というのも、奇妙な――花瓶に生けたまま何日も放っておかれた花にも似たにおいが家に充満しているような気がしまして。閉めきった狭い部屋にスズランが束で置かれているような甘ったるいにおいと説明すればわかってくださるでしょうか。それが、妻のいる居間でとりわけ強く――もっと言えば、妻から漂ってくるように感じられたんです。しばらくすると、私は葉巻に火をつけずにいられなくなり、やがて妻におやすみを言ってベッドへと向かいました。妻からはなんの応《いら》えも返ってきません。それどころか、私のことなど気にもかけていないようでした。

午前二時頃、私は蠟燭を手にして、妻の様子を確かめに行きました。瞼《まぶた》が開いていて、白目を剝いているのは前の晩と同じですが、その夜は顎ががくりと落ちて頬までこけていたんです。医者を呼ぶしかありませんでしたが、今回は電話帳から適当に選んだ、一面識もない医者に往診を頼みました。

医者を替えたかいはあったでしょうか？　いいえ、まったく。来てくれた医者はじっくり丁寧に妻を診てくれましたが、とくに悪いところはありませんとあっさり告げ、帰りがけに玄関ホールで私のほうを振り向くと、どうして往診を頼んだのか、奥さんのどこがおかしいと思ったのかと尋ねるのです。むろん、正直に答えられるはずはありません。なにしろ相手は医者で、私は簿記係にすぎないんです。医者が妻は健康体だと判断しているなら、私になにが言えるでしょうか。

翌日は義母が避暑で山へ出かけてしまったので、妻と二人きりになりました。普段どおりに朝食を摂って出勤しても、家から職場に連絡が入ることはありませんでした。夜になって帰宅すると、家には明かりが灯っていて、夕食がテーブルに用意され、妻はいつものように席に着き、料理も皿に盛り付けられていたんです。妻も食べましたが、動きはいちだんと鈍くなっていて、飲み込むのに苦労しているのが見てとれますし、深く落ちくぼんだ目は光っているようで――なんというか、鮮魚売り場の魚に似ていました。

テーブルには花が飾ってありましたが、花とも異なるやけに甘いにおいがしていて、それを深々と吸い込んでからは、ポークチョップとポテトの料理が喉を通りにくくなってしまいましてね。ちょうど夏で、気温が高いのもあって、網戸はしていても、家の中に蠅が一、二匹いたんです。で、一匹が妻の口のまわりを這っているのに、彼女が払いのけようともしないのを目にしたとたん、私はすっかり食欲を失ってしまいました。しかたなく席を立って、洗い物を始めました。先生なら、そのときの私の気持ちをわかってくださるでしょう。その頃には、状況はかなり奇妙な様相を呈していたんです。

　翌日、私は職場に休むと連絡を入れ、タクシーを呼んで妻を名高い医者のもとへ連れていきました。診察室で診てもらうのに二十五ドルも請求されたんですから、名医だったにちがいありません。私が先に診察室へ入って、自分の抱いている懸念を率直に伝えたうえで、妻を呼び入れました。医者は妻を診察し、血液検査までしてくれましたが、それで判明したのは、妻がやや貧血気味であるということだけ。さらに、精神安定剤を飲むか、休暇をとるかしなければ、私が病気になると言うんです。

　さて、極めて厄介な状況となりました。私が正しいのであれば、ほかの人たちが間違っていることになりますし、ほかの人たちが正しいのであれば、私の頭がすっかりおかしくなっていることになるわけです。それでも、私は自分の感覚を信じるほかありません。人は自分が見たもの、聞いたもの、感じたものを信じるしかないんです。そして、あのとき診察室で、妻が笑みを浮かべ、医者が彼女の指から採血していた場面を思い返してみても、私にはありえない診断に思えたんです。貧血だなんて！　まさか！　そんな一言で妻の状態を説明できるはずがありません。

　その夜はとくに多くの蠅が家に入り込んでいました。私は角の店へスプレー式の殺虫剤を買いに行って、妻の寝室に振りまきましたが、蠅はいくらでも入ってきます。それも、大型の青蠅がです。そいつらが引き寄せられるかのように屋内に入り込んできて、いくら追い払っても妻の顔にたかるんです。

ついに私は、もうやけくそで、妻の顔をタオルで覆い隠して自分のベッドに引き揚げました。なんといっても、私は働かなくてはなりませんから。住宅ローンの利息を支払う期限が迫っているうえに、貸付係は元金の一部も返済してほしがっていたんです。自慢の家でしたし、私が二十年というもの簿記係として懸命に働いてきた証《あかし》でもありましたからね。

　次の日も同じように過ぎていきましたが、計算間違いが増えて、上司から注意を受けました。家に帰ると、夕食の仕度はできていなかったものの、妻は居間にいて、明かりも灯っていました。甘ったるいにおいがさらに強まり、蝿がやたらと飛び回っています。羽音や蝿が電灯にぶつかる音が聞こえるほどです。私は自分で夕食をこしらえましたが、居間に妻がいて、その開いた口や鼻に蝿がたかっている光景を想像すると、食事がほとんど喉を通りませんでした。

　その夜、妻は居間に座ったまま動かないので、私が腕をとって、階段をのぼらせました。身体は冷え切っていて、どちらの頬にも暗紫色の斑が浮いています。ただ、寝室に入ってからは、自分で動いているように見えましてね。それで、一人にしていったん部屋を出て、しばらくして戻ったんです。妻はいたって静かに眠っていました。思えばきつい一週間でした。私は妻のベッド脇で椅子に腰を下ろし、考えを巡らそうとしたんですが、そうすればするほど泥濘《ぬかるみ》にはまっていくようで。夜になっても暑くて、蝿がうるさく飛び回っていました。頭に浮かぶのは過去のことばかり。妻とよく映画を観に行っては、笑ったり、ときには泣きそうになったりしたこと。口では、子供がいないぶん、夫婦水入らずで過ごせていいとお互いに言っていたこと。けれど本心では、妻が狂おしいほど子供を望んでいたことも、子供ができない寂しさを私のせいにしていたこともずっとわかっていました。押し寄せてくる記憶に耐えられなくなった私は、葉巻を一服やってから、職を失わないためにも、明日は仕事でへまをしないようベッドに入ろう――そう思ったとき、小さな蛆虫が這い出てくるのが視界に入ったんです。

その瞬間、もうこのままにはしておけないと悟りました。医者や義母がどう言おうと関係ない。なにか手を打たなければ。それも、この私がやるしかないと。

私は葬儀屋に電話して来てもらい、階下で会いました。

『葬儀はうちうちで』と私は葬儀屋に告げました。『公《おおやけ》にする気はないんだ。君なら、あとからでも死亡診断書を取り寄せられるだろうし』

葬儀屋は二階へのぼっていきましたが、五分ほどで降りてきました。

『部屋を間違えたようです』

『階段を上がって突き当たりにある寝室だよ』

『ですが、そこにいらっしゃる女性は亡くなってなどいませんよ』葬儀屋がそう言い返すじゃありませんか。

私は迷惑料を渡して葬儀屋を追い出し、目の前で玄関ドアを勢いよく閉めました。お手上げ状態でした。先生、どうか信じてください。万策尽きていたんです。思いつくかぎりのことを試して、ほかにできることは残っていませんでした。一人として私を信じてくれない。私の味方になってくれない。誰も彼もが、私の頭がおかしいと考えているという感覚が強まるいっぽうでした。

だからといって、そのまま妻を家に置いておくのも無理だったんです。もう心身ともに限界でした。

昼は昼で、いくら計算しても間違いつづける数字と格闘し、夜は夜で、家に帰っても自分で食事の用意をして、妻だったものがいる隣の部屋で寝ていたんですから。甘ったるいにおいや蝿の羽音、次の日には、次の週には、それに住宅ローンの返済期限が来たらどうなるだろうという不安にさいなまれつづけて、私はなにか行動をとらずにはいられませんでした。

妻もそうしてほしがっているように思えたんです。本人もまっとうな状況ではないと察しているような、妻には別の形で最期を迎える権利があるという気がしましてね。妻の身になって考えてみたとたん、立場が逆なら、自分にどうしてほしいかがわかりました。

それで、私は地下室からトランクを運び上げました。新婚旅行に持っていき、例年の夏の休暇にも持っていったもので、妻は新しいトランクより、こっちのほうが落ち着くんじゃないかと思ったんです。ところが、妻のベッド脇にトランクを置いてすぐ、小さすぎて、ナイフを使うしかないと悟りました。

そうするのが当然というものでしょうし、妻が痛がるはずはないんですから。苦痛を感じる時期はとっくに過ぎていたんです。私は妻に『すまない。だが、こうするしかないんだ。世間の人たちが私を信じてくれてさえいたら、もっといい状況になっていたはずなんだけどね』と声をかけました。

そして、取りかかったんです。

そこから先のことはさっぱりわけがわかりません。

悲鳴があがって、血が噴き出していたようにも思いますが、気がついたら、家の中に人が大勢いて、私は逮捕されていました。

その点がどうにも不可解でして。先生はご存じないかもしれませんが、私は妻を殺したかどで訴えられているんです。私の話はこれで全部です。ただ、一つ先生にお尋ねしたいことがあります。先生が、来る日も来る日も、来る夜も来る夜も私の立場にあったなら、どうなさっていたでしょうか？　妻を愛していた男なら、どんな行動をとったものなんでしょうね」

# 創造の帽子

ロバート・ブロック

植草昌実 訳

The Thinking Cap

Robert Bloch

# 1

彼は戸棚を開けた。

ジンの空き瓶が前に傾き、床に落ちて大きな音を立てた。気にもとめずに中を探ったが、触れるものはなかった。手探りしながら、彼は独り言を言いはじめた。いつからなのか、我がことながら悪い癖だと思いながら。

「あの娘《こ》がそこに着いたとき、戸棚の中はからっぽで、哀れな犬ははらぺこだ。哀れな犬よ、そは我が身。我こそまさに哀れなり」ふと彼は黙った。「発見せり《ユーレカ》！」

奥で指先に触れたのは缶詰だった。彼は引き出してラベルを見た。「発見というほどのものでもない。ベイクドビーンズか。悪くはない。かくて哀れな犬は豆を得る」

テーブルに缶を置くと、流し台の脇の小さな電気焜炉《こんろ》のスイッチを入れた。屈んで小ぶりな鍋を取ると——まあ洗わなくても使えるだろう——焜炉に置いた。

「缶切りはどこだ」彼はつぶやいた。「缶切りなくては缶開かず。鍋で煮立てる缶スープ、生命保険はカノピウス*。上から覆うは天蓋《キャノピー》で、スープの具にはできません」言葉が堰《せき》を切って溢れ出し、彼はその場に立ち尽くした。「スープ、スーパー、スーパーマン。缶切り持たぬスーパーマン、どうして缶を開けようか。開ける呪文は『開け胡麻《ごま》』。胡麻一粒で如何《いか》にせむ。白胡麻、黒胡麻、種のうち。ついでに豆も種のうち。缶の中にはベイクドビーンズ、開けて食うのは人類《ヒューマン・ビーイング》。ノーマン・ビーン*は誰のこと？　エドガー・ライス・バローズの、最初に名乗ったペンネーム。売れないうちはバローズも、売れろ売れろと念じつつ、飢えをしのいだ豆の缶。それは私も同じこと。誰も私に気づかない。誰も私を愛さない。缶切りさえないこの私」

彼は急に言葉を止めた。これまでは何か話すにも相手がいたが、今は自分一人、他には誰もいない。彼は声を絞った。「よし、もう止そう。まずは落ち着け。まだ正気でいたいだろう。それとも正気には飽きたか？」

缶切りを探すのをやめて、鏡に歩み寄った。わずかな移動だった。間口十フィート、奥行き十四フィートにクローゼットが付いただけの、狭い部屋だ。あるのは焜炉と戸棚と洗面台、椅子が二脚、ベッド脇のテーブルには安物のラジオ、そしてもちろん、カードテーブルにはタイプライターが据え

**カノピウス**　イギリスで創立された老舗保険会社。
**ノーマン・ビーン**　アメリカの小説家エドガー・ライス・バローズ（一八七五―一九五〇）が、一九一二年の『火星のプリンセス』雑誌連載時に用いたペンネーム。

つけてある。これで全部。この部屋にあるものの一覧だ。

彼は洗面台の鏡に向かって、自分の一覧を作りだした。

面長の顔は痩せて、今日はひときわ長く見えた。頬がいくらかこけたようだ――こんな顔だったろうか。

眼の色は鮮やかな青だが、いくぶん澱《よど》んでいるのにも、とうに見慣れてしまった。

茶色の髪は艶《つや》もなく、額に張りついている。これもまた見慣れたものだ。

顔色は悪い。血の気が失せていた。それもやはり見慣れていた。血の気のない痩せこけた顔、澱んだ眼、額に張りついた髪と見ると、自分の顔はまるで――

「死体だ！」彼は呻《うめ》いた。「死んでいるように見えるぞ。俺は死人か。まだ死んではいないが、死にかけているみたいだ。これじゃいけない。なんとかしないと」

そう、なんとかしなくては。だが、何をどうする？　酒は役に立たない。どんなに飲みたくても、酒を買う金もない。この侘《わび》しい部屋から出ることさえできない――月末に入金があるまでは。もし入金がなかったら、この部屋にもいられなくなる。

さらに悪いことに、今の彼は何も書いていない。

そこが最大の問題だ。何も書いていない。タイプライターはカードテーブルにある。ただ置いてあるだけだ。彼が書かないからだ。いや、書かないのではない、書けないのだ。書けないから焦り、焦るから酒を飲み、飲むから書けなくなる。この繰り返しのうちに、今や死人のような見た目になってしまった。このままでは、いずれ本当に死ぬ。死ななくても、正気を失う。

「なんとかしてくれ」彼は言った。「どうにもならないのか?」鏡に映った自分の顔は強ばっていた。自分のことなら何でも知っている男の顔だった。

バーナビー・コッド、年齢は三十歳。職業は小説家。現在は独身。未来は暗澹。以上は、逃れようのない事実だ。

鏡の向こうの顔が知る事実はそれだけではない。七年のあいだに書いた小説の、没にされたものも、金になったものも。輝かしく始まった作家生活が、今や苦い結末を迎えようとしていることも。ペギーとの婚約と、その破棄も——その頃は五部屋あって家具もちゃんと揃ったアパートメント・ハウスに住み、小説はなんの苦もなく書けた。原稿の行き先が名の知られた雑誌だった頃は、ウィスキーも知られた銘柄をケースで買っていた。今は書きたくても何も書けなくなり、ただ安いジンの空き瓶だけが増えていく(おいおい、どんな安酒だろうと空き瓶よりは高いぞ)。昨日も書けず、今日も書けず、だから明日もきっと書けない。心に余裕はなく、酒を止める意志もなく、だから原稿が書けない。頭に溢れる言葉は独り言になって流れ去ってしまい、あとに残るのは自分への憐れみしかない。

バーナビー・コッドが鏡を見つめると、死んでしまったかのような無表情で、自分が見つめ返してきた。心が落ち着いてきた。落ち着く心、陥《おちい》る昏睡。昏睡《コーマ》と書いて打つコンマ。コモ湖*で歌うペリー・コモ*。こんなものです常日頃。来《こ》よ風、来よ雨、来よ嵐。今宵こそはとトナカイさんは、真っ赤なお鼻で缶を切る。そうだ、缶切りどこにある? 皇帝陛下の晩餐に、豆の缶詰開けるため、なくてはな

**コモ湖** イタリア北部の湖。湖畔は避暑地として有名。

らぬ缶切りは、魔法の門を開く鍵。

ばかばかしい。笑えもしない。なのに、彼の目から急に涙が流れ落ちた。鏡が曇り、部屋は揺れ、どこかでベルが鳴りだした。

「電話ですよ！」家主のビクスビー夫人が呼んでいた。「電話ですよ、コッドさん！」

バーナビー・コッドは涙を拭い、ふらふらと玄関まで下りていくと、受話器を取った。「もしもし……ああ……そうだ……それはまた……ありがたいな……喜んで……じゃあ、あとで」

彼は受話器を置いた。死刑執行停止命令のような話だった。電気椅子にベルトで縛りつけられ、スイッチが入る一分前にかかってきた、州知事の電話さながらだった。

彼はパーティに行く支度をはじめた。カクテルパーティで、食事はビュッフェ形式だという。食べられる——好きなだけ。酒も飲める——飲めるだけ。そして、人にも会える。声をかけてくれた友、ハンク・オルコットのような人たちに。彼が才気煥発たる小説家だとまだ思っていてくれて、言葉を尽くして誇らしげに紹介するはずだ。「小説家のバーナビー・コッド」と。

もちろん、くたびれていないスーツはある。こけた頬でも、ひげを剃れば見苦しくはないだろう。行ってみれば、自分も捨てたものじゃないと思えるだろうし、自分相手ではない会話もできるし、ベイクドビーンズより良い料理と、安いジンよりは良い酒もあるはずだ。

バーナビー・コッドは顔を洗ってひげを剃り、着替えて髪を整えた。電気焜炉のスイッチは切った。帽子を手に取り、ドアに向かった。が、足を止めて振り返った。

流し台に歩み寄り、ベイクド・ビーンズの缶を掴むと、ごみ箱に投げこんだ。

## 2

パーティでは、ハンク・オルコットが彼を連れまわし、誇らしげに紹介した。「僕の友達のバーナビー、コッド。彼は小説家なんだ」これを一度や二度ではなく、五、六度は繰り返した。

コッドは次第に気力を取り戻してきた。料理や酒や、並みいる人々のおかげだ。会話ができるし、知り合いも作れる。何を見ても現実を取り戻したかのようで、コッドはあらためて自分が生きていることを実感した。

パーティには人が来たり帰っていったりしたが、彼が見たかぎりでは、出席者は四十人を超えていた――高貴な人も高慢な人も、気障《きざ》な人も奇妙な人もいた。オルコットが紹介してくれた人は、みな初対面だった。自分の友人はこういうところには来たがらない変わり者ばかりだ。彼自身もその類《たぐい》だとはとうに見抜かれているのだろう――と、コッドは思った。

時がたつにつれ、人々は入れ替わっていった。知らない顔が増え、同じ話が繰り返された。パーティのたびオルコットが友人たちにする話で、聞いた人たちがまたその友人たちに話し、そのまた友人た

**ペリー・コモ**　アメリカの歌手（一九一二―二〇〇一）。ポピュラー・ソングの大御所としてビング・クロスビー、フランク・シナトラと並び称された。

ちが聞いて、知人ばかりか敵にまで広まった、耳になじんだ話だ。

　この時分になると、ハンク・オルコットもあまりコッドを紹介しなくなっていた。彼自身、大勢の人の中にいるのに疲れてもいた。そろそろ帰る潮時か、と彼は考えた。気持ちは前向きになり、自信を取り戻したような気がした。醒《さ》めてしまう前においとましたほうがよさそうだ。もう酒は飲めそうにない。紹介も十分すぎるほどしてもらった。だからもう——

　そのとき、深紅の芥子《けし》の花が目に映った。

　長い、緑の茎の先で、緋色の花びらが開いていた。離れた窓辺に立っている、ほっそりとした優美な姿に、コッドは引き寄せられていった。花の香りに惹かれるかのように、彼は一礼した。

「バーナビー・コッドと申します」彼は声を絞った。

「クレオ・フェインです」芥子の花が答えた。

　体の線が見えるほどぴったりした緑のドレスと、長く艶やかな赤い髪に、コッドは目を奪われた。芥子ではなく、これまで見たことのない異郷の花だ。古代ギリシアの大理石像のような顔立ち、中国の翡翠《ひすい》ほど鮮やかな緑の瞳——彼は我に返った。また同じことをしている。花や彫刻に喩《たと》えるとは、あまりにありふれている。これまでに出会った中でもっとも美しい女性——それで十分じゃないか。

　やや吊り上がった楕円形の目が、称えるように彼を見ていた。

「ここのかた？」

「ここ、と言うと？」

「いらっしゃるのは、みんなお知り合い？」

「まあ、そうとも言えますね。ここの主人のオルコットは友達ですから。彼は何人もの芸術家を後援している、まさに趣味人《ディレッタント》です。だから、私もここにいるわけです。小説家なので」

彼女はうなずいた。「存じております」

コッドの胸のうちが温かくなってきた。彼は笑みを向けた。「あなたは？」

「わたしは、ここに来るような者ではありません」

「でしたら、どこかに行きませんか」

彼が差し出した腕に、彼女は手をかけた。「素敵ね」

言葉はこれだけで十分だった。これまでに出会ったことのない美女と言葉を交わし、腕を組んで外に出るまで、一分しか経過していなかった。

オルコットはバーカウンターで、長い髪やクルーカットの群衆に囲まれているので、コッドが暇《いとま》を告げても聞こえはしないだろう。

挨拶を遺すかわりに赤毛美人を連れ去って、彼は外に出たが、歩いているのではなく、宙に浮いているような感じがした。

「少しだけ、わたしの家にお寄りになりませんか」彼女が尋ねた。「すぐ近くですから」

何を思って誘ったのか、コッドには想像もつかなかった。現実のこととは、とても思えない。小説の書き出しのようだ。いや、こんな発端の小説を書いた覚えがある。

パーティの高揚と酒の酔いが、錬金術よろしく予想外の作用をもたらしたのだろう。彼はたしかに酔っていて、足元はふらつき、街のどのあたりをどう歩いたかも定かではなかったが、階数の多いビルディングの中の広い部屋に案内された。隅のランプがぼんやりした光を放っていた。部屋の空気が芳《かんば》しいのは、香が焚いてあるのか、ずっと隣に立っていて、今は肘掛けのない低い長椅子に隣りあって座っている、女の香りなのか。

彼女と向かいあうと、温かい波が押し寄せて自分を高く持ち上げていくような感覚がして、胸のうちに雑然とわだかまっていた言葉が文章となって、すぐに口から流れだした。

「……どれだけ長く、きみのような人を探していたのか……いや、知り合う前から、『きみのような人』ではなく、きみを探していた……きみという人がいるとは夢にも思わなかった……運命を信じたためしもなかった……運命の姿は緑の瞳《め》をした赤毛の女で、その唇は夢へと開く不思議な扉のごとく……」

「何をお書きですか」彼女は居住まいを正し、きっぱり言いきるように尋ねた。

「私は……ええと……そうだな……」コッドは我に返り、記憶をかき集めた。「何を書いているかと訊かれるのは珍しいな。たくさん書いてきた。詩も、短編小説も書いているし、長編は二作書いて、三作目はまだ途中だ——一年前に半ばまで書いて、そこから先が書けずにいる」彼は言葉に詰まったが、思い切ったかのように続けた。「正直に話そう。私は小説家だった。だが、今はもう、そうは名乗れない。一年も書けずにいるんだ。何かが起こってしまった。説明のしようもない。もう書けなくなってしまったんだ」

クレオは確信したかのようにうなずいた。「あなたに会いたかった理由は、そこにあります。あなたが助けを求めていることは知っていました」

「きみ、何を言っているんだ？」

クレオは答えず、ただ立ち上がった。そして、部屋の隅の薄闇に溶けこむように、どこかに行った。

コッドは訝《いぶか》しみながらも、座して待っていた。飲み過ぎたか、と思いながら。さまざまな出来事が目まぐるしく起こり、現実かどうか見定める暇もない。洗面台の鏡を見て泣いたのがもう何年も前のような気がする。だが、ついさっきのような気もする。

クレオが戻ってきた。片手に何か持っているようだが、長椅子の陰になって、コッドには見えなかった。

「今の書けなくなっている状態は」彼女は言った。「心の壁に突き当たったからとお考えですか」

コッドは姿勢を正した。「言うなれば、まさにそのとおりだが——きみは精神科医だったのかな」

夜のような、麝香《じゃこう》が薫るような心地よい声で、クレオは笑った。「いいえ。でも、創作とそれにまつわる問題には、理解があるつもりです」心地よい声に、説得するような響きが加わった。「あなたをお助けしたいのです」

「たしかに、私は助けを求めている。できるかぎり正直に答えよう。私はとうに、小説家としての技量を失ってしまったようだ。ひらめきもないから、それを育てていくこともできない。きれぎれの言葉や文章の断片になっては、消え去っていくばかりだ。まとまって形になる言葉はない——形にできないんだ」コッドの声は次第に小さくなっていった。「最近はよく、心を置き忘れてしまったようにさえ思うんだ」

「心を置き忘れてしまった、ですか」クレオの浮かべた笑みは、他の誰も浮かべることのできないものだった。「あまりしない言いまわしをされるんですね」

「あまりしない、というと？」

「意味を考えるのを止めてしまっても、言葉はイメージを運びうるものでしょうか。あなたが心を置き忘れたのなら、その心はどこにあるのでしょう――どこかにあります。ミスター・バーナビー・コッド、あなたの心は今、どこにありますか」

「焔《ほむら》の中に消え去りぬ」酩酊《めいてい》が戻ってきたかのように感じながら、彼は囁《ささや》いた。「汝《な》が髪と瞳《め》と唇の、焔の中に――」

「今は結構です」彼女はさえぎった。「重要なことを話しているところですから。あなたにとって。わたしにも。他の人にも重要な話です」

「他に誰かいるのかい？」

「もちろんです。わたしは、あなたがたの言葉で言う使者にすぎません。代理人なのです。わたしには、このようなものを創り出すことはできません」

片手が長椅子の陰から差し上げられた。銀色の光を帯びて見えるほどに白い、ほっそりとした手は、奇妙な形のものを持っていた。

「いったい、これは？　この世界のものなのか？」コッドは息を切らせた。

「何に見えますか」

「うーん。頭につけるものに見えるな。たとえばヘルメットのような」

「そのとおりです。これは頭部に装着するように作られています」

「何本も立てたアンテナを、コイル状のチューブが結んでいる――テレヴィジョンの部品か、宇宙飛行士がかぶるのか、あるいは子供のおもちゃなのか」

「この発明品が子供じみたものではまったくないことをお伝えします。これを使って得られるものを知れば、あなたもおわかりになることでしょう」

「まだわからないんだが」

「もうすぐ、わかります。わたしはこの機械の被験者を探すよう命じられています。被験者はみな高度な創造性をもつ芸術家です――画家、彫刻家、音楽家、もちろん小説家も。繊細な想像力を持ちながら、どう形にすればいいのかわからなくなったり、自分では制御できなくなったりしている人を探しているのです。あえて言えば、運のない創作者でしょうか。どんな創作者でも運に恵まれていれば、この帽子をかぶりたいとも思わないし、かぶる必要もないでしょう。今のあなたはこれを必要としています」

「すると、その帽子の発明者は、ぼくがかぶることを望んでいるんだね」

「そのとおりです」

「ちょっと待ってくれ」コッドの酔いはすっかり醒めた。「なにがなんだかわからない。頭がおかしくなったとは思えないが。美女が現れたかと思えば、謎の奇人が発明したバック・ロジャース*のヘルメッ

**バック・ロジャース**　一九二九年に登場したＳＦコミックのヒーロー。二十五世紀の未来世界で独裁者と闘う。

トみたいな帽子をかぶるように頼まれ、自分もそれを受けようとしているんだから、笑わずにはいられないよ」

「真面目なお願いなのです。御理解いただけないようですね。お声がけしたのは誤りだったようです。わたしが見込んだようなかたではありませんでした。お引き取りいただくのが、あなたにとってはよさそうです」

クレオは立ち上がると、歩み去ろうとした。遠ざかる彼女の一歩ごとにコッドの苦しみは増し、一秒ごとに身を切られる痛みを覚えた。彼女を失いたくない。どんなものに代えようとも——

「待ってくれ！　その帽子がどんなものなのか、すべて話してくれるなら、ぼくにも理解できるはずだ」

「もう結構です。わたしの見込み違いでした」

「お願いだ！」今や、彼にできることは懇願だけだった。「きみの言うとおりにする。どんなことでも」

クレオは笑みを浮かべると、戻ってきた。「良い判断です。より良い、最善に近い判断です」

彼女は帽子を差し出した。「どうぞ、お着けください」

「今？」

「今、すぐに」

彼は受け取った。金属らしい冷たい感触なのに、不思議なほど軽く、柔軟性があった。部屋が薄暗いので、コイルやアンテナの素材が何かは、見てもわからなかった。

「これ――これを頭に着けたら、何が起きるのかい？」

「すぐにわかります。着けさえすれば」彼女は笑みを浮かべているのではなく、笑いだすのを堪えているようだった。「どうなさいました？　わたしが騙《だま》すとでもお思いですか」

そうまで言われては後に引けない。バーナビー・コッドは帽子を掲げた。決然と、それを頭に載せる――教皇から帝冠を受け取り、自ら戴冠したナポレオンのように。帽子は彼の頭にぴったりと接した。二本のアンテナがまとまった基部から、頭の内側に響いてくるものがあった。

彼はクレオに目を向けた。彼女は目を閉じ、夢を見ているかのような顔をしていた。彼女の目と自分の頭脳が、アンテナを介してつながり、どこか別の世界に来たような、奇妙な感覚があった。クレオの髪が炎になって揺らめき、バーナビー・コッドを包みこんだ。

帽子を感じなくなり、クレオも見えなくなった。彼は別の世界にいた……

## 3

空は緑だった。

空に三つ輝く月も、緑だった。木々も草も、岩までもが緑だった。緑の湖水が細波《さざなみ》に煌《きら》めいたかと思うや、コッドの方に向かって、エメラルド色の影がその上を跳んできた。

やがてそれは、緑衣の女を乗せた緑の犬であると見てとれた。プードルに似ているが、耳が飛び抜けて大きい。だが、大きいのは耳だけではなかった——体高は五フィート、体長は十五フィートはありそうだ。犬は頭にコッドと同じ帽子を載せ、二十フィートの緑の草地を一跳びで越えた。

犬の背に乗っているのは、緑のドレスを着た若い女だった。緑の巻き毛の上にはあの帽子が載り、緑の瞳《め》は燃えるように輝いていた。髪は緑だったが、間違いなくクレオだ！

コッドはただ見ていた。ほかにできることはなかった。彼女に近づきたかった。呼びかけたかった。だが、できなかった。歩いてみようとした。動けなかった。

目を下に向けて、彼は知った。足が見えなかった。足だけではない、胴も、腕も、何も見えなかった。あの帽子を着けているのに頭はなく、見えているのに目もなかった。

ただ見て、待つだけだった——緑衣の女を乗せた緑の犬を見送るほかなかった。すると、轟音をあげて緑の空を横切る一隻の宇宙船が見えたので、コッドは目をしばたたかせた。瞬《まばた》きをしたはずなのに、視界はちらつきもしなかった。

宇宙船は緑ではなかった。船体は銀色に輝き、船尾からはオレンジ色の炎を噴射していた。緑でないということは、他の世界から来たのだろう。どこか遠くから来たのだ。船影は地平線を越え、見えなくなった。だが、不意に湖の上空に再び現れた。徐々に降下してくるさまから、着陸の準備をしているとわかった。

着陸するところを近くで見たいな、とコッドは思った。

すぐに、彼は近くに移動していた。目の前で宇宙船が着陸し、乗組員が船外に出てきた。

クレオも犬もいなかった。いるのは乗組員たちだけだった。奇妙な緑の惑星に着陸した、未来の地球人だ。近づくのも遠ざかるのも自由自在で、自分が見ていても相手は気づきもしないことに、コッドは気づいた。声を聞くこともできる。遠い声も、聞きたいと思えばはっきり聞こえてくる。映画を見ながら撮影しているような感覚だ。望んだカメラ・アングルで画面が見られる。

そう気づくと、あとは映画を見ているようだった。乗組員たちは惑星を探検しはじめた。登場人物は、船長と三人の航宙士だ。三人はそろって正気を失いだした。色のせいだ――単色の世界では、感覚が調整できなくなってくる。彼らは宇宙船を乗っ取ろうとした。船長は一人、正気を保っていた。彼は三人と闘った。一人は緑の湖に溺れ、一人は緑の密林の奥の、緑の沼に沈んだ。これは心理学の実験としては、非常に興味深い――単一の色彩しかない世界が、正常な精神と正常な視覚にどのような影響を及ぼすかは、予測できないからだ。

最後の一人は狂気の命ずるまま、宇宙船を緑に塗装しようとした。彼は作業に手をつけたが、船長に射殺された。

残ったのは船長一人になった。彼はこの惑星の色に屈することなく、ただ一人、正気のままでいた。彼はこの惑星よりも、この世界を覆う緑の根源である葉緑素か、放射線か、その双方を合わせた神秘的な力よりも、強かった。

船長の意志は堅く、その心は不屈だった。一人でも、彼は地球に還ろうとしていた。彼は苦難を乗り越え、安全な船室内で鏡に目を向けた――そして、自分の全身が緑に変わっていることに気づいた。

映像はここで終わった。いや、むしろ緑一色に沈んだと言ったほうがいいだろう。コッドは自分が落ちるのを感じ、緑から黒へ、そして赤へと堕落していった……。

視界を覆っていたのは、クレオの赤い髪だった。彼女の声が聞こえた。「さあ、起きてください。もう外しました」

彼は起き上がり、彼女が外したのがあの帽子であると気づいた。呆然と座っていると、彼女が飲み物を渡してきた。窓から見える空はまだ暗いが、夜明けが近いと色でわかった。

「今のは何だったんだ？」彼は呟いた。

「聞かせてください。帽子をかぶっていたのは、あなたなのですから」

バーナビー・コッドは語った。彼女は聞くあいだ、何度も頷いた。

「それにしても、まったくわからない」話の終わりに、彼は言った。「夢に見たのは、きみだけじゃなかった。犬や、宇宙船や、あらゆるものが緑の世界が、一つの物語を作っていた」

「そこが重要なのです」クレオが言った。「物語ができ、実験は成功しました。あなたはその物語を書いてみる気になれましたか」

コッドは立ち上がった。「ああ——そうだな、書いてみてもいい。サイエンス・フィクションやファンタシーを書いたことはないが、売り込む先は知っている。色彩がどう心に影響するのか、心理学の要素も入れてみよう」

「ならば、あとは書くだけですね」彼女は促した。

「ただ、まずは自分に何が起きたのかを知りたいんだ。帽子が夢を見せたのはわかった。だが、あの夢の物語は、どこから来たものだろう」

「もちろん、あなたの心からです」クレオが言った。「この帽子の機能は、潜在意識にあるさまざまなイメージを、一つの形に集約するだけです。わたしはその仕組みを知りません――ですが、これが思考のパターンを統合することは知っています。あなたの夢の要素のいくつかは、簡単に説明できます」

「どのように？」

「では、わたしの夢での役割からはじめましょう。わたしはいわば、あなたが心の物語に入っていくための先導役です。そして、犬は――」彼女は口ごもった。

「犬は？」彼は促した。

「おそらく、あなたの象徴なのでしょう。自分を犬のように感じたり、自分のことを犬と言ったりはしませんでしたか」

コッドは笑った。「続けて」

「次は宇宙船です。この帽子を見たとき、あなたはサイエンス・フィクションに出てくる道具のように言いましたね。そのままの連想です」

コッドは頷いた。「では、緑は？」

クレオは溜息をついた。「一つだけ、わざとしたことがあります。帽子の効果を知るために、目印をつけなくてはなりませんでした。なので、帽子を着けてすぐ、あなたにはまだ何も見えていないときに――」

「まだ夢を見はじめる前に？」コッドが言葉を挟んだ。

「はい。催眠状態に入ってすぐ、まだ目を開いているあいだに。済ませました」

彼女が伸ばした手の先で、指輪が緑の光を放っていた。エメラルドだ。

「すると、あの夢は自己催眠の産物だったということか」

「おそらくは。あの帽子は、そのための仲介をするのです。着ければあなたが思っているいくつものことが、一つの形になります。それは創作の助けになることでしょう。心を置き忘れてしまったように、あなたは思った。この帽子があれば、置き忘れた心を見つけることができます」

「しかし、なぜそんなことが？」

「その質問には答えられません。立ち入ったことを質問しないように。知りたいことは使ううちにわかってきます。わたしが持つ権限は、調査研究のために、あなたに無期限でこの帽子を使っていただけるよう、提案することだけなのです。

いつこの帽子を着けても、それで得た経験をどのような形で書いても、あなたの自由です。あなたなら、これを使って大きな利益を得る方法を、すぐに見いだすことができることでしょう」

「きみと、この不思議な発明をしたきみの友達は、それで何か得られるのかい」

「実験の機会が得られ、その結果を知ることができます。結果は、あなたがこれから書く小説として記録されます」

「きみたちへの見返りは？」

「ありません。もしかすると、遠い将来、帽子がどのような機能を果たしたかを、あなたに書いていただけるかどうか、うかがうかもしれません。それを機に、より広い市場だけでなく、より多くの特許料を得ることになるでしょう。他の使用方法も見つけられるかもしれません。まだ何も言えませんが」

コッドは床に目を落とした。「私にはわからない。途方もない話のような気がする」

「あの小説には買い手がつきそうですか」

「間違いなく、ね」

「では、覚えていてください――あなたはこれから、小説を何作も書くことでしょう。今夜のあなたはひどく沈みこみ、悩んでいて、けっこう酔ってもいました。この帽子を使えば、あなたは才能を整理し、想像力を活用して、また小説が書けるようになれると考えてみませんか。ベストセラーを続々と生み出せるようになります。あなたは裕福に、そして有名になり、その名が忘れられることはないでしょう。そんな風になってみたくはありませんか」

　答えるまでもない。家具もろくにない安下宿のさまが、不意に脳裏に浮かんだ。コッドは頷いた。もちろん、裕福にも有名にもなりたい。今の自分に失うものがあるのか。何を怖れるというのか。

「帽子を使わせてもらおう」彼は言った。「何か規制はあるのかい？」

「何もありません。もちろん、秘密は守っていただきます。もっとも、もしあなたが誰かに話したとしても、聞いた人はあなたの空想としか受け取らないことでしょう」

「たしかに」コッドは言った。

「夢を見ているあいだは、けっして帽子を外してはいけません。さらに申しそえれば、絶対に分解してはいけません。そのメカニズムの〝秘密〟を見いだそうと、どこかの科学施設に持ちこんだとしたら、その試みは悲惨な結果に終わることでしょう。あなたの手元に残るのは、壊れてもう使いようのない機械だけで、何一つ知ることはできません。今日の科学ではまだ、この現象を人類に理解させられるのに十分な情報が得られないのです」彼女は笑みを浮かべた。「楽しくないお話をしてしまいました。昔からの言葉に倣《なら》うのでしたね――そう――『もらった馬の歯を見るな』です」

彼女は帽子を差し出した。コッドは受け取り、ドアに向かった。

「次はいつ会える？」彼は尋ねた。

「すぐに」クレオ・フェーンはまた笑みを浮かべた。「夢で会えますから」

## 4

バーナビー・コッドは『緑の惑星』と題した中編小説を三日ほどで書き上げた。最初に持ちこんだ先で雑誌掲載が決まり、原稿料三百ドルを得たうえに、編集者が次の作品を依頼してきた。四か月後、『緑の惑星』はカヴァー・ストーリーに取り上げられ、小説の舞台は緑一色の世界のはずが、四色か五色の印刷で表紙を飾ったが、気にする者はいなかった。コッドも気にしなかったが、それというのも、雑誌が発売されたときにはすでに、サイエンス・フィクションへの関心が薄れていたからだった。

彼は安下宿を出て、前に住んでいたような見栄えのする部屋を借りていた。新居に移って家具を揃えたが、早々に飽きがきた――いや、『緑の惑星』を仕上げてまだ数週間しか過ぎていないというのに、彼は何をするのにも飽きてしまっていた。自分でも訝しむほどに、気力が尽きていたのだ。

だが、クレオ・フェインを捜す気力だけは、変わらなかった。まず電話帳を見たが、予想したとおり載ってはいなかった。市の住民台帳に名前はあったが、他は空欄になっていた。そこで、ハンク・オルコットに訊いてみることにした。

「クレオ・フェイン？」ハンクは少しのあいだ考えた。「覚えのない名前だな」彼は煙草の灰を落とし、椅子の背に寄りかかった。「どうかしたのか」

「ああ、きみのパーティで会ったんだ」コッドは話を続けた。「覚えていないか。背の高い赤毛の女で、緑のドレスを着ていた」

ハンクはゆっくり首を振った。「すまない。思い出せそうにないよ。普段は顔を合わせない面々が、ひと晩じゅう出たり入ったりしていたものでね。誰かの知り合いじゃないか、聞いてみてもいい」

「頼むよ」コッドは懇願した。「会わなくちゃならないんだ」

ハンク・オルコットは笑った。「きみはその女と連れだって出ていったんだろう。どこに住んでいるかくらい聞かなかったのかい」

コッドは説明を試みた。自分が知らないのはひどく酔っていたからなので、どんな道のりをたどったか、思い出そうと付近をあるいてみたことも話した。オルコットは辛抱強く話を聞き、調べると約束した。実際に調べてみたが、結局は何も摑めなかった。

コッドもまた、日々をただ無為に過ごしていた。来もしない電話を、ただ座って待っているばかりだった。酒で気をまぎらわそうとしたが、飲みたくはならなかった。タイプライターに向かって少しでも書こうとしてみたが、書けないことを確認するばかりだった。結局、何も変わりはしない——まだ書けないままだ。『緑の惑星』は僥倖《ぎょうこう》にすぎなかったのだ。

いや、僥倖ではない。あの帽子をかぶったからだ。帽子があの物語をもたらしたのだ。もう一度使ってみてもいいだろう。それに、彼女は別れ際に言ったことを覚えているか？

「夢で会えますから」

コッドはスーツケースにしまいこんでいた帽子を取り出した。この奇妙な機械をためつすがめつしてみる。銀色の部分は古びたように、輝きが鈍くなっていた。奇妙なアンテナとコイル状の管は、今見ても不可解だった。帽子には縫い付けても、リベットで止めてもなく、はんだ付けもされていない――最初からこの形をしていたかのようだ。この帽子がどのような考えのもとで、どのような工程で作られたのか、彼の理解をはるかに越えていた。まったくの謎だ。

そして、この帽子のもつ力も、あの女も、彼女が自分に及ぼしている力も、やはり謎だ。

コッドは溜息をついた。明かりを消して、暗い部屋に座った。帽子だけがぼんやりと燐光を放っていた。彼は帽子を頭に着けた。燐光が部屋じゅうを照らし、彼の頭の中に満ち、さらに全身に広がっていった。

コッドは緑の惑星に還っていた。丘の上から見下ろしていた。クレオを乗せた巨大な狼が、彼のほうに走ってきた。狼は彼を見上げ、ひと声吠えた。クレオが手を振った――ように見えた。が、すぐに彼女は視界から消えた。

そればかりか、惑星そのものが消えた。コッドは別の場所にいた。現代の都会だ。新たな物語が始まったのだ。

それは、今にも崩れそうな正気の縁《ふち》にしがみついている男、デイヴィッド・ハリスの物語だった。

コッドはこの男のことも、彼が何を考えているかも知っていた。彼の中にいて、心を読むことができたからだ。それだけではない。しようと思えば、彼はハリスになることができた。

彼はその男を観察した。ハリスは精神科の病院を退院したばかりで、町を歩いては友を求めていた。孤独の苦しみから解放してくれる相手が欲しかったのだ。孤独こそが彼の狂気の原因であり、今もふたたび彼を狂気に追いやろうとしていた。コッドはハリスの単調な一日を、見知らぬ町を一人さまよう彼のむなしい苦闘を追った。他の誰かとの、小さなふれあいを得ようとする彼と、苦しみを共にした。彼の身の内から湧きあがる激しい憎悪と、共に闘った。その憎悪は、生きとし生けるものすべてに向けられていた。自分の他はすべて敵だという妄想に、ハリスは打ち勝とうとしていた。

ある夜、ハリスは酒場で一人の女と出会った。コッドが予想したとおり、彼女はクレオだった——が、この世界では金髪で、今は仕事をなくし失意に沈んだまま、ウェイトレスをしていた。彼女もまた孤独だった。ハリスは彼女を自分の部屋に招き、一夜を共に過ごし、人とのふれあいを見つけて孤独と恐怖から解放された。だが、愛を知った彼は、孤独よりもはるかに堪えがたい苦しみを背負うことになった。愛ゆえの狂気に駆り立てられ、あらゆる男を敵と思うようになってしまったのだ。

翌朝、ハリスが目覚めると、彼女はいなくなっていた。彼にとって救いそのものである彼女を求めて、ハリスは町じゅうを捜し歩き、コッドは彼のあとを追った。彼女にまた会えなければ、彼はまた正気を失い、今度はもう取り戻せないだろう。捜せば捜すほど焦りは募り、彼は正気の縁へ、狂気との境目へと追いこまれ、彼女がいなくては堪えられないと気づいた。昨夜のことは思い出せず、ただ怒りばかりが湧きあがってきたが、自分の部屋に帰ると、彼女がいるような気がした。

彼女の気配だけでもハリスの心はいくぶん静まった。昨夜、彼女に出会ったときには、自分は境を踏み越えかけていた。もし出会えなかったら、あと数時間で、いや数分で、彼は正気を失うところだった。愛を交わしたあと、意識を失ったのは、そこまで追いつめられていたからだろう。

今、彼女はここにいる、自分と一緒にいる、もう離れることはないと、ハリスは強く感じていた。自分がそうしたのだから——何をしたのかは思い出せなかったのだが——と、彼は確信していた。自分を守り、彼女と永遠に共にいるためのことをしたはずだ。

だが、ハリスは思い出せなかった。もう一度外に出ようとして、クロゼットのドアを開き、中に彼女が強ばった姿勢で寄りかかっているのを——その喉にナイフが突き立っているのを見るまでは……。

ハリスは完全に正気を失った。コッドは急いで彼の意識から離れ、燐光の中から出ると、帽子を剝ぎ取るように外した。

暗い部屋の中、彼はしばらく座りこんだまま、息を整えていたが、立ち上がって明かりをつけると、タイプライターに歩み寄った。

その夜、彼は一気に『崩壊』を書き上げた。

**5**

それからの三ヶ月間で、バーナビー・コッドは九編の短編小説と、二編の中編小説を書いた。中編の両方と、短編のうちの六編は大手出版社の雑誌に掲載が決まり、フリーマンという新しいエージェントは、中編小説の二編とも映画化を交渉し、三編の短編のTVドラマ化を契約した。彼はコッドに長編を書くよう奨め、契約状況や印税率を伝え、「鉄は熱いうちに打て」と言った。

たしかに、今はその「熱いうち」だった。熱すぎるほどだった。コッドは家具を換え、新車を買った。銀行預金は七千ドルを超えた。彼は社交的な欲求を満たし、自身を誇示する立場になった。ハンク・オルコットからの電話を待つこともない――好きなときに自分でパーティを開けばいいのだから。

実際、開いてみた。だが、思ったほど楽しくはなかった。ハンクはもちろん、大勢が集まってくれたし、みな楽しんでくれたようだった。誰もがコッドの成功を、その類を見ない早さや、フリーマンの敏腕ぶりともども、褒め称えた。だが、コッド自身は楽しめずにいた。彼は深紅の芥子の花が咲くのを待っているばかりだった――もちろん、叶うわけもないのだが。

酒を飲んでみても、飲んでいた頃を思い出すばかりで、何のなぐさめにもならない。パーティは疲れるだけだった。帰る客たちを見送り、一人になると、部屋を暗くしてあの帽子を着けた。

帽子を着けたのは、クレオに会えるからだ。彼女はかならず、同じように現れる。彼はまた、三つの緑の月が輝く、緑の惑星に還ってきた。待つこともなく、獣に乗った彼女が視界を横切っていった。現れるたび、違う獣――ライオン、虎、荒馬、猪――に乗っていたが、かならず跳躍する獣の背から手を振ってから、彼女は消えた。そして、書かれるべき物語の夢が始まった。夢はかならず、最近の体験の投影だったが、形を変え、反転し、拡大していた。クレオを捜し歩いたときに見た夢が『崩壊』になったように。他の夢も、日頃の出来事をどこかしら取り入れていた。

今夜の夢はパーティを素材にしていた——慈善ダンス・パーティの夢だった。クレオの髪の色はブルネットになっていた（彼女はかならず何かの役で夢に出てきた）。彼女は世界的な映画女優で、恋多き女としてもまた有名だった。

パーティではくじが売られ、一等の賞品は彼女のダンス・パートナーになる権利だった。コッドは誰がその権利を得るかを知っていた——誰が一等になっても、それは自分なのだから。そして、くじを買った男たちを追った。

彼はホーマー・ジョンスンだった。眼鏡をかけた小柄な簿記係で、口うるさい妻に頭のあがらない小心者だ。もし今夜パートナーになれたら、明日は妻に離婚を言い渡し、社長に辞表を叩きつけて、胸に抱き続けてきた独立起業に踏み出そうと決めていた。ダンスが彼に勇気を与えていた。

彼はデレクという名の若者だった。幸運な男デレク。金髪の美青年で、父親が富豪なだけに将来は安泰で、年頃の娘が夢見る結婚相手そのものだった。だが、頭の中にはダンスしかなく、どんな女に会っても心は動かなかった。彼は不幸への道を選んでいた。ダンスが彼を破滅させようとしていた。

彼はジェフリー・ファーだった。かつては舞台で名優の名を馳せていたが、今はナレーションか、ＴＶのソープオペラの脇役がせいぜいの仕事だった。首尾よくパーティの招待状を手に入れた彼は、人前に出ることを恥じず、全財産の五ドルでくじを買った。そして、一等を得た。ダンスのあいだ、彼は借り物のタキシードの縫い目ばかりか、心臓まで破れるように思った——衆目にさらされる緊張と興奮に堪えられる歳では、もうなかった。

銀幕の女王は素晴らしいダンス・パートナーだった。ジェフリーを覚えていた『ライフ』のカメラマンが。彼の〝人生の一瞬〟を写真に収めた。観衆たちは喝采を送った。

パーティがおひらきになるまでのあいだに、ジェフリー・ファーは二人のエージェントに再発見され、かの女優と親しいブロードウェイの演劇プロデューサーと面識を得た。夜が明ければ、何件もの出演契約が結ばれ、ジェフリー・ファーは再び脚光を浴びることだろう。

だが、翌朝、ジェフリー・ファーの心臓は、前夜の緊張と興奮のために止まっていた。彼は夢とダンスをし、その夢が死を呼んだのだった。

夢の中で死を迎えたコッドは帽子を外し、『踊り手たち』の筋立てをまとめはじめた。これは長編になる——感傷的ではあるが、その手の話の中でも売れるものだと直感した。図書館では書架に戻るやいなや貸し出され、映画化の話もすぐに来ることだろう。〝泣かせ〟だとしても最上級だ。手応えがあった。『グランド・ホテル』*と『三人の妻への手紙』*を折衷したようなものだが。

一か月あれば書ける、と彼は踏んだ。

そして、書き上げた。

**『グランド・ホテル』** 一九三二年公開のアメリカ映画。エドマンド・グールディング監督、グレタ・ガルボ、ジョン・バリモア、ジョーン・クロフォード出演。ベルリンの一流ホテルを舞台に、さまざまな階級と職業の人々が交錯する物語。

**『三人の妻への手紙』** 一九四九年公開のアメリカ映画。ジョセフ・L・マンキーウィッツ監督。ジーン・クレイン、リンダ・ダーネル、アン・サザーン出演。謎めいた女から「あなたの夫と駆け落ちします」という手紙を貰った三人の女性が、相手は自分の夫かと疑い、それぞれ思い当たることを語る。

完成した原稿を読んだフリーマンは興奮して言った。「これです！」その声は喜びに満ちていた。「バーナビー、あなたなら書けると思っていましたよ。すっかり恐怖とか幻想とかいったものは影を潜めましたね。あなたはいまや、さらに広い読者を得られる作家になりました。明日からは忙しくなりそうだ。御心配なく、万事は私にお任せを。しばらく休暇をおとりになるといい。お疲れのことでしょう。これだけの小説を書けば疲れるのは当然です」

コッドは車で自宅に向かった。新車の走りは申し分ないのに、運転には努力を要した。この一か月、何をするにも努力が必要だった。書いているあいだは外していたが、それでも帽子の影響は残っていた。仕事をしていないあいだは、ただぼんやりしていた。身のこなしも受け答えも、書きはじめる前とは変わっていた。もちろん、小説を書くあいだには、これまでもたびたびあったことだ——自分が書いている世界の方が現実よりも現実らしく思えたものだった。だが、今は自分が書いている小説でさえ、現実らしく思えない。

夢こそ現実《まこと》。

今の今まで、そう思っていた。夢のほうが現実だと。すべては移ろいゆく瑣末《さまつ》なもので、存在しているのはあの夢の世界だけだ、と。夢でクレオに会いたいばかりに、あの帽子を着けた。夢を書いた小説も、それで得た成功も、あの帽子を着けさせるための餌のようなものだ。誰かが、あるいは何かが、彼にあの帽子を着け続けるよう求めている——それが現実だ。

コッドは自宅にたどり着いた。ひどく気分が悪く、今の状況から逃げ出したくてたまらなかった。フリーマンの言うとおりだ。仕事に集中しすぎて、疲れているのだ。

そう、もう必死になって働く必要はないのだ。成功をおさめたのだから。その証拠にフリーマンがいる。彼はあの長編の出版契約を取りつけ、映画化の話をまとめ、万事うまくやってくれるだろう。小説家としての成功は、この手で摑んだものだ――あの帽子に頼らなくてもできたことなのだ。あの機械があることが気詰まりだった。今となっては、後ろめたい秘密でしかなかった。忘れてしまうに越したことはないだろう。

クレオはいったい誰だったのか、わからないまま彼女は姿を消してしまった。この帽子のことを知るものはもう誰もいない。誰も彼を密告したり、告訴したり、脅迫したりはできない。もうあの帽子は使わずに、自分の力だけで新たに出発してもいいだろう。

自分の力だけで……。

バーナビー・コッドは鏡に向かい、自分の一覧を作ってみた。ブルックス・ブラザーズのスーツは塵一つ付いていない。スルカ*のネクタイも映えよく胸元におさまっている。だが、面長の顔は痩せて頬はこけ、茶色の髪には艶もなく、顔からは血の気が失せ、澱んだ眼には怖れが浮かんでいた。

何も変わってはいない。まるで死人だ。

歩けるうちに精神科に行かなくてはならない。

**スルカ**　十九世紀末にニューヨークで創業した高級紳士雑貨店。政治家、俳優など名士を顧客に得ていた。

## 6

革張りの寝椅子は実に心地よかった。

両手を胸に置き、目は開いていても何も見ず、永遠の休息に備えているような姿勢でいると、死体も悪くはない、という気がしてきた。

死を受け入れてしまえば、悩みはなくなるし、精神科医に話すよりも楽だ。そう、ずっと楽だ。

バーナビー・コッドは、その思いをすっかりファイン医師に話した。もの静かで小柄な精神分析医に話すのに抵抗は覚えなかった。オルコットに紹介されたときは、診察を受けるのも悪くはないだろう、と思うくらいだった。今は、受けてみてよかった、と思っている。

コッドが抱えている問題を知るために、これまでの経緯を語るようにと、ファイン医師は言った。彼に促され、コッドは語りはじめた。

語り終えるまでにはほぼ一時間を要した。彼は一切を話した――小説を書くことも、クレオ・フェインとの出会いも、そのあとから続いている奇妙なことも。あの帽子と夢のことも話した。何も隠さずに。

ファイン医師は彼の話にじっと聞き入っていた。医者は答えを知っている、だから自分は救われる、とコッドは確信した。

彼は希望を込めて、話をこう締めくくった。「先生はどうお考えになりますか。私の話には、どんな意味がありますか」

　コッドは姿勢を変え、煙草を探した。ファイン医師は椅子にゆったりと掛けたまま笑みを浮かべた。

「私がその意味をどう考えるかは重要なことではありません。大切なのは、あなた自身にとってどんな意味があるか、ということです。あなたならどう説明しますか」

「私なら？――いや、説明できそうにありません」

「では、推測で結構です」

「できるかな」

「できますよ。試しにやってみましょう」

「では」コッドは煙草を一服し、漂う紫煙の動きにまで、何かの意味を読み取ろうとした。「理屈で考えられるのは、あのパーティに出席した時点で、すでに私は正気ではなかった、ということです。アルコールの酔いで自己暗示にかかっていたのでしょう」そこで言葉を切った。

「続けてください。実に興味深い」

「オルコットがあの女性とは顔を合わせていなかったのを覚えています。彼の友人たちにも、彼女を知っていた様子はありませんでした。なので、おそらくあの女性は存在しなかったのでしょう――私の空想だったのです。書きつづけていたい思いが彼女を作りだしたのでしょう。先生ならこれを自己催眠とおっしゃるでしょうね」

　医師はうなずいた。「考えられることです」彼は答えた。

「一つだけ、それでは説明できないことがあります」コッドは立ち上がり、コート掛けに歩み寄ると、オーヴァーコートのポケットに手を入れた。「彼女は私に帽子をくれました。これです」

彼が手渡した金属光沢のある帽子を、ファイン医師は注意深く観察した。

「あなたが作ったものではなさそうですな」医師は考え深げに言った。「もっとも、このようなものが誰に作れるか、私にはまるで想像もつかない――」

「私にも想像できません」コッドが言った。「考えてみましたが、何も浮かびませんでした。この魔法の帽子の構造を、正確に解析できる研究機関は、地球上にはないでしょう。彼女からも調べないようにと警告されました――私は今も、それを守るべきか否か、わからないのです。少なくとも、これがあるから、自分の正気を信じていられるのですが」

ファイン医師はアンテナを、コイルを、曇った銀色の表面をじっと見た。「お許しいただけるのなら、調べてみたくもありますが」彼は言った。「この帽子の力が信じられなくなる前に、御自身で調べてみようとは思わなかったのですか」

コッドは煙草を灰皿に揉み消した。「では、もう一つの考え方をしてみましょう。クレオ・フェーンは実在する。私は彼女に会った。彼女は、自らの謎めいた目的のために、私にこの帽子を渡した。そして、この帽子は――」

「帽子のことは置いておきましょう」ファイン医師が口をはさんだ。「今はただ、頭に載せるだけのものとしましょう。続けてください」

「しかし、これを着けると夢が見られるんです」コッドは反駁した。「最初の夢は、彼女の部屋で見ました。目覚めたとき、彼女はそばにいて、指輪にはエメラルドが嵌《は》まっていました。彼女は夢にも現れて、私が何を見たか、すべて知っているようで――」

「考えてみてください」ファイン医師が強い口調で求めた。「それが意味するものを」

「つまりそれは――私の自己暗示ではなく――夢を見たのだから――彼女が私に催眠術をかけた、ということでしょう。部屋は暗く静かで、私は疲れ、酒に酔い、彼女からの暗示を受けていた。私が見た夢はこの帽子の機能によるものだと、彼女は信じさせた。エメラルドはそのために見せたんだ。彼女が私の夢を知っていても何の不思議もない――どういう夢を見るか、仕向けたのは彼女だからだ！」

　ファイン医師は満足した猫のように喉を鳴らした。おあつらえ向きのところにカナリアが降りてきたかのように。だが――

「違う！」コッドは声をあげた。「それはありえない。夢は何度も見ている。それこそ、何度も。帽子を着けるたびに夢を見たんです。彼女はいなかったというのに。すると――」

「後催眠についてはご存じですか」医師が尋ねた。

「それだ！　彼女は出会ったときに、私に暗示をかけたんだ――帽子を着ければ夢を見るように。私の潜在意識に物語の種をまいたんだ。それ以来、帽子は催眠状態に導く道具になった。今もそれは続いている！」

　医師はもう一羽のカナリアを捕まえた猫のように、息をついた。

「先生、まだわからないことあります。私が正気を失ったのでも、超自然現象に見舞われたのでもないとわかり、落ち着いてきました。ですが、あと二つ、疑問が残っています。一つは――」

「なにも気にすることはありませんよ」ファイン医師は三羽目のカナリアに忍び寄り、堪えきれなくなったかのように言った。「と申しますのも、不本意ですが、精神分析療法を必要としているのは、あなた一人だけではないものでして。この世界は混乱した人格でいっぱいです。あなたが話したクレオ・フェインの、計算の行き届いた神秘的な行動や、この帽子や、夢の筋書きは、彼女自身の強すぎる空想力からくる衝動なのでしょう。彼女は高度な創造性をもつ芸術家を探している、ということでしたね。それは自分の代わりに創作をする道具となる者のことでは——」

それから五分間にわたり、難解な専門用語を並べ立てて語られたのは結局、クレオ・フェインこそ正気でない、ということだった。それはバーナビー・コッドには適切な治療となった——おかしいのは自分ではなく、彼女のほうだと言われたからだ。

だが、まだ一つ疑問が残っていた。彼は尋ねた。

「あの夢を見ないようにはできますか？」懇願するような口調になった。「どうすれば後催眠から自由になれるのでしょうか」

ファイン医師は笑顔になった。「もう、ほぼ自由になっていますよ」彼は言った。「すでに今日の診察で、大きな一歩を踏み出しましていますから。もうおわかりでしょう。次の、そして最後の一歩は簡単です。この帽子の価値を再び見いだすことです」

「どういうことですか」

「主観的にも、客観的にも、これがおふざけにすぎないと認識することです。今のあなたにとって、この帽子はすでに魔法の力を失った。お帰りになってから着けても、夢は見ないことでしょう。もし見たとしても、帽子をいつ外してもかまいません。それだけの、単純なことです」彼はまた笑った。「もしお望みなら、私がその帽子について調べてみてもいい。これはニュージャージー*のどこかで作られたものだと思います。週末に足を伸ばしてみるのもいいでしょう」

「でも先生、ちょっと待ってください。夢の途中で帽子を外すことはできません。彼女からは外してはいけないと強く言われていますし、夢を見ているあいだ、私は自分の意志では動けませんし――」

ファイン医師が彼の言葉を聞いている様子は、四羽目のカナリアの声を聞きつけた猫のようだった。彼はにっこりと笑った。

「大丈夫、外せますよ」彼は言った。「それも暗示のうちです。お望みでしたら、暗示を解くこともできます。あなたは寝椅子に体を伸ばしているだけでいい。帽子を外せるようになりますよ」言葉を一度切ると、彼は続けた。「暗示にすぎないのですから」

そう、暗示でしかないのだ。

## 7

コッドはもう、自分が死んでいるようには思わなくなっていた。死んでいたら、精神分析医に今後

**ニュージャージー**　アメリカ東部の州。北東でニューヨークに接する。主産業の一つに電気機器の製造があることを踏まえた台詞か。

六か月分の予約を入れはしない。

死人は自分の問題が解決することに希望を抱きはしないし、救いを求め、妄想を断ち切り、人の助けを借りずに自分が選んだ道を歩こうともしないものだ。

コッドは今、自分が生きていると確かに感じていた。問題はごく単純なものだった。医師は彼のライターズ・ブロックを治癒してくれるだろうし、そればかりか、暗示も〝魔法〟への奇妙な依存もなしに、新たな気力と意欲を呼び起こす助けになるだろう。

自分の部屋に戻ると、コッドはあらためて鏡の前に立ち、その思いが確かなものであると感じた。今の彼は血色の良い顔に、自信に満ちた笑みを浮かべている。これがバーナビー・コッドだ――かつての彼ではない、新たなコッドだ。成功者だ。確実にベストセラーになる長編を書き下ろしたばかりの小説家だ。夢見てきたものをすべて手に入れてきた男だ。そして、この先さらに傑作を書き続けていくことも、もはや夢ではないのだ。

電話が鳴った。暮れる夕日が射す部屋の中、彼は電話機に駆け寄った。

「コッドさん？　フリーマンです。良いお知らせがあります。大成功ですよ」コッドは彼の声を頷きながら聞いた。あの小説に買い手がついた。フリーマンは出版社の名前と、契約金の額を伝えた。有名ブッククラブの選書にも入ることになり、大手映画会社のニューヨーク支社からは、企画検討のため原稿を読みたいと、申し出がきている。サインをお願いする契約書が何通もあるので、明日の午前中に事務所まで御足労願いたい、とフリーマンは言った。

コッドは大いに喜んで応じると、受話器を置いた。そして、窓から夕暮れの空が見える居間の椅子に身を沈めた。

ようやくここまで来られた。これが真の人生だ。今やっと始まったのだ。これからは自分のために、誰の支配も受けずに生きていける。馬鹿げた妄執も、おかしな女が持ちこむおかしな物語への依存も断ち切れた。心の自由を得たのだ。そして、ファイン医師の暗示の力で、夢を見ているあいだにあの帽子を外してしまえば、潜在意識まで訣別できる。火には火をもって戦えとは良く言ったもので、暗示を用いるとは、素晴らしきかな科学よ。それまでの自分が、救いがたいまでに夢見がちな愚か者だったということだが、それももう終わりだ。

そう、今はこれまでの自分を終えるときだ。もう終わらせてしまおう。もう待てないし、待つこともないのだ。これもファイン医師からの暗示による命令なのだろう。すぐにあの帽子を着けて、心的外傷《トラウマ》の要因を消し去ろう。

その欲求は強かった。強すぎて抗《あらが》えなかった。コートのポケットからあの帽子を出した。帽子は持つ手に冷たかった。その冷たさを頭に移すと、彼はソファに掛け、調節した。帽子は心地よく頭を包んだ。

何も起きなかった。

帽子は彼の頭に載っているだけだった。ファイン医師は正しかった——おそらく、自分が望む以上の仕事を成し遂げたからだろう、とコッドは思った。帽子には力などなかったのだ。そう思い込んでいただけだ。コッドは自分の力で小説を書いていた。帽子の力でも、クレオ・フェインの力でもなく。あの女に操られていたのではなかった。彼はあの女のものではなかった。彼はあの女の——

コッドはうとうとしはじめた。ソファにもたれかかって、すっかり眠り込んだ。燐光が視界に広がり、馴染みのある感覚が戻ってきた――眼を用いずに見、体なくして動く、あの感覚が。

彼は三つの月が昇るのを待っていた。ファイン医師の精神分析を受け、夢の原因はすべて明らかになっていた。これまでは、緑の惑星の眺めは見覚えがあるだけでなく、ごく自然に受け入れられるものだった。あの頃には、目覚めているあいだに見るものよりも、ずっと現実らしく見えていた。そして、いつも夢が始まる前に見た、奇妙な獣に乗ったクレオが、、緑の風景の中をやってくるのを待った。待ってはいたが、今までのような気持ちにはならなかった。これは夢でしかないのだから。

だが、今は緑の惑星も、クレオが乗った獣も見えなかった。彼は知らないところにいた。どことも、いつともつかないところに。クレオの心の中に踏みこんだのか、それとも彼女のほうが、自分の心の中に入ってきたのか。

クレオの顔が空一面にぼんやりと浮かび、赤い髪が夕焼けに滲んで地平線を染めた。彼女の声が聞こえた。

「あなたは背《そむ》こうとしましたね。わたしの夢に不満があったのでしょうか。あなたの求めには十分に応えたと思うのですが。あなたは想像力を欲し、創作への見返りを求めていたのではありませんか。わたしはどちらも、あなたが求めるだけ差し上げてきました。それでも、まだ足りなかったのですか」

問いかけられたが、彼は答えなかった。彼女は答えを知っているからだ。彼女が知らないことはない。彼女の声からは永劫の悲しみが聞き取れた。「そう、不満だったことでしょう。これまでにも、満足できなかった人たちはいました。満足できなかっただけでなく、知ろうとした。より多くのことを、より深く。人間はそういうものです。あなたも人間です。人間には神々のことは知り得ません。そして、人間は自分たちが神々よりも偉大であり、神々よりも強い力を持つ、と思いがちです。だから神々に背こうとする。知りたいがために」

　クレオの顔が薄らぎ、消えた。帽子を取るのは今だ、とコッドは思った。いや、もう少し待ってみようか。

　眠っているはずなのに緊張しながら待っていると、また彼女の声が聞こえてきた。「結構です。教えてあげましょう。あなたが望んだからではありません。教えてもいいと、わたしが決めたからです。まず最初に知ってもらいたいのは、今あなたがいるのは、わたしの夢の中であることです――あなたの夢ではありません。帽子を授かった人間たちのために、わたしは夢を創ります。幾世紀ものあいだ、わたしが訪れたのは、あなた一人だけだとお思いでしょうか。あなた一人だけが神々に選ばれた者、わたしが夢からの創作を許したただ一人の作り手だとでも？

　詳しくは言えませんが、他にも数多くの人間が、あなたと同じように帽子を受け取りました。みな満足し、背こうなどとは夢にも思いません。取り決めを守り、帽子を神聖な秘密として守っています。そして、傑作を世に出しています」

　コッドの心の中を、さまざまな映像の断片が乱れ飛び、万華鏡さながらになった。その中に十人を超える巨匠の姿を見て、彼は驚き、畏《おそ》れた。偉大な作曲家が、知らぬ者のいない画家が、名高い文筆家が、不朽の名をもつ彫刻家がいた。かれらはみな、仮に赤毛の女の姿をとった存在と抱擁を交わし、帽子を着け、人生を制作のうちに送り、死んでいった。彼が見て理解するうちに、かれらの姿は融けあいながら、幾千年もの時を遡《さかのぼ》っていった。
この連環はいつから、そしてなぜ、続いているのだろう。そして、クレオ・フェインとは誰なのか――いや、そう名乗る存在は、いったい何なのか？

「すべてに答えましょう」心に声が響いてきた。「見ていてください」

彼は島に来ていた。どういうわけか、そこがアイアイエー島であるとわかり、それとともに彼女が何者であるかを知った――盲目の詩人ホメロス*により語り伝えられた創造と破壊の象徴、永遠の命をもつ伝説の魔女、赤い髪のキルケーだ。彼女の楽しみは人の魂を捉えることだった。その抱擁に値しない者は獣に姿を変えられた。豚や馬や、獅子や狼に。みな彼女に魅入られ、創造力を奪われて、獣にされたのだ。ただの獣に。

ホメロスは彼女を詩に謳《うた》った――だが、その詩が最後まで詠《よ》まれることはなかった。神々が不滅であるかぎり、その詩は完結しえなかった。そして、アイアイエー島が海に沈むとき、キルケは避難先を探した。行く先はこの地上ではなく――いずれ時さえ死に絶える地上に、不死の者が身を置く場があろうか――遙かに遠いところだった。

今、コッドは再び緑の惑星に立ち、三つの月を見上げていた。そこはキルケの新たな島だった。彼女は宇宙の彼方に自分の島を見つけたのだ。だが、訪れる者がいないので、時を見て自ら出向くことにした。

「わたしはいつも、忘我のときを求めています」彼女の声が響いた。「創造のときのみに訪れる、あの歓喜を探しています。それは、自分では何も生み出すことのない我が身が負う、永遠の呪いなのです。

わたしにできるのは、ものの姿かたちを変えることだけです。なので、創造したくても自分の力をどう使えばいいのかわからない、なかば獣のような人間を尋ね、目覚めさせてきました。そして、かれらがわたしの力を拒み、創造の共有を断ったときには、罰を下しました。それぞれにふさわしい姿の獣に変身させたのです。かれらが神々の賜《たまもの》であるあの帽子を捨てたときに――」

コッドは自分が気づいたことに身震いを覚えた。この夢は、これまでに見てきたものとは違う。彼の中のある部分は動じず、冷静だった。彼女の力も、帽子の力も、もはや及んではいなかった。ファイン医師から得た、科学という武器を具えていたからだ。何が相手でも、彼の意志は揺るがない。認めるのも拒むのも自分だ。これは新たな小説の筋書きになるだろう。目覚めたあとで考え、気に入れば使うし、気に入らなければ没にすればいい。今はその選択よりも、この手で帽子を剥ぎ取り、おかしな女の夢を終わらせるときだ。

この女は正気ではない。彼女は自分の妄想を催眠術で彼の脳に送り込み、夢として見せた。その夢を小説に書いていたのだから、書き終えるたびに心が沈んだのも当然だ。そして今、ついに彼女の最後の暗示、妄執の核心にたどり着いたのだ。彼女はキルケ、魔女だ。二十世紀のキルケは島でなく、宇宙の彼方の惑星に棲んでいる。三つの月のある惑星に！　彼女は芸術家を籠絡し、服従させ、そして獣に変える――

彼女を取り巻く獣たちの姿が見えた。みな、あの帽子を着けていた。そしてみな、彼女に従い、裸

**ホメロス**　紀元前八世紀のギリシアの詩人。叙事詩『オデュッセイア』に神話の魔女キルケを登場させた。

足のつま先を舐め、選ばれた一頭は彼女を背に乗せ、緑の地上を駆けていく——本当はそんな世界はない。それは彼女のゆがんだ頭脳が想像したものだ。

彼女は今、コッドに懇願し、声高に脅しさえしていた。帽子を調べてはいけない、夢に抗ってはいけない、ファイン医師に会ってはいけない、と。この帽子を着けて小説を書きつづけてくれるなら、何も咎《とが》めはしない、と。

「驚きを創造する夢を見せます」彼女は言った。「あなたはさらに有名になり、その名が忘れられることはないでしょう。わたしは分かちあいたいだけなのです。あなたが創作するときに魂が覚える、忘我の瞬間を」

コッドは彼女に憐れみを覚えた。あの暗い部屋に二人でいるときに、彼女が自分の狂気で眠る彼の心を満たしたことを思い出して。

「お話ししたとおり、背くのであれば罰を受けることになります」彼女の口調が強くなった。「免《まぬか》れる術《すべ》はありません。罰からは逃れようがないのです。そして、三つの月がこの空を巡るかぎり、終わることもありません。選択肢は二つ。あなたの世界で神々のうちに数えられるか、この星の世界で負け犬であることを認め、獣となってわたしの足元にひれ伏すか。あなたは選ぶことができる。そしてわたしは、あなたの選択に合わせて、褒美《ほうび》を与えることも罰することもできる。さあ、選びなさい！」

コッドの胸のうちにあった憐れみを、反感が押しのけはじめた。彼女の狂気にはもう堪えられない。この異常な世界を脱出して、元のまともな世界に戻らなくてはならない。戻るのは簡単だ。彼女の声を聞き、緑一色の世界を見てはいても、彼は今、あのばかげた帽子を頭に載せ、自分の部屋のソファに座っているのだから。どうすればいいかはファイン医師から聞いている。精神分析医の名はファインで、万事は順調《ファイン》、帽子を取りさえすれば暗示は消え失せ、すべては片がつく。獣になる？　負け犬？　ばかばかしい。私は人間で、自分の意志を通すのだ。

　それを示すのは簡単だ。何をするかはわかっているし、いつでもできる。今すぐにでも。バーナビー・コッドは両手で頭に触れた。帽子の感触がある――夢ではない。これを外せばいいだけのことだ。

　彼女は叫んでいた。いや、叫びのような笑い声をあげていた。堪えきれなくなってついに錯乱し、それでも最後の〝呪い〟をかけようとしたのだろう。哀れな女だ。妄想の中に棲み、自分は魔女であると信じ続けているのだから。

　だが、呪いは解かれ、夢は覚める。

　女の声が止んだ。胸のうちにも、耳にも聞こえなくなった。

　彼は帽子を外した。もう自由だ。

　現実に還ってきたのだ。

　うずくまり、息を切らせながら、彼は呪いを解いた手応えを感じていた。ここは現実の世界だ。もう夢の世界に戻ることはない。

　バーナビー・コッドは眼を開いた。彼女が歩み寄り、彼の頭を撫でると、その背に乗った。彼は毛むくじゃらの頭を持ち上げると、三つの月に向かって吠えた……。

# 宇宙を駆ける男

ロバート・リンドナー
宮﨑真紀 訳

The Jet-propelled Couch
Robert Lindner

しんと静まり返ったゲーリング城の謁見室にすぐさま血相を変えて戻ってきた侍者は、ジャス卿の前でお辞儀をして言った。「閣下、ウィッチランドの大使とその従者たちでした。閣下に謁見を賜りたいとおっしゃっておいでで」

――E・R・エディスン『ウロボロス』

寝椅子の背後にある安楽椅子は、一見ぴくりとも動かないように見えるが、じつは私はこれに座って時空を超え、宇宙をあちこち旅してきた。この椅子から一歩も動かないまま、数々の重要人物に会い、驚くべき出来事を目撃したのだ。しかし、私をこの世界から連れだしたのはカーク・アレンその人で、彼こそが私の診察室の寝椅子を銀河を駆ける宇宙船に変身させたのだった。

物語の始まりは、ある蒸し暑い六月の朝、ボルチモアで開業している私のもとに、米国南西部のとある政府施設に勤務する医師から電話がかかってきたことだった。彼のところによこされた一人の患者について、できれば診てもらえないかという。私は詳細を尋ねた。

「患者は三十代の男性で、この同じ施設で物理学の研究員として勤務しているんです。私の知るかぎり、ほかはいたって正常なんですが、ただ一点、ここではない別世界で、つまりよその惑星でも暮らしている、なんて馬鹿げたことをいろいろと言いだして。目くじら立てるほどのことじゃないと思えるかもしれませんが、問題は、彼があまりにもしょっちゅう〝あちらに行ってしまう〟ことなんです。おわかりいただけるかどうかわかりませんが。それで仕事の能率が標準以下に下がり、全体の作業がまわらなくなっている。申しあげたとおり、彼は物理学者で、政府から重要任務を任されてここに送られてきまして、数週間前まではみごとな働きぶりだったんです。ところが、このところあまりにも長い時間、仕事が手につかない状態で、対策を講じなければということになって」

「彼がそういうおかしなことを考えていると、どうしてわかったんですか？　こんなことがつらいとか、あなたに訴えたか何かしたんですか？」

「いいえ」医師は答えた。「アレンは、ああ、患者の名はカーク・アレンというんですが、症状による困り事については何も言いません。彼にとってはすべて完璧に自然なことなので。もちろん、部署内の稼働率を下げてしまったことは反省していて、あちこちに謝罪してまわり、今後は仕事にもっと精を出すと約束しています。言いぐさがこうですよ――この惑星で過ごす時間を増やすようにします、とね」

「では、なぜ彼はあなたのところに？」私はさらに尋ねた。

「じつはアレンは課長で、主な仕事は部下の研究報告を評価し比較関連させて、その要覧を部長に提出することなんです。彼の要覧の提出がしだいに遅れがちになり、ようやく部長のところに届いても、その内容にバグビー——ええ、それが部長の名前なんですが——は呆れてしまった。アレンにしては出来が悪いだけでなく、筋が通らなかったり、妙な記号がずらずら並んでいる用紙さえある、その、象形文字っていうのかな……」

「それでバグビーは彼を呼びだした」

「ええ、呼びだして、説明を求めたんです」

「アレンは何て言ったんですか？」

「最初はお茶を濁《にご》していたんです。近頃はここにいないことが多かったので、もっとこちらで過ごすようにしますと言っただけで」

「外出していた？」私は尋ねた。

「いいえ、実際、この施設には入るのも出るのも簡単じゃないんです。警備はきわめて厳重ですし、アレンがもう何か月も敷地から出ていないことはバグビーにもわかっていました。そのときふとバグビーは、アレンの言葉は、病気で臥《ふ》せっていたかどうかしたという意味かと思い、調べてみたのですが、出勤簿を見るかぎり一日も欠勤していないことがわかりました。そこでアレンの職場仲間と接触し、彼について話を聞いたんです」

「何かわかったんですか？」私は尋ねた。

「あまり。ただ、アレンが最近なんだかぼんやりしていて、心ここにあらずという感じだった、と話す者が数人いたそうです」

医師がそこで言葉を切ったパイプに火をつけたもので」彼は謝った。「そうして数日はそのままになっていたんですが、また次の報告書が遅れて届き、やはり同じような……落書きでいっぱいだったらしいんです。それでバグビーはまたアレンを呼んで話をした」

医師がそこで言葉を切った。

「すみません、ちょっとパイプに火をつけたもので」彼は謝った。「そうして数日はそのままになっていたんですが、また次の報告書が遅れて届き、やはり同じような……落書きでいっぱいだったらしいんです。それでバグビーはまたアレンを呼んで話をした」

「で、今度は何が？」私はたたみかけた。

「結局こうしてアレンが私のところによこされたわけです。バグビーが聞きだせたのは、申し訳ないという謝罪の言葉ばかりだったらしい。そのときですよ、この惑星でもっと過ごすようにするという訳のわからないことをアレンが言ったのは。調整するのは容易ではないが、なんとかしてみますと。バグビーはもっと詳しい説明を求めましたが、要領を得なかった。何もかもが曖昧で、馬鹿げていた。最初のうちバグビーはアレンにからかわれていると思ったようですが、いっこうに主張を曲げないので、とうとうこの男は頭がどうかしていると考えるに至ったようです」

「バグビーは報告書の落書きについて何か尋ねたんですか？」

「ええ、もちろん。それらは日誌に書き写そうと思ってメモした記号だ、その一点張りで。内容にちゃんと取り組む時間がなかったので、できれば報告書を返してほしい、そうすればもう一度おさらいできるから、と言ったそうです」

「バグビーがあなたのところにアレンをよこしたとおっしゃいましたよね」

「ええ。じつは今本人が待合室にいるんですよ」

「それで、あなたのご判断は？」

「とにかく私の手には余る、ってことです」医師は答えた。「私は普通の一般医です。こういう症例、つまり精神科に関わる症例については、不用意に扱うべきじゃないと心得ています。ですからあなたに電話したんです」

「私がそちらに出向くのは難しいと思うのですが……」

医師は笑った。「もし可能だったとしても、来ていただくわけにはいかないんです……おわかりくださると思いますが……。もし患者として受け入れてくださるなら、彼をボルチモアに行かせます。ちなみに、治療費もこちらでもちます」

「政府施設付属の病院を使うわけにはいかないんですか？」

「使えそうな病院がないんです。申しあげたように、アレンは契約のもとでここに派遣されているので、もちろんいざというときには医療措置を保障しなければなりませんが、この種の医療サービスは想定されていなくて。科学者も一般人同様に頭が故障するなんて、誰も思わなかったみたいですね。ですからこういうケースでは、私の裁量でできるだけのことをしなければならない」

私は迷った。物思いにふけっていたが、医師の声で現実に引き戻された。「いかがですか？」

「思案中です」私は言った。「どうでしょう、あなたが会った印象では、アレンには入院が必要だと思いますか？」

「いや、それはない」彼はすぐに答えた。「ええと何て言うんでしょう、空想ですかね、そう、彼の空想にはまったく危険はありません。たいていの時間は、アレンにその影響は見られない」

「でも、あなたのお話では、空想に浸る時間がどんどん増えていると」と指摘する。

「ですから今すぐ措置が必要だと思うんです。ただちに治療をおこなえば、ここで阻止できるかもしれない」

「可能性はあります」私も賛成した。

「どういうふうに機能しているのか正確には説明できないんです」医師は続けた。「でも、彼の精神症状――そう言っていいと思います――は彼がきちんと生活したり、普段の自分に戻ったりする力を妨げてはいないようです。少なくとも今の時点では。話を聞くかぎり、ある程度は空想をコントロールできている。つまり、入りたいときに入り、出たいときに出られるということです。それに彼はとても穏やかで、じつに気のいい男なんです。閉鎖病棟で拘禁する必要はないと断言できますよ」

「それならよかった」

「では、引き受けていただけますか？」医師は必死だった。

「確約はできません」私は答えた。「でも、喜んで面接しますし、結果をご報告します」

「充分です」医師は言った。


　カーク・アレンは、私が医師と話をした三日後にボルチモアに到着した。思い描いていた〝マッド・サイエンティスト〟像は、彼が私のオフィスに現れたとたん雲散霧消した。中肉中背で目は澄み、髪はブロンド、快活な様子の男だ。長旅とこの湿気にもかかわらずシアサッカーの上着には皺《しわ》一つなく、鮮やかなリボンがついたパナマ帽をかぶった姿は颯爽として、下級管理職といった風情だ。自己紹介のあと、天気や東部への空の旅について軽くおしゃべりをしたかぎり、ふるまいにも好感が持てた。話し方に気おくれが透けて見え、自分の置かれた状況にややとまどっていることが伝わってくる。調節された耳あたりのいいバリトンに、私は最初から魅了された。しゃべり方は間違いなく米国英語だが、どこか歌うような調子にうっすら違和感がある。診察の取っかかりとして、私はこの点を話題にすることにした。

「米国生まれというわけではなさそうですね、アレンさん」私は言った。

「ええ違います」彼は答えた。「どうしてわかったんですか」

「声とか、しゃべり方とか。何というか……わりに軟音の多い言語をしゃべっていたときがあったのでは？　どこの言葉かな」

「おっしゃるとおりです。最初に身に着けたのはポリネシア方言でした。でも、完全に隠していたつもりだった。気になりますか？」

「いいえ、ちっとも。むしろ耳に心地いい。でも、どうしてポリネシア方言を？」

「父は海軍将校でした。僕は、第一次大戦のときに父が駐留していたハワイで生まれたんです。僕が六歳になるまで乳母をしてくれていた女性がポリネシア人で、幼い頃は彼女の話していた言葉を覚えた。やがて父は委任統治領だった諸島の一つで弁務官を務めることになり、僕らも父が亡くなるまでそこにいたんです。父がこの世を去ったとき、僕は十四歳でした。それまでは、勉強を教えるためにアメリカから来た女性家庭教師と、めったに顔を合わせない両親としか英語を話しませんでした。遊び相手も、もちろん全員現地の子供たちでしたし……」

　カーク・アレンは、両親のあいだに生まれた子としては一人っ子だった。彼が誕生したときすでに高齢だった父にとっては再婚で、もう孫がいたくらいだ。カークの記憶にある父は威厳に満ちた男だった。初めのうちは帆船軍艦の、やがて蒸気軍艦の司令官となった父は、船上にいるのが普通だったような気がする。自信に満ち、寡黙で厳格、やさしさや弱さをけっして表に出すまいとしているようなところがあった。周囲にいる人間には問答無用の服従を強い、たとえ従っても誉め言葉一つなく、ぶっきらぼうに「よし」と一言返ってくるだけだったし、カークの場合なら、分厚い手で頭をくしゃっと撫でられるのがせいぜいだった。この男に逆らえば大変なことになった。ステッキがつねにその手元にあり、妻と、入れ代わり立ち代わりする白人の女家庭教師を除けば、その重みを思い知らされた経験のない島民は一人もいないほどだった。それでも、父にはどこかぬくもりが、曰く言いがたいやさしさが感じられた。後年、カークはある種の匂いを嗅ぐと、いつもそれを思いだした。煙草とウイスキーと革と潮風の入りまじった匂いは、めったに海軍の軍服を脱がない、家庭でも〝わしの島〟でも、軍艦の上級士官室にいるかのように采配を振るう高齢紳士の姿をカークの脳裏によみがえらせ、懐かしく思ったものだった。

　母が提督《コモドア》——カークの父はそう呼ばれていた——と結婚した理由は謎だ。父より少なくとも三十五歳は若く、性格も正反対だった。母の父親は裕福な外交官で、おもにヨーロッパ各国の首都に赴任して、イタリアで悲劇的な、ややスキャンダラスな事故に遭い、命を落とした。母は同じような境遇の女子が集められているフランスの修道院の寄宿学校で学んでいたが、快活で大胆な彼女は、当時としては向こう見ずだと言える脱走劇に何度も興じた。しかし父親が亡くなったとき、その死後に次々と暴露された思いがけない事実に耐えられなくなった母がホノルルに隠遁することになった。さすがにそこまではゴシップも追いかけてこないと思ったからだ。当時十八歳だったカークの母親も、一緒に行くことになった。二人は静かにそこで暮らした。若き母はつねに監視され、天賦の陽気さは厳しく抑えつけられ、社交的な性格も抑制された。およそ五年間、彼女は母親だけにおとなしく仕えた。しかしある外交行事に出席したとき、年配のやもめ男性と出会った。わずかな交際期間を経て、すぐに二人は結婚した。どうしても母親から逃げたかった彼女にとっては、そのための手段だったのではないか、とカークは思う。

結婚するとすぐに、アレン夫人は生来の明るさを取り戻した。提督は若く美しい妻を甘やかし、父親のように目を細め、妻の情熱のおかげで若返った。二人の家はたちまちホノルル最大の社交場となり、戦争のあいだは、いつも無害な傍観者としてそこにいた提督の姿はめったに見られなくなっても、そのにぎやかさは変わらなかった。

カークは一九一八年に生まれた。その直後、父が和平交渉への出席を任ぜられたため、一家はパリに向かった。アレン家はおよそ一年間そこに滞在したのち、提督はまたハワイでの任務に戻った。南太平洋に帰還してすぐ、提督は委任統治領のある島の弁務官に任命された。カークがのちに聞いた話では、この任務を引き受けることに両親は抵抗があり、カークと母親だけハワイに残ったほうがいいのではとずいぶん話し合ったらしい。社会のリーダーとしてしっかりした基盤をすでに築いたホノルルならこれからも快適に暮らせるはずなのに、わざわざ遠い辺境の地で過酷な生活を強いられることになるのだ。それでも、結局一家は一年間の任務を引き受けた。これまで長らく国のために立派な貢献を続けてきた父のキャリアに傷がつくのは忍びなかったからだ。それに、これだけ国に忠誠を示せば、一年後にハワイか米国本土での任務を要請しても誰にも文句は言えないだろう。しかし、人生は計画どおりにはいかなかった。

　島に来て最初の一年はあっという間に過ぎた。提督は管理業務で、その妻は現地人のための福祉事業で、どちらも忙しかった。一年後、提督は予定どおりに異動申請をした。まだうら若い妻は、もっと文明化された社会に早く戻りたくて、新しい弁務官がやってくる日をただただ心待ちにしていた。ところが新任者はいっこうに現れず、うずうずしながら待つ日々はいたずらに過ぎた。そしてとうとう提督は、異動申請は却下されたと知らされた。

　希望がついえたカークの母親は、結婚前の暗黒時代に逆戻りした。輝きが消え、気力をなくし、気分が落ち込んだ。そして、その抑鬱状態は十年以上続くことになった。しばらくは、家族の未来について夫と喧々諤々《けんけんがくがく》言い争い、仕事を辞めてほしいと訴えたが、結局無駄だった。夫の責任感は揺るぎなく、妻のわがままは何でも聞いてやる提督も、こと仕事となると話は別だった。かといって、おまえと子供だけハワイに戻ったらどうだ、という提案も、彼女には受け入れがたかった。夫に保護者として守ってもらう必要があったし、それなしに人々の中に入っていくのは恐ろしかったのだ。だから憤懣やるかたなく、あきらめることにした。去年あんなに熱心に始めたばかりだった福祉事業もやめてしまい、あらゆる社交の場から姿を消した。今までは少なくともカークの保護者役はきちんと務めていたが、今ではハワイ人の乳母と現地で採用した使用人、何年ものあいだに来ては去っていった家庭教師たちに任せっきりだった。提督との関係も形ばかりとなった。夕食のときだけ部屋から出てきて、食事が終わるとすぐに引っこんでしまう。長い一日のあいだに母が何をしているのか、カークには見当もつかなかった。彼にとって母は輪郭のぼんやりした謎の人物となった。正体不明の縁遠い誰かに。

　子供時代から初期思春期のカークにとって、ほかに重要だった、それゆえ彼自身を形成する要素にもなった人間関係を挙げるとすれば、それはハワイ人の乳母と、彼女が亡くなったあとにカークの世話を引き受けた現地人の女性たち、それに父が米国本土で雇った白人の女性家庭教師たちだ。

　ハワイ人の乳母マイナは、カークの成長に最初にして最大の影響を与えた人物だった。赤ん坊の乳母として雇われ、カークが六歳になるまで母親代わりを務めた。どういう人だったかはあまり覚えていないのだが、彼女のことを思いだそうとすると、温かい強烈な感情が湧きあがる。褐色の肌をした若く豊満なポリネシア人女性で、カークが生まれたばかりの頃に仕事を求めて山地からホノルルにやってきた。英語は片言しかしゃべれないが、明るくて頭もよく、カークを目にした瞬間に母親役を引き受けた。カークの世話は完全にマイナに任され、カークも心から彼女を慕い、彼女もそれに応えた。豊かな胸から乳を与えられただけでなく、実の母は与えてくれなかった満足感や安心感も彼女が補った。カークはマイナと眠り、食べ、遊んだ。日中マイナは彼から片時も離れず、夜は彼女の温かな裸体が彼をすっぽりと包んだ。マイナはあらゆる意味でカークをわが子のように扱い、自分の文化伝統に沿った子育てをした。カークの第一言語は彼女の言葉で、彼女の文化習慣に従って暮らした。当時島の社交界を仕切る女主人になっていた彼の母はとにかく多忙だったから、マイナは自分なりのやり方でカークを育てていたのだ。実際、ちょっとした事件が起きて、そういえばカークという息子がいたんだと両親が気づくまでは、二人とも彼女のやり方に口出ししようとさえしなかった。ある日、少年が乳母に教わった現地語しかしゃべらないのを見た訪問客が驚き、もうだいぶ大きくなったのだから、そろそろ〝白人の〟言葉を覚えさせたほうがいいと熱心に助言したのである。それでカークの母親がにわかに対処に乗りだし、マイナは数か月間、別の仕事を言いつけられた。結果的にカークは初歩の英語を身に着け、〝小さな野蛮人〟から〝文明人〟の子としてまあまあ通用するように、ごくわずかではあるがゆっくりと変化していった。この再教育期間は本当につらかった記憶がある、とカークは言った。「べつに体罰を受けたりしたわけじゃないが、ただただ束縛されたという記憶が残っています。この感じ、わかっていただけるかどうか。とにかく、世界が自分に向かって閉じてきて、箱の中に封じ込められた気分でした。最悪だったのは靴と服です。僕は自由気ままに過ごすことに慣れていました。身体的な意味で、ですが。それが急に窮屈になった……たとえばボタンや靴紐みたいに、いちいち締めたりはずしたり。それに、いろいろと気をつけなきゃならなかった。体を清潔にするとか、その手のことです」しかし、母がこの新体制に注いでいた情熱はあまり長続きせず、慣れない役割にたちまち飽きてしまった。少しずつマイナが元の立場に戻ってきた。とはいえ、その後は彼女もいろいろなことに注意を怠らなくなった。話し方や服装、現地風のふるまいや習慣などなど。そして、少なくとも両親がそばにいるときには、自分ではなく彼らの文化圏の子に見えるように気をつけた。

　こんなふうに共謀したおかげで、カークと乳母の愛着はますます深まった。長年一家が滞在することになる例の島に家族が移り住む頃には、二人の絆は切っても切れないものになっていた。島でもカークはマイナに任された。彼は毎日、母が現地人の子供のために作り、ある将校の妻が教師をしていた学校に行かなければならなかったが、それを除けばマイナのそばをけっして離れなかった。だから、彼が六歳のときに彼女が急死すると、その穴は何をもってしても埋められなかった。

島にはほかに白人の子はいなかった。長年にわたって父が雇い入れていた、来ては帰るアメリカ人家庭教師たちには子供がいなかった。だからカークが自分と同じような子供に会ったのは十四歳のときが初めてだった。この特異な環境は、表面的には大きな意味がないように見えるが、彼の内面の複雑さはそこから生まれたと言える。それが彼の精神疾患傾向を作り、何十年も経ってから明らかな解離症状として現れたのである。子供時代から初期思春期にかけて、自分と遊び仲間との違いがずっと気になっていた。違いは肌の色だけでなく、親譲りの社会的地位ほか日々の生活にまつわる細々した点に至った。家族さえ含む白人の大人たちより、そうした仲間たちとのほうが言いたいことを何でもじかに伝え合えたとはいえ、彼らとのあいだには距離も違いもあった。そこにはいつも何か目に見えないベールが、どうしても越えられないバリアがあった。そのせいで彼の人格は分裂し、自分と世界について二つの相矛盾する見方が生まれた。一方では、自己評価がしだいに下がり、自分は劣っているからまわりから拒絶されて当然なんだと思った。とても結束が固く、温もりに満ちた先住民世界は、彼に対して部分的にしか開かれておらず、途中までしか入らせてくれない。両手を広げて受け入れてほしいのに、それはかなわなかった。そしてそれは自分に何か根本的な、見つけたくても見つからない欠陥があるせいだ、と自然に思うようになった。

その一方で、優越感もぐんぐんふくらんだ。白人であり、しかも弁務官の息子であるためにまわりから丁重に扱われること、現地の仲間たちに完全には受け入れてもらえないことから、やはり自分は彼らとは違うんだ、特別に選ばれた存在なんだ、という気持ちが生まれた。ほかの住人たちとの内心の距離がどんどん広がり、僕は人とは違う、もっと優秀なんだと自分に言い聞かせた。だから、特別扱いされる資格があるのだ、と。

六歳から九歳までのあいだ、カークを世話する現地人女性は入れ代わり立ち代わりした。記憶では、こうした女性たちはみな亡きマイナとよく似ていたが、あんなに近しい気持ちは持てなかった。マイナと違って、彼女たちにはほかにも心配しなければならないことがあり、実の子供がいることも多く、愛情からというよりそれが仕事だからカークのことを世話していた。

九歳になると、家庭教師のパレードが始まった。お世話係の現地人女性たちと同じように、カークの記憶の中ではみんなごっちゃになってしまっているが、二人だけ突出してよく覚えている。一人は彼の孤独感をいっそう助長し、もう一人は彼にセックスを教えたからだ。

家庭教師はカークの教育のために米国本土で雇われた女性たちで、四、五人はいたと思われ、みな一年足らずで島を去った。一人以外は、島の単調さに耐えられなくなったのだ。離れ小島での暮らしは、行く前はロマンチックに見えても、実際に体験すれば、思ったのと全然違うからだ。島民は自然を工夫して日々の生活術に取り入れ、そうして自然と一体になっていたが、家庭教師の中にそれを面白がったり、興味を持ったりするような奇特な者はいなかったから、毎日退屈でどうにかなりそうになった。彼女たちの仕事はカークを教育することだけではあったが、それがまた面倒だった。カークは驚くほど好奇心旺盛で、幼くして貪るように知識を求めた。勉強し始めたのが遅く、正規の教育を受けたわけでもないのに、九歳になる頃には、その年齢にしては並はずれた読解力をすでに身に着けていた。人と人との関わりや経験の代わりになるものを見つけようとした結果、世界を理解するには読書をするしかないと気づいたのである。島で見つかる活字という活字を読み漁った。初めはそろそろと苦労して、でもしまいにはびっくりするほど楽々と読んだ。学校で使われているお粗末な教科書、伝道組織から送られてきたパンフレット、駐在司祭の図書室にある書物、さまざまな理由で島に立ち寄った船の船員が置いていったペーパーバック、島の臨時職員の妻が持ってきた小説、父の船舶関係、技術工学、航海術、砲術法の入門書。孤独な日々が積み重なるなか、カークはこれらをすべて、一度ならず何度も貪り読んだ。スポンジみたいに何でも吸収してしまうカークの脳みそはもっともっとと要求し、家庭教師が用意していた程度のものではとても追いつかなかった。彼女たちにできることといえば、カークがすでに知っていることを系統立てたり、整理したりする――特定の分野では上手にそれをしてみせる者もいた――のがせいぜいだった。

　前述したように、カークに本当の意味で影響を与えた家庭教師は二人だけだった。一人はいちばん最初の家庭教師で、極西部地方出身の中年の未亡人である彼女は、病的なまでの潔癖症で、ヒステリックなくらい先住民に嫌悪感と不信感を抱いていた。彼女が島に到着してから立ち去るまで、カークはあれもダメこれもダメと禁止され続け、悪口ばかり聞かされた。この哀れな女性は少年に自分の強迫観念や恐怖、偏見を徹底的に押しつけ、道理が通らないほど体の清潔さに固執した。少なくとも一日二回は煮沸消毒した水で体を拭かれた。シャツに小さな染みが一つでもあれば、服を全部着替えさせられた。カークが暮らす、昔からずっとなじんでいる無害な環境がいかに汚染されているかこんこんと諭《さと》し、彼は文字どおり食器棚を歩く猫みたいに、抜き足差し足で歩かなければならなくなった。その低温殺菌ガミガミ女に言わせると、地元の子供たちは「薄汚い黒《ニガー》んぼ」なので、カークは友人たちとしゃべることさえ禁じられ、彼女を除くすべての人を生活から締め出さなければならなくなった。彼女がいなくなると、また地元の子供たちと自由に遊べるようになったが、もはや以前のように自然な感じで気楽につきあうことはできなくなった。

この女性——面接中、カークは彼女を〝無菌のサリー〟と呼んだ——が島にいた期間はそう長くはなかったが、彼に大きな影響を与えた。彼女のせいで、カークはさらに自分の内側に深く潜りこむことになったからだ。今まで以上に独りぼっちになったカークの中で、それまでは孤独な子供ならままある程度だった空想の世界が、一気に進化した。今ではほとんどいつも白日夢に入り浸り、想像力にあふれる豊かな別世界が構築されていった。それはこんにちに至るまでの人生を特徴づける、彼にとってとても大事なものとなった。

無菌のサリーが島にいたときからその後しばらくカークが思い描いた最初の空想の内容は、ここではそう重要ではない。あれこれ読んだものの断片からできた、子供っぽいごった煮だ。たとえばカークはオズ・シリーズの登場人物になりきり、もっと人にやさしい、冒険でいっぱいの世界で、たくさんの友人に囲まれている役柄を演じた。こうした子供時代の経験によって、彼はいつでも簡単に空想の翼を広げて現実から自分を切り離せるようになり、その技術は大人になって飛躍的に発達することになる。

十一歳のときに着任した新しい家庭教師が、彼のまた別の経験分野を開拓した。カークの記憶ではとても魅力的な若い女性で、少年だった彼にセックスを指南したあと、学校の女教師の夫とさっさと駆け落ちしてしまった。カークがどんなふうに彼女に誘惑されたか、本人の弁を紹介しよう。

「言っておきますが、島での暮らしは、僕らにとって既知のそれとはまったく違うんです。子供たちは早熟で、セックスのとらえ方もわれわれとは異なっている。たとえばセックスごっこがおおっぴらにおこなわれ、大人が勧めているような節さえある。子供が自然な好奇心を持っても誰もたしなめず、人目を気にせずたがいの体を探る。ここでは隠れてやるでしょう？　実際大人は、意識していたとすればですが、面白がってやらせていた。もちろん年齢が上がれば、血縁関係に関する複雑な規則があって、たくさんの奇妙なタブーによる締めつけがあるんですが、特定の年齢になるまでは自由なんです。たとえばマスターベーションもおおやけの場でおこなわれます。男性が身に着けているのは腰布か下帯だけ。女性はスカートのみで、白人に関わる仕事をするときだけはダボッとしたワンピースを着ています。実際、自宅の小屋に入って最初にするのは、着ていたものを脱いで裸になることです。男子は成人式まで、女子は結婚するまで、子供は学校や教会に行くとき以外は、基本的に何も着ません。最近はもう事情が違うかもしれませんが、僕が島に住んでいたときはそうでした。

　とにかく、当時はそういうわけで、今もたぶんほとんど変わらないと思いますが、子供たちは最初からセックスというものを知っていたし、成人後は誰と誰が何をするかいくつかタブーがあるとはいえ、それ以外はほとんど自由です。親は子供の前で性交し、恋人たちは藪の中で事におよび、子供たちがときどき平気でそばを走りぬける。そんな感じなんです。

　ほかの子供と同じように、僕もセックスについて知るべきことは知っていたし、べつに何とも思っていませんでした。大人は、僕がそばにいるときにはある程度控えようとしましたが、ことこの分野については子供たちは僕をすっかり受け入れ、一緒にセックスごっこをしました。彼らと僕の違いはと言えば、彼らの誰よりも肌の色が白く、髪がブロンドで短く、いつも半ズボンをはいていることぐらいでした。

リリアン先生——記憶ではそんな名前でした——が来たとき、僕は、少なくとも彼女の基準からすると、性交の経験はなかったとはいえセックスに通じているふうに見えたようです。まだ射精はできませんでしたが、性器は充分発達していたし、陰毛もうっすら生えていました。リリアン先生が初めて僕を風呂に入れてくれたとき、彼女もそれに気づいて指摘しました。彼女にそう言われたことも、僕の性器に彼女が明らかに興味を示したことも、そのときは気にしませんでした。でも、時とともにリリアン先生の行動はあからさまになり、あの年齢だった僕でさえ、彼女のセックスへの執着ぶりは無視できませんでした。島民の性行動がどんなものなのかあれこれ尋ねてきただけでなく、僕自身の経験についてもしつこく質問してきました。僕が何のてらいもなく話すので、余計に彼女を煽《あお》ることになったのかもしれない……わかりませんが。いずれにしても、まもなく彼女は僕の前で服を脱ぎだしました。体を見せびらかした、と言ってもいい。それも、こちらを誘うように。女性がそういうことをするのを初めて見ましたよ。先住民の女性や女の子はけっしてそんなしぐさはしません。たとえ全裸でいても、どこか控えめな感じでした。あるいは単に無頓着だったのかもしれない。でもすぐに、リリアン先生は僕を興奮させようとしているのだとわかりました。そしてそれはまんまと成功した。夜、僕の部屋で服を脱ぐとき、単にそうするのではなく、ストリッパーみたいに一枚一枚取っていきました。ベッドで裸で横たわっている僕の様子が見えるよう、簞笥《たんす》の鏡の前に立って。

先生の作戦はうまくいきました。彼女がそこに来てから数か月が経過したある晩、鏡の前で例のちょっとしたショーをしてみせたとき、僕は勃起しました。隠そうとしたことを覚えています。もちろん、恥ずかしかったからじゃない。たぶん、彼女にそれを見せるのは正しくないことだ、とぼんやり思ったからじゃないかな。当時の僕にとって、恥とセックスはまったく無関係だったから。島民たちの中にいると、性器を勃起させて歩いている子供なんてよく見かけたし、ときには大人だっていた。でも誰もまったく気にしませんでした。島民たちの恥の概念はもっと別のことと結びついていた。祝いの宴以外で人前でものを食べるとか、借金を返さないこと、人に話しかけるのに正しいやり方をしなかったとき、何かタブーを犯したとき。そういうときに人は恥じるもので、セックスとは関係がない。だから、リリアン先生に勃起したのを見られて感じたのは、恥ずかしさではありませんでした。今考えると、これは正しくないことだという気持ちだった、そんな気がします。性的興奮していることを見られたら、本来避けるべき行動に追いこまれる危険（と言っていいでしょう）がある、と予見した。別の言い方をすれば、リリアン先生とどんな形であれセックスすることになるのがなぜかいやで、それを避けるために勃起した性器を隠そうとしたんです。

（最初の面接のときにこうして必死に描写しようとした当時の気持ちについて、カークはのちに理解した。精神分析をするあいだに、カークが性交渉を持ったのはリリアン先生が最初で最後の女性だったことが明らかになり、このときの気持ちも、その重要度もはっきりしたのだ。彼女がカークにとってタブーだったのはもちろんだが、彼にとってはすべての白人女性がそうだった。心の奥底に、近親相姦への無意識の不安が存在していたからだ。だからこのとき話していたカークの気持ちはじつは罪の意識だった。そう考えると、この出来事だけでなく、その直後の事件や今後の長期傾向についても説明がつく。）

言うまでもなく、リリアン先生は僕が隠す前に勃起状態に気づき――それが運の尽きでした。先生は目を大きく見開き、胸をふくらませたかと思うと、次の瞬間には僕の上を這いずりまわっていました。

もっとも、最初の試みでは僕はうまくできず、その後の数回も同じでした。でもまもなく、たぶんそれだけ刺激を与えられたら、さすがにホルモン量が増したのでしょう、射精できたんです。そうなると、リリアン先生は貪欲でした。毎晩二、三度は性交しようとし、ときには昼間も試しました。僕は先生のいわば〝大人の玩具〟になっていました。ことセックスとなると、リリアン先生は発明の才を発揮しました。彼女が実験してみなかった体位や行為はなかったと思います。

僕がどう思ってたかって？　まったく楽しまなかったと言ったら嘘になるでしょう。でも、何もかも楽しくて仕方がなかったと言ったら、それ以上に嘘になる。リリアン先生の求めから逃げだして、彼女を部屋から締め出したり、提督に言いつけるぞと脅したりもしました。その後、彼女が学校の先生の夫と浮気をしていると知ると、彼に密告すると脅しました。でも何が最悪だったかといって、これだけセックスに明け暮れていると、体が衰弱してしまったことです。なにしろ、そのとき僕はまだ十一歳だったんですから。だんだん頭が朦朧《もうろう》として、気力も続かないし、すっかりやつれてしまった。セックスのせいというより、寝不足と筋肉疲労のせいだと思います。僕が反応しないと、先生は怒りました。ときには殴り、爪でひっかき、嚙みついてきました。それでもだめだと――彼女の要求は僕の手に余りました――別の手段で自分を満足させろと命じました。体のどこかを使い、そうでなければ何かの器具、ヘアブラシとか手近なもので……。
あれ以上島にいたら、きっと先生はとても困った立場に追いこまれていたと思います。でも、そこに現れたのが学校の女先生の夫だった、ある将校でした。二人の情事についてはあまり覚えていません。リリアン先生は何度か彼と密会して、ある朝二人とも消えてしまった。商船の船長に金を渡して、出航の直前に密航したんじゃないかな。彼女からは別れのひと言もなかったけど、いなくなってほっとしたというのが正直なところでした」

リリアン先生が去ったあとカークは普段の生活に戻ったが、これまで以上に孤独を感じていた。リリアン先生の滞在は短かったものの、そのあいだに彼は遊び仲間とほぼ完全に断絶してしまった。先生はカークを性玩具として独占したがっただけでなく、自分以外の誰かに意識を向けるだけでやきもちを焼き、つねにそばにいて、自分のことだけを考えるように強要した。彼女がいなくなったあと、グループとのあいだにできてしまった距離を縮め、友情を取り戻すことはもはや不可能だった。

ほかにもカークを彼らから遠ざける要素があった。色情症とも言える家庭教師との関係によって、彼は否応なく、友人たちには手の届かない大人の世界に押しやられてしまい、友人たちのほうから近寄ってきてくれても、今までのように自然につきあうことができなくなった。それ以上に大きかったのは、カーク自身、無意識にみずから孤立を求めたことだ。それは、消すに消せない恐ろしい罪悪感に対して自分で自分を罰した結果であり、それが巡り巡って、すでにこじらせていた劣等感を悪化させた。当時はなぜそんなふうに感じるのかわからなかったし、ぼんやりした気持ちではあったが、カーク少年は自分の行動が恐ろしかった。それはちょうど、島民がタブーを破ってしまったときに感じるたぐいの恐怖だった。成長過程でどっぷり浸かっていた先住民文化は、彼に強い影響を与えていた。根っこの部分では、カークは島民だったのだ。だから、肌の色と出身が共通し、精神的な親戚関係にある白人女性との性行為は近親相姦に等しく、先住民文化においてはけっして越えてはならない見えない境界をまたいでしまったことになる。タブーを犯した者には必ず罰がくだり、場合によっては集団で処罰することもあるが、たいていは自分で自分を罰するのである。自分は〝罪びと〟だと感じていたカークは、どんな島民でもそうなるように、罪の意識にまみれ、先住民なら一人でジャングルに姿を消すように、人々から離れることで罪滅ぼしをしようと考えたわけだ。

　孤独になると、カークは今や唯一の友となった書物に意識を戻した。リリアン先生がいたあいだはほとんど忘れていた空想が舞い戻ってきた。表向きは読書をしたり、島内を散歩したり、新しい家庭教師と勉強したりしているように見えて、頭の中ではわくわくする冒険物語を生きていた。読んだ物語から抜きだした要素で別世界を構築し、お気に入りの作家が書いた小説の登場人物たちを住まわせ、生き生きと動かし、ドラマチックな事件を起こし、細部まで鮮やかに描きあげる。初めのうちは、白日夢というものがたいていそうであるように、カークの空想は気まぐれで成り行きまかせな、一貫性のないおおまかなものだった。登場人物にしろ、場所にしろ、出来事にしろ、とくに何かを中心に展開するでもなく、空想のおもむくままに自由に進んだ。当時は、そのときたまたま読んでいた本や物語に沿った内容になることが多かった。しかし、十二歳のときにちょっとした偶然が彼の人生をがらりと変え、空想もがらりと変化した。

　ある日、大きな木箱いっぱいの本が宣教師の家に届いた。カークが本好きだということは宣教師もよく知っていたので、さっそく呼ばれて好きなだけ貸してもらえることになった。そうやって届くたいていの書物と違って、今回は拾いものが多かった。いつものような説教集や読み古された児童書、霊感についてのエッセー集、著者自身しか知らないような人物の伝記の代わりに、小説がたくさんあり、空想力のある多作な作家の全集なども含まれていた。カークはほくほくしながら本を選び、しばらく至福の時を過ごした。

さてどれから読もうかと最初に手に取った本は、有名な英国人作家の小説だった。その著者の本はすでに何冊か読んだことがあり、どれもとても面白かったから今回も内容は折り紙付きで、カークとしても楽しみにしていた。ところが読み始めたとたん、主人公が自分と同じ名前だと気づいた。カークは一瞬、ページを繰る手を止めた。彼の表現を借りれば、「雷にでも打たれた気分でした。つかのま呆然としてしまいました」衝撃はすぐに消え、カークは読書に戻った。今やその本にさらに興味が湧き、いつしか物語の展開に今までになくのめりこんでいた。読み始めたその日に読み終わったとき、カークはすぐに最初のページに戻って、もう一度読みだした。三度読んだところで、ようやく本を置いたくらいだ。

数日後、自分と同じ名前を持つ登場人物とふたたび出会った。今回は、一九二〇年代のアメリカの文章家による、どこか哲学的なところのある回想録だった。カークはやはりショックを受け、やがて貪るようにその本を読み進めて、読了してからも何度も読み返し、無意識のうちに暗記してしまった部分さえあった。

この二度の経験のあと、すぐにまた小説の中で自分と同じ名前の登場人物と出会った。しかし今回は少しも驚かなかった。カークによれば「たぶん、なんとなく予想していたんです。だから実際にそうなったとき、ずっと前からわかっていたことに出合ったみたいな、失くしものを見つけたかのような気分でした」。今回、彼の名前を持つ登場人物は、また別の米国人作家が書いた長いファンタジー・シリーズの主人公で、その何巻も続く奇妙な冒険物語の中で、彼はさまざまな困難に襲われながらも危機一髪で乗り越えてしまうヒーローとして描かれる。現代のスーパーマンの原型だ。わくわくしながら物語を読むうちに、まもなくカークの中で不可解な変化が起こった。私にはとても説明できないので、本人の言葉を引用しよう。

「カーク・アレンの冒険物語を読むうちに、この話は隅々に至るまですべて事実であるばかりか、ほかでもない僕の物語だという確信が強くなっていったんです。妙な話だし、うまく説明もできないんですが、今読んでいるのは僕の伝記だとわかった。本の中に書いてあることで、知らない事柄は一つもありませんでした。どれも見覚えや聞き覚えがあった。場面も、人々も、部屋の家具も、出来事も、彼らがしゃべっている台詞さえ。そのどれにも、たとえば昔住んでいた家を見たり、何年も前の友人に会ったりしたときに感じるような懐かしさがあったんです。あなたのような心理学者なら、とても長い、いつ終わるとも知れないデジャヴ体験だった、と言ったほうがわかりやすいかもしれません。このときから僕の日常が遠のき始めました。実際、そちらのほうがフィクションになり、それにつれて本のほうが僕の現実になったんです。日々の出来事や、生きるためにやるべきこと、食事や勉強、島内の移動などなど、僕にはどうでもよくなった。だってただの夢なんですから。現実――僕の現実――は本の中にありました。僕はそこで生き、そこに存在していた」

カークは何巻もある自分の〝伝記〟を何度も読み返し、鏡に映る自分の顔と同じくらいすべてを知り尽くした。まもなく、「記憶を鮮明にするために」読み返す必要さえなくなって、その概要は頭の中に完璧に収まっていた。肉体は普通の少年の生活を送る一方、魂ははるか遠いよその惑星にいて、美しい姫君に求愛し、国を統治し、変てこな敵と戦っていた。しかし、本が必要なくなったこの時期、そこに収録されていたさまざまな出来事をくり返すだけの毎日にカークが満足していたわけではなかった。今度は〝彼の伝記作家〟の書いた素材を基本材料にして、自分の物語を紡ぎ始めたのだ。本を案内役として苦労して作りあげた地図、さまざまな表や図、建物の配置図、系統図、年表の助けを借りながら、物語の隙間を自分自身の空想の〝記憶〟で埋めていった。それが終わると、人生を懸けた仕事に取り組み始めた。〝伝記作家〟がペンを置いた場所から、その後の英雄カーク・アレンの歴史を記録していったのである。この大事業については、のちほどもっと詳しく述べる。まずはここで、平凡な少年のほうの話に戻ろう。

　カークが十四歳のときに提督がこの世を去った。するとたちまち母は十年間の無気力状態から目覚め、島を出る準備を始めた。カークを米国東部の寄宿学校に入学させることにし、そこまで付き添ったが、無事に入学が決まると、せっせと方々を旅してまわるようになった。それから十五年間、ギリシャ沖の島で亡くなるまで、母は世界じゅうを飛びまわった。何度かカークを訪ねてはきたが、すぐにまた旅立ち、財産問題で話し合う必要があるとき以外には手紙さえよこさなかった。

　その間、カークにとってはこれまでとはまったく異なる生活が始まったが、まわりから孤立し、孤独である点では変わらなかった。同級生たちと気軽につきあいたくても難しいと気づいた。寄宿学校時代、その後大学でも、何人か友人がいたことはいたが、本当の意味で心を開くことはできなかった。専念したのは勉学——その進度は驚くべき速さだった——と空想物語だった。休暇のあいだは学校に残るか、義理の兄弟の家を訪ねた。ときには一人で徒歩旅行に出かけることもあった。

　十九歳のときに東部の有名大学に入学した。ここで関心の方向が固まり、科学の分野で実績を積むことにした。三年後には大学院に進み、彼の科学者としての才能はすぐに教授陣の目に留まった。一学期が終わると、大学と連邦政府の合同プロジェクトに特別研究員として招かれた。博士課程を終えたあと兵役に就き、当時目覚ましい成果を目前にしていた特別プロジェクトに加わることになった。そして、第二世界大戦の終焉（それには多少カークの仕事が関係していた）とともに除隊となった。続く一年、誰もが羨《うらや》む奨学金を得て留学し、帰国後にX研究所でのプロジェクトに招聘《しょうへい》されたのだ。

　自分の〝伝記〟を見つけてからここボルチモアに来るまで、カークは連綿と続くあの空想物語を細かく作りこむことにかなりの時間と知力を費やした。学界や研究に集中する必要がないときには——いや、彼の空想と研究分野（とその課題）は重なる部分が多いので、じつは研究中でさえ——頭の中の別世界を細部に至るまで構築することに熱中し、そのおもな筋書きは、十四歳になる前に貪欲に読んだ記録ずみの〝伝記〟にのっとっていた。しかし、年月とともにいくつか大きな変更点も出てきて、その変化のせいで彼はいつも頭が爆発寸前になるまで追いこまれ、それでこうしてボルチモアにやってくることになったのだ。カークの説明を引用しよう。

「おわかりのように、あのシリーズは僕のことを書いているんだ、と確信するようになった。つまり作者は僕の人生を何らかの形で知り、そこからあの話を書いたんだと思ったわけです。だから最初にしなければならなかったのは思いだすことで、実際、著者が書いたことはすべて僕の記憶の中にあるように思えました。もちろん、おかしな立場ではあります。大人になった自分の冒険を記憶している少年なんて。でも、このシリーズは未来に書かれて、僕を導くために何らかの方法で現在に送り返されたのだと自分を納得させ、この難題を切り抜けました。説明は難しいけれど、すぐにある理論を構築しました。今やSF作家が好んで使う、時間という次元は並行して存在しているため、過去も未来も現在と同時にそこにある、という考え方です。おかげで、現在に生きながら未来を思いだすことができるわけです。

　僕はまず、思いだす努力をしなければなりませんでした。最初は頭の中でしっかりと考えを固め、のちに、僕の〝伝記作家〟が書き記したものを地図や系図のような形に書きだしました。これを終えると、記憶を呼び起こして、彼の誤りを正し、細部を書きこみ、ある巻と別の巻のあいだにある隙間を埋めました。これには数年を要し、大変な労力がかかりました。でもどうにかやり遂げて、僕の半生を収めた完全な物語が完成したことに深い満足感を覚え、日々の課題をやっつけながらそれを振り返ることができるようになり、事実上、頭の中にあるその世界で生きていたんです。昼でも夜でも、何の苦もなく適当な出来事や冒険を選び、そのときの自分に期待されていた役柄を演じつつ、そのじつまったく別の人生を送っていました。過去を思いだしながら現在時制でそれを体験するという共時プロセスがそれを可能にしたんです。複雑に聞こえるでしょうが、じつはそうでもなかった。というか、これからお話しする次のステップに比べたら、複雑とは言えないでしょう。

　しばらくすると、未来の自分の人生をくり返すのに飽きてしまい、作家による〝伝記〟の記述が終わったあとカーク・アレンの身に何が起きるのか、あるいは僕の立場からすれば彼に何が起きたのかが気になりだしたんです。じつはカーク・アレンはシリーズが終わる時点でまだ充分若く、溌剌《はつらつ》としています。だから、僕の〝伝記作家〟がたどり着いた時点より先で自分の身に起きることを思いだしてみようとしたんです。ここから先は案内役がいないので、作業は困難を極めました。ちなみに何が難しいかといって、それは空想と記憶を区別することでした。勝手にカーク・アレンの未来を想像して、それが事実なんだと自分を偽れば楽だということはわかっていました。でも、こんなことを言うとあなたには妙に聞こえるかもしれませんが、僕は真実がほしかった。だから空想を排除して、粘り強く思いだすことに決めたんです。それには心にしっかりと規律を守らせなければなりません。自分を騙《だま》すのはとても簡単で、いやになって作業を投げだし、すでに記録されたものを思い返す、今となっては単純なプロセスに何度も舞い戻りました。でも、必ずまた作業に戻り、まもなく空想と記憶を区別する方法――笑わないでくださいよ！――を編みだしたんです。空想のときは、何かちっぽけなディテール、たとえば色や風景、服装、名前など、たいていはたいして意味のないことだけど、不思議としっくりこないんです。でも、思いだしたことはすべて完璧にはまる。この技術を突きつめていき、最終的には、まだ記録されていない記憶の中の真実の未来と、つい頼ってしまいがちな空想の冒険との違いを見極める達人になりました。僕は長年この作業に没頭していました。実際、留学から帰国して、ここボルチモアに来た当時に携わっていた例のプロジェクトで働き始めるまで、ずっと。そして、この予言的回想（？）とでも呼ぶものを続けながら、ディテールも細大見逃さずに書きだし、記録として残したんです。

ヨーロッパから戻ってきたとき、新たな展開が始まりました。それについてお話ししましょう。

ある晩、X研究所に赴任した直後、僕は、カーク・アレンがよその銀河のある惑星に遠征したとき探索した地域の地図を作ろうとしていました。これについては、今はわざわざ説明しません。あとでさしあげる書類の中に実物がありますから。とにかく、僕はこの地図の作成にとても集中し、ときおり手を止めるとしても、記憶を鮮明にすることだけが目的でした。ところが、記憶を探ってもなぜか細部が浮かびあがってきません。かなりの低空飛行で地域上空を飛び、立体写真を撮影したことははっきり覚えているのに。それに、この遠征からわが星に戻ったあと、銀河研究所のふさわしい科学者に一連の写真を渡し、でも自分でもあとでじっくり調べようと思って、ひととおり複写を取っておいたことも覚えていました。そして、それらをどこにしまったかも正確に記憶していました。城にある秘密の部屋のファイリングキャビネットです。ファイルしたあと写真を見たかどうか思いだそうとしましたが、どうしても思いだせず、どうやらカーク・アレンはただしまいこんだだけで、そのまま忘れていたようです。つまり、未完成の地図が目の前の製図板に置かれているその状況で、地図を訂正し完成するのに必要な情報は、この目で見える最も遠い星より遠い場所にあり、時間的にもはるか遠い未来にあるということです。こういう状況は初めてでした。これまで記憶に裏切られたためしなどなかったんです。だから大いにとまどい、腹が立ち、今までになくストレスが溜まりました。自分しか知らない場所に保管されたくそったれ写真のことを考え、上空を飛んだはずの風景や、しまう前に何の気なしに見た写真を思いだそうと頭を絞りました。無駄でした。かっとなり、手元にあったときにもっとよく見なかった自分を呪いました。そして思ったんです。『ああ、今すぐそこに行けさえしたら。

じかにファイルを取りだして写真が見られるのに！』

そう声に出して言ったとたん、『行けばいいじゃないか！』という声が響き渡って、全身がそれに反応し……気づくとそこにいたんですよ！

どう説明すればいいのか。今、アメリカの砂漠地帯にある羽目板張りの独身寮で製図板にかがみこんでいたX研究所の一介の科学者が、次の瞬間には遠い宇宙の果ての銀河帝国にある惑星の帝王カーク・アレンとなり、高貴な地位を示す華麗な軍服に身を包んだ彼は、彫刻の施された書き物机から立ちあがって、城内の秘密の部屋に向かい、中に入り、壁にはめ込まれたファイルキャビネットの中から写真入りの封筒を探しだし、部屋を出て自室へ引き返し、机の向こうの椅子にまた座ると、写真をじっくりと眺め始めたんです。

ものの数分のことでしたが、気づくと僕はまた製図板の前にいました。今あなたの前にいる自分に戻ったんです。でも、現実に起きた出来事だと僕にはわかりました。その証拠に写真を鮮明に思いだせたし、今もこの手にあるかのようにはっきりとそれが見えたし、何の問題もなく地図を完成できました。

この経験に僕がどれほど衝撃を受けたか想像できるでしょう。驚き、体の芯まで揺さぶられ、でも今までにないくらい興奮してもいました。そうなればいいのにと願っただけで、どうやって広大な宇宙を飛び越え、時間のくびきを壊して、その姿は今も記憶に新しい遠い未来の自分と同化した、いや、文字どおりその人になったのか、どうにもわかりませんでした。お願いですから説明を求めないでください。もちろん謎を解こうとはしてみましたが、できやしません。テレポーテーションの極意を発見したのか？　僕は特殊な超能力の持ち主だったとか？　独特の超自然的体内器官か、あるいは超常現象研究家のチャールズ・フォートが＊〝異常能力《ワイルド・タレント》〟と呼ぶものが備わっている？　誰か教えてくれ！

　その夜以来、僕はますますカーク・アレンの未来に入り浸るようになっていきました。いつでもどこでも、何をしていようとも、彼になろうと思い、実際すぐになれる。彼になった、つまり未来の自分になった僕は、彼の人生を生きます。そして現在の自分に戻ったとき、未来の記憶もそのまま抱えていて、記録を正すことができるんです。お察しのとおり、もう記憶に頼る必要はなくなりました。だって、未来のカーク・アレンの暮らしを実際に体験するんですから。ここに戻ってきたら、経験したとおりに伝記や地図、図表を訂正したり、書き加えたりする。そういう資料はあとでお渡ししますから、どうぞ調べてください。どうやって現在の自分に戻るのか？　それもどうか訊かないでください。願っただけで彼になれることと同じく、説明できないんです。彼になっているときは、この地球上の自分のことは知らないみたいです。なぜか忘れてしまうらしくて。だから戻りたいと思うことはできない。気づくと戻ってる、そういうことなんです……。

　でも、一つお伝えしなきゃならないのは、二人の自分がそれぞれ過ごす時間の流れに大きな違いがあるってことです。この現在にいる自分は、いわゆる〝普通〟のペースで生きている。でも、未来のカーク・アレンがいる場所では時が速く過ぎ、時間が濃縮されているみたいなんです。つまり、彼になっている僕には普通のペースだと感じるけど、普段の僕が持っている時計で見ると、わずか数分に凝縮されている。だから、あちらのカーク・アレンとして一年以上過ごしても、こちらのカーク・アレンにとっては数分のことなんですよ。だけど、僕の状態が問題視されてここに送りこまれたのは、もう一人のカーク・アレンになる時間がますます増え、あちらでますます長く暮らし、頻繁に行っては長時間過ごすようになったからでしょうね。だけど、仕方がないことだと思うんです。こちらの自分に比べて、彼の暮らしはじつに波乱万丈ですから。でももちろん、こちらの世界ではやるべき仕事があって……」

ここに記したカークの人生の物語を聞きだすまでには数日かかった。彼はつねに礼儀正しく協力的ではあったが、私的なことを掘り起こそうとするとなかなか打ち明けようとしないので、注意深く、ときにはそうとわからないように質問をして、話を引きだすしかなかった。しかし何より困ったのは、彼が自分を完全にノーマルだと思っていることで、経験はすべて事実だと信じこんでいて、精神的に正常か否か判断するときにはそこが鍵になるということがまったくわかっていない点だった。もちろんみずからの経験が常軌を逸していて、少しやんわり言えば、突飛だという点は認めているが、それは生まれつき未知の精神力あるいは超能力が備わっているからだ、と訴える。そして、そんな能力があるというのに大騒ぎもせず、ごく自然に受け入れている。もしそんな力があるなら、いや実際にあるのだが、せいぜい活用し、利用し、大いに楽しみたい、どうして他人がそれに興味を持ち、とりわけ、なぜこんな騒ぎになっているのか、理解に苦しむ、と話す。秘密を世間に公表しようと思ったことは

**チャールズ・フォート**　アメリカの文筆家（一八七四―一九三二）。一九一九年に超常現象の事例を集めた著書 *The Book of the Damned* を上梓し、注目を集めた。

ないのか、と尋ねると、したくてもできないと答えた。なぜどうやってそれができるのか自分でもわからないのだから、人に伝えることなどできないでしょう？　ただ、集めた素材をいつか出版したいとは考えていたという。世間の人たちには事実だとわかってもらえないと思うので、たぶんフィクションという形で。彼の〝伝記作家〟がそうしたように〝伝記小説〟として発表し、既刊本の間違いを修正し、終わったところから続きを再開させた物語とするのだ。

「それなら、どうしてそこまで神経質に細部を直そうとするんですか？　単なるフィクションとして公開するなら、ところどころコンマの位置がずれていたってかまわないじゃないですか」

「わかってないな」カークは、私の頭の悪さにがっかりしてため息をついた。「僕が調べているのは僕自身の人生なんですよ。だからすべて知りたいんです。自分のために細かく注意を払ってる。あなたの言葉を使うなら、神経質にね。僕には大事なことなんだ。僕にとって正しいものにすることが、ね！」

すでに書いたように、彼の履歴を大まかに明らかにするのが主な目的だった初期の面接で、私は二つの印象を持った。一つはカークの精神が完全に正常から逸脱していること、もう一つは、彼は生きていくうえでこの精神症状を必要としていることだ。前者の根拠は、すでに先ほど触れた事実だ。つまり、精神的に正常ではないこと（言い方を変えると、正常な体験ではないこと）を本人が理解できず、それを認めることさえできない点であり、セラピストである私にとってとても重要な要素である。人は、自分は正常だと思いこんでいることこそ精神症状の特徴で、患者はあまりにも〝現実から遠く乖離《かいり》して〟いるから自分がおかしいことに気づかないのだ、と考える。だが、じつは違う。そういうケースがありうるとすれば、脳や中枢神経系が有毒物質や疾病の影響を受けている場合だけだ。こう言うと読者のみなさんは驚くかもしれないが、たいていの場合、精神疾患患者は自分の症状を自覚している。それによって自身が苦痛を感じていたり、他者の苦情や指摘を受けて苦しんだりするからだ。精神疾患を持つ人が苦しまず、それゆえ自分の疾患にはっきり気づかないケースというのはごく稀だ。でも、カークのケースがまさにそれだった。彼の精神疾患は幼少期からずっと続く孤独の中で培われたもので、内面にとどまっており、表に出るのも、人間関係に影響するのも、彼自身に何かしら苦痛を与えるようになるのにも時間がかかった。そして、精神症状がいわば表出して彼が感じたことは、けっして苦痛ではなかった。上司のバグビーやX研究所の医師が示した驚きは、彼からすればむしろ愉快だった。自分の正常さをいっさい疑わない、とても稀な分厚い心の壁を前にして、私も初めは途方に暮れた。

二番目の印象――精神障害こそがカークを生かしている――が、彼のケースをいっそう扱いづらいものにした。どんな精神症状も、ある意味、患者自身を生きやすくするための手段であり、自分と外世界のあいだの軋轢《あつれき》を解決するその人なりの方法だというのは事実だが、実際にはどんなケースでも、精神症状に逃げこむより、セラピーその他の手段を講じたほうがもっと満足感が得られ、治療してもらってよかったと思える瞬間があるものだ。しかしカークの場合、それが見当たらない気がする。結局のところ、どこまでも続く空想物語を作る幸福感と競えるものなんて、何があるだろう？　長い年月をかけて彼が石を一つひとつ積んで築きあげた緻密な空想の建造物と引き換えにできるものを、私にしろ誰にしろ、提供できるものだろうか？　要するに、空想がなかったら、カークがカークでなくなってしまうだろう。彼はドラマチックな空想世界の中だけで生きているのだ。では、彼が正常さを取り戻したうえで生き続けるには、どうしたらいいのか？

この命題をはじめ、その他の疑問について、私は何日も思案した。そのあいだにカークは書き記した記録をすべて私に預けてくれた。この頃には彼のトランクがボルチモアに到着し、彼がちょうどいい住居を急いで探してそこに落ち着くまでのあいだ――難しい症例ではあるが、彼の治療を試みることに決めたので、長期滞在になる可能性が高かった――、私は彼が長年収集した資料の検討を始めた。

カークの〝記録〟については、かろうじて印象を伝えることぐらいしかできない。本書で私が自由に使えるスペースだけでは、内容をリストアップするのがせいぜいだ。まず、カーク・アレンの修正済み〝伝記〟が記された、約一万二千ページのタイプ原稿がある。およそ二百章から成り、フィクションの体裁がとられている。これに追加でカークの手書きのメモがだいたい二千ページ以上あり、そこには最近の〝調査〟によって必要になった訂正箇所やスクラップの分厚い束、封筒の裏に書かれた簡単な計算、領収書、クリーニング用の伝票、メモ帳から破りとった用紙などが添付されている。文字はカーク独自の速記法で書かれているので、大部分は判読不能だったが、なかには手早く書き殴られた略図やスケッチ、数式、何かのシンボルのようなものもある。とはいえ、それぞれに赤鉛筆で数字や文字が丁寧に振られ、主原稿のどこに付随するものかが示されていた。

そうした補遺やメモ付きの分厚い主原稿のほかに、以下のようなものが入っていた。
百ページ以上にもなる固有名詞および用語集。正確に縮尺されたフルカラーの地図が八十二点。四つの投影法にもとづいた二十三個の惑星図。そうした惑星上の三十一の陸地図。〈カーク・アレンの◯

〇〇探検記〉というラベルのついた十四冊のファイル。さまざまな惑星上の都市の記念品。百六十一枚の建築物のスケッチや立面図は、着色されたものもあれば、ペンによる単純な線画もあったが、どれも正しく縮尺され、注釈も詳しい。系図が十二枚。カーク・アレンの母星がある銀河系についての十八ページにおよぶ説明には、母星の季節ごとの星図と銀河系のほかの惑星にある天文台から見た星図九枚も含まれている。カーク・アレンが統治する帝国の歴史は二百ページあり、戦争やおもな歴史的事件について年月日や名前を書きだした三ページの年表が添付されている。四十四個の一連のフォルダーにはそれぞれ二ページから二十ページの用紙が入っていて、それぞれカーク・アレンが統治する惑星の特定要素について、首都の生活について、その惑星や銀河系のよその土地の生物の様相などがテーマになっている。フォルダーにきちんと印字された表題の典型例を挙げてみる。〈スロム・オルマⅠの植物相〉、〈セラネブの交通システム〉、〈スロムの科学〉、〈スロム・オルマⅠの地質学〉、〈谷間住民のメタ生物学〉、〈銀河科学研究所の歴史〉、〈スロム・ノーブラＸの超心理学〉、〈谷間社会の経済基盤〉、〈スロム・オルマⅠの社会学〉、〈統一場理論と星間駆動力学の宇宙航行への応用〉、〈スロム・ノーブラＸの結晶粒体独特の脳の発達過程〉、〈スロム・オルマⅠの人類学研究〉、〈谷間住民の信仰について〉、〈製造工程と染料化学〉、〈スロム・ソドラットⅡにおける火炎崇拝と生贄〉、〈セラネブの食料流通〉、〈結晶粒体の性習慣と実践〉、〈スロム・オルマⅠの植物生物学と遺伝学〉などなど。最後に、三百六枚の描画。水彩画もあればチョーク画、クレヨン画もある。描かれているのは人、動物、植物、昆虫、武器、食事用具、機械類、服飾品、乗り物、楽器、家具など……。

セラピー開始当初にカーク・アレンが私に託した資料というのは以上のようなものだった。私がこの大量の紙束を見てどんなに困惑したか、読者のみなさんにも想像がつくだろう。彼を正常にしようとする仕事に本当に取りかかっていいものか、私は疑念に駆られた。彼が私の迷いに気づいたかどうかはわからない。

カークのセラピーを始めたとき、そもそも雰囲気がよくなかった。すでに述べたように、彼は自分が正気だと信じこんでいたし、何もかも冗談だと考えていた。それ以上に、彼がここボルチモアに来たときの状況が治療に不向きだった。なにしろ、自分の意志で来たわけではないのだから。彼は当局によって治療目的でここに送りこまれた。それもこれも彼のためであり、同時に、今のような困った状態では、仕事をさせるにしろ解雇するにしろ、保安上のリスクがあるからだった。カーク自身は、おまえは狂っていると示唆されたことに憤慨しているとはいえ、やや渋りながらも、快くこちらに従った。私に対する態度として、相手が選んだ決闘の時間と場所、使う武器さえうやうやしく受け入れる、気高い敵役を演じていた。つねに礼儀正しく、ときには馬鹿にされているのかと思いたくなるほどこちらを立て、私の処置に従い、一言一句たがわずに指示どおりにしようとし、私が検討しやすいよう可能なかぎりあらゆる方向性を示してくれた。でも私には、彼の礼儀正しさや丁重さ、敬意は胸の奥にくすぶる反抗心を隠す仮面でしかないとすぐにわかった。この仮面の下には——実際、仮面があるからこそそうわかるのだが——敵意や不安さえ潜んでいた。カークもまた、自分には精神症状が必要だと、生きるために妄想に頼っていると無意識に認めている、私にはそうわかった。そして、表向きは無関心なふりをし、自分は正気だと言い張り、あれこれ経験したことは全部事実だと頑固に主張しながらも、当局にここへ送られたことや、私が治療を引き受けたことから小さな疑念が生まれ、自分の存在に不可欠な構造物が崩壊する危機に瀕していた。治療すると私が言ったということは、すなわち私も彼は狂っていると見なしたわけで、そこから生じた不安が敵意を呼び、初めのうち、カークはそれを過剰な丁重さで隠していたのだ。

　そういうわけで、経歴やこれまでの事情を聞き、〝記録〟を調べ、治療のお膳立てが整い、いよいよ本格的に治療を始めようとしたとき、とても緊迫した状況だったのだ。私としてはできるかぎり、カークの精神障害を証明する要素を一つひとつ数えあげたり、彼が正気かどうか決める綱引きをしたりするのを避けようとした。そうではなく、カークは気質も積んできたキャリアも科学者のそれだということは明らかだったので、生来彼の行動基盤にずっとあったもの、孤独とつきあうために彼が空想を巡らせるきっかけになったもの、彼が科学者になった理由を利用することにした——旺盛な好奇心である。

　カークは、自分の超心理学的経験については何の疑問もなく受け入れる一方で、どういう仕組みでそれが可能になるのかわからないことは認めていた。気になったのはこの点だ。話の端々にぼんやりと、〝テレポーテーション〟とか、生まれつき備わった特殊な超自然的〝体内器官〟とか、高度に発達した〝テレパシー〟とか、ある種の〝異常能力〟みたいな言葉は漏れ聞かれた。そこで、今まで話してくれたすばらしい冒険を彼がどうやっておこなったのか、さらには、なぜこと彼、カーク・アレンにそんな特別な才能が与えられたのか、一緒に明らかにしようという口実のもと、彼を積極的に治療に参加させようとした。もちろんそれには、少なくとも当分のあいだは、彼の経験が事実であり、記録資料は〝本物〟であり、彼の時空旅行の報告書は〝真実〟だ、と私も〝受け入れ〟なければならない。

私たちが同じ土俵に立ち、カーク自身興味をそそられている問題にともに取り組めるとわかったとき、そして、私はべつに彼が〝狂っている〟ことを証明したいわけではなく、それゆえ、彼が丁寧に積みあげた、自身の存在基盤となるじつは脆い構造を壊す脅威ではないとわかったとき、カークはようやく警戒を解き、熱心に共同作業に取り組み始めた。

持ち前の好奇心と、二人の関係に安心感を持てたことで俄然、勢いがつき、カークは私とともにその後何か月もかけて研究にいそしみ、目標としたゴールに向けて邁進した。最大の問題は棚上げにし、それに白黒つけるのは後回しにして――実際、そんな疑問は存在さえしないかのようだった――、目の前にある問題に集中した。端的に言葉にするとすればこうだろう――〝カークが報告した特別な経験を「知覚する」とき、彼の中で何が起きているのか?〟もちろん、いちばん大事にするのは現存する彼の伝記や、幼少時から思春期にかけての自己形成に関わる出来事や人間関係だが、この研究をするうえで何一つ見逃したことはないとカークが確信できるよう、彼の〝知覚〟の源を探る追加措置をおこなうことに私も同意した。というか、実際には私から勧めたのだが。カークは私が手配したさまざまな検査を折々に受けた。彼はジョンズ・ホプキンズ病院の診断クリニックで、仮名を使って徹底的な神経学的検査に挑んだ。脳波検査、気体注入エングラム、頭部レントゲン検査。それを知り合いの有名神経学者が調べ、内分泌学者が隅々まで確認し、自然人類学者にまで細かく検討してもらった。言うまでもなく、この詳細な検査や測定の結果はまったく異状なし。精神以外の点では、カークはいらだたしいくらい正常だった。

カークの分析結果を、とくに障害が起きる力学をここに長々と記すより、彼自身の話にスペースを割きたいので、治療初期にわかったことを手短に書いておきたい。私はこの時期が終わるまでに、彼の精神症状の原因となる埋もれた心理的要因を、少なくとも自分で満足のいく程度には明らかにできたと思う。それは簡単に言うと次のようなものだ。

読者のみなさんもうすうす察しているとは思うが、それは彼の人生のごく初期にさかのぼる。まわりから切り離されて孤立したカーク少年は、温かみのない無味乾燥な心の荒れ地で暮らすことを余儀なくされ、そこで心の奥底に抱える欲求を満たされずに過ごした。彼の心に大きな傷を残し、その後のパターンをかなりの部分、決定づけることになったのは、ポリネシア人乳母のマイナとの共生に近い関係を家族が突然断ち切ったことだろう。それまでカークは彼女に乳を与えられ、しっかりと守られて暮らし、生物学的欲求も感情的欲求も満たされていたが、その出来事のあと、彼の世界は一変してしまった。彼女との間柄を無理やり引き裂かれて、安心安全の源泉から遠ざけられただけでなく、世界との大事な接点まで失った。なにしろ、言葉を奪われて他者とコミュニケーションも取れなくなり、彼にしろどんな子供にしろ正常に成長するうえで必要な行動様式さえ、それまでのものは使えなくなってしまったのだから。マイナと引き離された期間はそう長くはなかったとはいえ、その経験は彼に大きなダメージを与え、強烈な不安を引き起こした。その不安に呑みこまれて脱け出せなくなりそうになった彼は、その年頃で唯一手に入る手段で必死にそれを抑えつけようとした——想像力だ。

カークが初めて構築した世界は、たいていの幼児が幼少期に得たものをしっかりと固めて子供時代へと移行する時期に形成された。本来その時期に精神がおこなう最大の実験が、現実というものの確認である。カークはこの成長過程を通らず、そのせいで現実世界と自分の心の創造物とを見分ける能力が阻害されてしまったのだ。この初期の内面世界については、カーク自身記憶がぼんやりしているので、詳しいことはほとんどわからない。それでもその性質は、彼の空想をいつも引き起こす同じ要因が基盤になっていると思われる。つまり、彼の孤独、卑小さ、拒絶された気持ち、子供っぽい無力感、人と比べてみじめで劣った境遇を全部反転させ、（将来の空想と同様）まったく正反対の想像上の人物に変身するのである。自分ではどうすることもできない出来事や物事の犠牲者ではなく、それをみごとねじ伏せてしまう勇者だ。

　カークの精神障害の最初期兆候とその決定要素の話はこのへんにしよう。これに続くのが、カークの空想を特徴づける、最も興味深い二つの性質――時間と距離――の原因が生じる時代だ。

　知ってのとおり、マイナはまたカークのもとに戻ってくるが、先ほど触れた別離のダメージはすでに彼の心に大きな傷を残し、あの本当に親密な関係はもう元通りにはならなかった。そのうえ、彼女が戻ってきたときと提督一家が委任統治領の島に引っ越したタイミングが重なり、さらには、そのあとカークの母親の引きこもりと忠実なポリネシア人乳母の死去が立て続けに起きた。少年はこれらの出来事も乗り越えなければならず、もちろん、今ではおなじみとなった想像力を駆使する方法がとられた。しかし、そうした出来事に加え、すべての子供たちに共通する一般的な成長プロセスの両方で困難を抱えることになったこの時期、カークの精神の成長過程に攻撃性や敵意といった要素がますます入ってくるようになった。

愛情を求めてもかなわず、孤立し、どんどん内向きになっていったカークは、強烈な憎悪感情を募らせ始め、それはすぐに破壊的な空想となって現れた。自然な欲求を否定され続けたことから生まれた荒々しい感情、攻撃し憎み破壊したいという衝動につながるその感情に耐えきれなくなると、今度は自分に付きまとうそうした感情をすぐにぶちまけて、その影響から身を守ることができる防御構造を作った。最初は空想のテーマに距離を、その後時間も取り入れることで、これが可能になった。この便利なメカニズムによって、欲求不満から生まれた、ある種本能的な破壊衝動を自分から切り離し、耐えやすくなったのだ。言い換えると、内面の不安や動揺、そこから生まれるネガティブな感情を空想の中に転換し、そうした空想を自分からは時間も場所も遠く離れた場面に投影することで、不安や否定的感情に耐えられるようになったのである。そうやって、マイナの死から彼の〝伝記〟本を発見するまでの期間、カークの空想は三つの側面を持ち始めた。つまり、しだいに無害な内容ではなくなり、身近な環境からより遠い場所へ移り、現在からどんどん遠い時間に設定されるようになったのだ。

だから本を手に入れたとき、カークはこれこそ身を守るための完璧な媒体だと察知して、無意識に飛びついた。身も心も未成熟なうちにリリアン先生と性体験を分かち合ったことが、しかもそれがどこか動物的で強烈なもので、彼に罪の意識を植えつけたことが、彼の心にのしかかる敵意や鬱屈した攻撃性、破壊衝動を助長した。そうしてふくれあがった考えや感情を、これまでどおりに空想投影に逸らそうとしてもとても無理だった。彼の空想力や創造力が不足していたからではない。彼の限られた現実資源で構築できる空想世界では、そのときのネガティブな衝動の圧倒的な重みにとても耐えられなかった。本を見つけたおかげで、彼は偶然にも命拾いしたのだ。

名前の一致という偶然だけでもう充分だった。その懸け橋によって、カークはつらい現実からごく安全な空想世界へひとっ飛びした。本を読んで開けた展望からすると、カークの衝動や欲求をいくらでも吸収してくれる余地がありそうだった。どこまでも広がる宇宙と無限に操作可能な時間が好きにできるなら、胸に抱える怒りに脅かされるおそれは今後いっさいなくなるだろう。制限のない宇宙空間と永遠に続く時間の中なら、そういう感情がどんなに強くなっても――現に今や強烈なのだが――、全部呑みこんでくれるから、彼は無傷でいられる。そして言うまでもなく、それに続く年月のあいだ、カークは実際、この何千光年もの距離と何十億年もの時間が必要になった。父が亡くなったあとの孤独な日々、内心の怒りと鬱憤はぐんぐん大きくなっていったからだ。

　カークが話してくれた空想の構造の最初の奇妙な変化は、〝伝記〟の内容をただ思いだすことから、本の範疇を超えて想像の遠征をおこない、その経験をもとに〝伝記〟を修正するようになったことだ。これについては、精神分析によって、彼の心がねじれて発達した当然の結果だとわかった。〝伝記〟の内容だけでは、カークが不安をそこに捨て、経験を思いどおりにするにはとても足りず、ここに至ったとき、カークは自分の求めに適応させるために、新しい素材を作るか、古いものを変えないわけにいかなくなった。この心の〝からくり〟を見つけるのは、カークの精神分析の中では比較的簡単な作業だった。この発見によって、私たちは彼の人生を隅々まで再構築する行程をかなり前進できた。この理解をカークの過去の扉を開ける万能鍵として使い、どうやって（そしてなぜ）彼の空想構築と過去の実際の経験がほぼ一対一で呼応しているのか、のちに彼に示すことができるようになったからだ。つまり、カークが過去を抑えこみ、その懸念される影響から解放されるには、一つひとつの出来事をちょっとした空想に変身させなければならず、でもそうして偽装すれば、時間と距離の助けも借りて、過去にもっと楽に対処できるのだ。

二番目の変化は、〝伝記〟の範囲より先の未来を思いだし、実際の経験に即してディテールを修正することで、これもまた心の自然な防御作業なのだが、この作業は、Ｘ研究所での仕事を始めた直後にカークの生活に加わった新たな要素のせいで必要になった。

すでに記したように、リリアン先生のエピソードはカークにとって初めての、そして唯一の性体験だった。少年にとっては破壊的な出来事で、どこか近親相姦的な欲求を彼の中に目覚めさせ、その結果として不安と罪悪感がもたらされた。実際、こうした感情こそが、カークをこれまで以上に深刻な非現実世界への逃避に急速に追いやったと言えるかもしれない。いや、リリアン先生がいなかったら、〝伝記〟という刺激にこれほど激しく反応する特殊な感性は生まれず、カークは正常に成長していた可能性さえある。いずれにしても、このニンフォマニアの家庭教師と出会い、身も心もぼろぼろになったせいで、現実世界では性的体験や女性をできるかぎり避けるようになった。しかし安全が確保された空想の中では、彼はそういうことに目ざといだけでなく、女性たちといくつも浮名を流す悪名高きドンファンと化した。そんな状況のなか、Ｘ研究所で仕事を始めたカークは、またしてもセックスの脅威にさらされることになったのである。

カークが携わっていたプロジェクトの同僚の中に、最近離婚したばかりの魅力的な女性地質学者がいた。カークより少しだけ年上で、知的で快活、人脈が広く、ユーモアのセンスもあり、みごとな研究成果で国際的にも有名だった。科学者仲間の中ではパートナーがいない唯一の女性だったので、独身が多い男性陣のあいだで引っぱりだこになった。ところが、彼女が興味を示した相手はカークで、秋波を送るのも彼に対してだけだった。よほど魅力的な女性だったのだろう、ほかの多くの女性たちはみな失敗に終わったのに、彼女はまんまとカークに近づくことに成功し、いつも心ここにあらずの若き物理学者とあっというまに仲良くなった。まもなく二人は頻繁に会うようになり、ときどき催される社交の場に二人で参加したり、その人里離れた場所にあるコミュニティでかろうじて提供される娯楽をカップルとして楽しんだりした。しかしカーク自身は彼女のことを恋人というより友人と考えていて、快適だから一緒にいるのであって相手の性別は重要ではなく、今後もそのままのつもりでつきあっていた。しかし女性のほうは違った。まもなくカークは彼女の態度に悩まされるようになり、ふたたびセックスの恐怖が頭をもたげ始めた。彼が尻込みすると相手はますます積極的になり、とうとう彼女の目的は明らかにセックスだとわかるようになった。カークはとたんに関係を終わらせようとしたが、彼女は応じず、容赦なく彼を求めてきた。あらゆる手練手管を用いて自分を誘惑しようとする彼女にカークは怯え、なんとかして逃げる方法を探った。

　カークが、それ以降の人生で最も重要となる行為――よその惑星にいる未来のカーク・アレンの体を乗っ取り、本人そのものになる妄想――を初めて経験したその夜、美人地質学者との問題がいよいよのっぴきならないものとなった。彼女の部屋で食事をしたあと、いきなり正面きってセックスをしないかと提案され、カークは恐怖のあまり文字どおり度を失った。激しく動揺した彼はそこを飛びだして自室に逃げこみ、自分を落ち着かせるために〝記録〟を開いた。夢中になってそれを読む彼には、非現実世界に完全に逃避するという解決策こそ、恐怖におののく崩壊寸前の自分を保持するいちばん手っ取り早い方法だと思え、無意識に手を伸ばしたらしい。以来、それが耐えがたい現実からの〝非常口〟となった。

もちろん精神分析医にとってとても興味深いのは、空想に完全に逃避するというこの解決策が講じられたとき、彼が意識して地図を書こうとした点だ。地図や図表、設計図といった素材は、何かしら人の形態を、とくに性的なことへの好奇心や当惑を無意識に象徴するとよく言われるのだ。カークの空想の新パターンがいきなり始まったこの出来事について考えると、空想が見えない圧力からの防御策としていかに有効か、とても明快にわかる。問題や緊張を時空の彼方へ追放してしまえば傷つかずにすむだけでなく、それらをきれいに解決したり緩和したりさえしてくれるのだ。

精神分析を始めた一年目の終わり、調査は急速に進み、情報もたくさん蓄積されたとはいえ、カークと私はなんともおかしな立ち位置にいることに気づいた。この頃には、私たちは巨大空想世界の全構造を解明していて、その発生源からルーツをたどり、経験した事実と空想の未来との相互呼応関係さえ、細部に至るまで調べをつけていた。ところが、どれ一つとして、患者の行動には影響を与えなかった。本人も自分の精神症状（私たちとしてはこの言葉を使うのはまだ避けていたのだが）の源泉が過去にあることは認めていたし、それが現実逃避のための自己防衛行動だということも認識し、私と同様に彼もなぜどんなふうにそれが起きるのか理解していた。それでも彼は空想をやめようとしなかった。夢中になって細部まで組み立てた奇妙な空想世界に毎日のように入り、毎回戻ってきてはわくわくするようなニュースや興味深い要素を〝記録〟に加えた。だが外から見るかぎり、何の破綻もない、すべて正常に機能している人間の仮面をかぶっている。今は私との面接を続ける以外に何の仕事もしていないので、時間も体力も好きなだけ自由に使え、羨ましいくらい悠々自適な生活を送っている。暇を持て余しているので、ボルチモアやその近隣の大学の授業に出席し、この土地の科学者と知己を得、コミュニティ内の研究会やら何やらに根を詰めない程度に参加している。要するに、何の不満もない状態だった。

一方、私のほうは不満だった。いや、不満程度ではすまない。この状況にまったく納得できなかったし、今まで受け持ったどんなケースより困惑していた。カークの症状が好転したように見えるのは、現実ではなく見かけだけで、唯一の成果は、患者が今も治療を続け症状が比較的安定していることぐらいであり、それだって精神分析のおかげと言えるかどうかわからない。安定しているというのは、つまり、少なくともこれまで以上にひどい精神症状が出ることはなく、奇妙な空想世界に入り浸る時間や程度も増えてはいない、という意味だ。要するに、昨年ボルチモアに来たときとほぼ同じ地点にとどまっているわけだ。

何週間ものあいだ、何をすべきかという問題と取り組んだ。立て続けに、ありとあらゆる療法や装置、自分が知っている、あるいは見聞きしたことがあるセラピーの方法について調べた。夜な夜な自分のメモを眺め、この奇妙な症例についてああでもない、こうでもないと考えた。彼との面接の合間、カークの分析のことばかり考えるようになり、それにつれてほかの患者に割く時間が減っていった。

私の過去の著作を読んだことがない人は、なぜ失敗を認めて、カークをほかの医者に、たとえば電気痙攣療法のようなもっと思いきった措置を取る精神科医に任せないのか、と思うかもしれない。これは私の選択肢にはない。当時も今も、ありとあらゆる心理療法の可能性を考えてみないかぎり負けを認める気になれないこともあるが、この患者に（いや、ほかのどんな患者でも）その手の荒療治を受けさせたり、好ましくない副作用を味わわせたりするのは良心が許さなかった。私は電気痙攣〝療法〟や精神外科治療に声高に異議を唱える者の一人で、そういうやり方はどんなに進歩的な治療規範にも違反すると心の底から思うし、短期的にも長期的にも百害あって一利なしだと確信している。個人の、ひいては人間という種の繁栄を左右する脳に電気ショックを与えたり、その一部を切除したりするのは愚の骨頂だ。第一、〝治癒〟したように見えるのは一時的であり、治療を受けた人の人間性に取り返しのつかないダメージを与えるということが、あらゆる結果や証拠からわかっている。とくにカークの場合、そういう方法はどうしても取りたくない。彼は精神症状があるにもかかわらず、とても頭脳明晰で、基本的には前向きな性格だ。精神障害で衰弱さえしていなければ、人類の文明の未来を担うような優秀な人材となる可能性だってある。だめだ。もし避けられる方法が少しでもあるなら、彼を、善意のもととはいえ誤った考えの同業者たちが生みだしている新種の〝植物王国〟の一員にはしたくない。

それなら、なぜ催眠療法を試さないのかと考える読者――過去に私の著書を読んだことがある方々――もいるだろう。答えははっきりしている。カークと現実とのつながりは曖昧で、正直言って、両者をつなぐその細い糸を断ち切ってしまうのが怖かったのだ。催眠療法にそういう影響力があるかどうかはわからないが、不安は拭えない。

この症例に有効かもしれない、まだ手をつけていない療法が一つだけあるとふいに思いついたのは、カークとの面接中に、もう彼を救うことはできないんじゃないかと絶望しかけたときのことだった。突然のひらめきとともに、カークをあの妄想から切り離すには、私のほうから彼の空想世界に入っていき、そこで彼を精神症状から解き放つ必要があるのでは、と思ったのだ。

　患者の精神症状にみずから入っていくという考え方は、とくに新しいものではない。セラピストは長年その方法を使っているが、ジョン・N・ローゼン*やミルトン・ウェクスラー*といった優秀なセラピストが実績を残しており、テクニックの基礎をまとめ、臨床でどう役立てるか論じた者もいる。この方法を用いたじつに魅力的な治療例の数々が、私がカークを担当したときにはすでに論文として発表されており、私も興味を持って読んだものだった。だが、自分ではこの方法を使った経験がなく、使われているところをじかに見たことさえなかったので、のちに見学させてもらった。だから、計画に乗りだすうえで、片手で数えられる程度の一般的な仮説で理論武装し、立ちはだかる障害についてもうっすら意識しただけだったが、藁にもすがる思いで、それまではカーク一人のものだった奇妙だがすばらしい空想世界に、ついに最初の一歩を踏みだしたのだ。

　私はまず〝記録〟に没頭した。四日間連続で、暇さえあればカークに渡された資料の束をめくり、しまいにはどんなにささいな細部さえ記憶に刻みこまれた。当然ながら、そこまで徹底的に調べるとさまざまな矛盾が浮かびあがり、私はそれを使ってカークの精神症状へ新たなアプローチを始めた。何をしたかというと、論理の矛盾や計算間違い、〝記録〟内の記述の不一致を指摘して、「修正」を求めたのだ。カークはそのために未来へまた「旅立ち」、必要な情報を手に入れて「帰還する」と、われわれは二人で欠けたところを正した。この時期の面接で具体的にどんなことがおこなわれたか、一例を紹介しよう。

　私がこの新たなアプローチを始めて数週間が経過したある朝、カークは定期面接のため私のオフィスにやってきた。彼が部屋に入ってきたとき、私は机の奥に座り、カークが書いた二枚の天文図と七枚の星図、天文研究についての〝記録〟の記述部分を調べていた。この時期の面接では長椅子を使っていなかったので、カークは椅子に座った。私の作業を眺め、数分ほど、私、地図、私が何かの数値を書きこんでいたメモ用紙に順に目を向けていた。私が無言で目の前にある資料に集中しているので、しだいに緊張感が高まり（私はそうなるとわかっていて、わざと黙っていた）、とうとう彼が沈黙を破った。

「何か問題でも？」彼が尋ねた。

「うん、山のようにね」私は答え、鉛筆を放りだすと、煙草に火をつけた。「距離がみんなでたらめだ。スロム・ノーブラXからの君の天文学投影が間違っているのか、星図そのものがおかしいのか。とにかく一致しないよ。ほら、ごらん……」

　その後十五分ほど、私は、カーク・アレンの母星がある風変わりな銀河の二つの太陽間の距離の誤り――昨夜見つけて小躍りした――について検討し、このミスから考えると、彼が書いた星図も正し

**ジョン・N・ローゼン**　アメリカの心理療法士（一九〇二―九三）。
**ミルトン・ウェクスラー**　アメリカの精神分析医（一九〇八―二〇〇七）。ハンチントン病（遺伝性の神経疾患）の研究でも知られる。

いとは思えないと指摘した。カークはそんな馬鹿なと大あわてし、胸ポケットから鉛筆を取りだすと、星図の裏に急いでいくつも計算をした。それが終わると顔をしかめ、椅子の背に背中をもたせかけた。

「どういうことかわからない」彼は言った。「研究所の原本から正確に写したはずなのに」

「もしかして、オルマヤの単位からマイルにするときに間違えたんじゃないのか？」

彼は首を振った。「ありえない」

「そもそもどうやって距離を測った？」

「星間駆動が発明されて、こういう太陽のすぐ近くまで移動できるようになるまでは、普通の測定方法が使われていたんです。ほら、分光器で光の分析をするとか、そういったたぐいの。でも、〈星間航行の時代〉以降は、間違いは直接計測器で測って、修正されるようになった」

「測量の単位は？　マイル？　キロメートル？　あるいは何か別の？」

カークはいかにも学者ぶった口調で言った。「基本単位は〝エカパリム〟で、われわれのマイルに相当するオルマヤ語です。実際、一と十六分の五マイルに等しい。でも、かなりの長距離だから、宇宙船に搭載された計測器は〝トンエカパリム〟で記録する。一トンエカパリムは約十六万マイルです」

彼はしばし考えこみ、それから言った。「マイル変換で間違えただけなのかどうか、ちょっと確かめてみよう」大急ぎで作業し、まもなく地図の裏側は数字でいっぱいになった。そのあいだ私は彼の様子をじっくりと観察し、その計算力に舌を巻いたが、彼の中で緊張が高まっていくのにも気づいた。カークはとうとう不快そうにうめき声を漏らし、鉛筆を机に放りだすと、室内を落ち着きなく行ったり来たりし始めた。

「そうじゃなかった。何かもっと根本的な問題だ」

「まあまあ」私はなだめるように言った。「そう深刻にならなくても。結局のところ……」

「深刻になるな、だって？」カークは大声で言ってこちらを向いた。目に怒りが燃え、こわばった顔には侮蔑が浮かんでいた。「深刻になるな、とはね？　僕のパイロットたちが日ごろ使っている地図なんですよ？　これまで宇宙船が数多く遭難したのも不思議じゃない」

「そんなに多くの宇宙船が遭難したのかい？」私は知らん顔で尋ねた。

　カークは震える手で顔をこすり、何かぶつぶつつぶやいたが、私には聞こえなかった。彼はそれから椅子に戻り、壊れたマリオネットのようにどさりと座りこんだ。私はその様子をじっと見つめながら、今の出来事の意味に気づいて、湧きあがる勝利感で興奮していた。そう、今初めて彼の空想世界に小さな亀裂ができた。立派な虚構についに風穴をあけたのだ。声に興奮が滲まないように注意しながら、同じ質問をくり返した。「そんなに多くの宇宙船が本当に遭難したの？」

「ええと……わからない」彼はためらった。「戻ったときに確認しなければ」

　私たちはまた黙りこみ、それぞれに物思いにふけった。でも、カークの胸中に私に対する疑問が渦巻いていることが、テレパシーさながらに読み取れた。これまで彼は、私が空想を受け入れているということを単に認めていただけだった。ところが今、自分の信念が微妙に揺さぶられている反面、私のほうはいっこうに動じていないことに困惑している。そう悟った私は、優位に立っている今の立場を急いで利用した。

　机の上の地図や図を取りあげ、デスクライトがじかに当たるようにしながら、何かを探すかのように一枚一枚めくってじっくり調べる。何ごとだろうとカークの不安を充分煽ったところで、私は尋ねた。「いつこれらを作ったか、覚えてないかね？」

「いいえ」カークは答えた。「どうして？」

「いや、それぞれに日付でも振ってあったりしないかな、と思いついたものでね。だとすれば役に立つから」

「どういうことですか？」

「ふと思ったんだよ」私は何気なく言った。「もし日付が書いてあれば、君がいつ研究所の原本を調べたのかわかるだろう、と」

「それがわかると何か役に立つんですか？」

「何の役にも立たないかもしれない」私は言った。「ただ、これらの地図は、〈星間航行の時代〉以前の情報にもとづいている可能性がある。そこに問題があるのかも。研究所を訪れた日付がわかれば、そのとき君が調べた資料を見せてほしいと頼めばいい。その手の施設には、君がどんな資料を見たのか記録が残っているはずだ」

　カークの目が輝き、理解するにつれて体が緊張していく。「つまり、これらの地図は古いものの写しで、僕のパイロットたちはすでに正しい星図を使っているかもしれない、ということか」

「そのとおり」私は言った。「だってそうだろう、もしそんなに多くの宇宙船が遭難していたなら、君はずっと前にそれについて耳にしていて、原因の調査がおこなわれたはずだ。ところが君は、どれくらい宇宙船を喪失したのかわからないと言った。それは妙じゃないか？　だからこれらは古いバージョンで、現在のパイロットたちは最新の星図を使っているのでは、と思ったんだ。今は、宇宙船の遭難する割合が異常に高いってことは、ないんじゃないかな。少なくとも、星間航行にともなう通常の危険性を考慮に入れた割合を超えて、遭難しているってことは」

「それを確認するのは難しくない」カークが明るく言った。

「そうだな」私も同意した。「あちらに戻ったとき、研究所に問い合わせるといい。謎はすぐに解けるさ」

私は立ちあがって、面接の終了を伝えた。カークは立ち去ろうとして、戸口で足を止めると、疑問の滲むまなざしでこちらをしばらくじっと見ていた。それで私も、一見難攻不落に見える彼の空想世界に、わずかながら亀裂を作ることに成功したのだとわかった。私が彼の空想に参加したこと、私がそれを完全に受け入れたこと、いやそればかりか、崩れかけた彼の防御壁を支える手伝いまでする共犯者になったことがわかり、カークは初めて自分の空想に疑問を持ったのだ。そして翌日、夜間にスロム・オルマに行って研究所を訪れ、私が予言したように、やはり彼の地図は「〈星間航行の時代〉以前の計算」にもとづいたものだった、と報告してくれたが、その声には今までにない調子が感じられた。思うにそれは、これまでのような自信や余裕のない、確信あるいは信念が揺らぎかけていることが現れた、躊躇のトーンだった。私の印象が正しいことを示す証拠が、その後どんどん蓄積されていった。私が促しても、カークは新しい星図の製作に取りかかろうとしなかった。作るつもりだときっぱり言っていたし、〝記録〟をつねに正確で完璧なものにするために作業しないと、という私の意見にうなずきながらも、なんとなくうやむやにし、次々に下手な言い訳を並べて先延ばしにして、いつしか忘れてしまった。

この出来事は、カークの精神症状に自分から飛びこもうと決めてから私が採用した作業パターンの一例だ。これはとても重要な一歩ではあったが、数多くの同じようなエピソードの一つにすぎず、その一つひとつが彼を精神症状から少しずつ切り離すのに役立った。これらのエピソードがどうやって効果を発揮したのか、眼識の高い読者ならもうおわかりだろう。このテクニックの根本にある原則を専門用語を使わずに表現するなら、じつはこんな陳腐な言葉になる――二つのものが同時に一つの場所を占めることは不可能だ。カークが持っているたぐいの妄想の中には、一度に一人以上入る余地はない。つまり、精神上の構造物でも、〝人の住処〟としてはスペースがごく限られている、ということだ。このケースがそうだったように、妄想に別の誰かが侵入してくると、もともといた住人は、文字どおり場所を譲るほかなくなるのである。

この奇妙な状況は、たとえばナポレオン妄想を持つ二人の患者が出会う場面を想像するとわかりやすいかもしれない。自分こそが本物のナポレオンだと思いこんでいたとしたら、もう一人同じことを主張する人物と出会ったとき、そこに疑問が生まれ、一方が、全面的にしろ部分的にしろ、降参するのは珍しくない。数年前、メリーランド州の精神科療養施設に勤務していたとき、まさにそういう状況を目の当たりにした。当時施設には、自分はイエスの母、聖母マリアだと思いこんでいる偏執病《パラノイア》の中年女性がいた。その女性が入院して数か月後に、偶然にも同じ妄想を持つ別の患者が施設に入ってきた。どちらも温厚な性格で、カトリックを信仰し、同じような社会経済レベルに属していた。ある日、病院の庭の芝生で、私と別の同僚医師がいる前で二人の妄想患者が鉢合わせし、打ち解けて話を始めた。まもなく一方が自分の〝秘密の〟正体を相手に明かした。その後の出来事はじつによい教訓となった。聞かされたのは〝古株〟のほうの患者で、目に見えて動揺した彼女は、すぐに驚きの反応を示した。「ありえないわ、あなた。頭がどうかしてるわよ。イエスの母はこの私だもの」新顔のほうの患者は同情の目で相手を見て、哀れみに満ちた声で言った。「残念ですが、混乱しているのはあなたのほうです。聖母マリアは私です」それから短い、でも丁重な言い争いが続き、私は止めに入ろうとしたが、年上で経験も豊富な同僚に引き留められ、とにかく黙って見ていろと言われた。しばらくすると口論が途切れ、長い沈黙が続いて、そのあいだに二人はたがいをしげしげと眺めた。とうとう〝年かさの〟患者のほうが、私の横にいる医師に合図した。

「S先生、聖母マリアのお母さんの名前は何でしたっけ」

「アンナだと思うよ」

するとたちまちこの患者がもう一人のほうに向き直った。顔がぱっと明るくなり、目が輝いている。

「あなたが聖母マリアなら、私はきっとアンナだわ、あなたのお母さんの」そして二人は固く抱き合った。

この話の後日談として、聖母マリア妄想を譲ったほうの女性は、その後治療が急速に進み、まもなく退院した。

妄想への参加には別の目的もあり、この点もけっして見過ごせない。慧眼のジョン・N・ローゼン博士の言葉を言い換えるなら、セラピストが患者と同じ行動をし、同じ語彙で同じ考えを口にすると、患者自身のイメージや行動がセラピストをスクリーンとしてそこに映しだされることになる。患者はそうして一押しに現実のほうへ追いやられ、今自分が目にしているもの、たとえば自分自身の行動と向き合って批評の目で見ざるをえなくなり、肯定するにしろ否定するにしろ、何らかの態度をとる必要に迫られる。この態度がまもなく治療の道具となって、医療従事者が精神建造物を作り直せるようになるのだ。

〝参加型セラピー〟のこれら三つの原則――ほかにもあるが、それらはここでは取りあげない――がカークに功を奏した。それまではカーク一人の領域だった空想世界に私がいきなり飛びこんできたことで、彼の〝生存圏《レーベンストラウム》〟が狭まり、自分の鏡像と向き合わされ、批評が求められる現実の立場に押しやられた。その結果、ゆっくりと、だが確実に、彼は精神症状から脱出し始めたのだ。

しかしその間、じつは、彼の担当精神分析医である私にも奇妙なことが起きていた（精神分析医というより心理療法士と言ったほうがいいかもしれない。私がこのとき用いていたのは、厳密にはもはや精神分析とは言えない方法だからだ）。できればあの状態をまた取り戻したいと思う（というのも、今思い返すとじつに面白く、ためにもなったからだ）、思いがけない個人的な効果があったのだ。

カークのケースには、初《しょ》っ端《ぱな》から魅了されていた。ほかのどんな職業でもそうだろうが、精神分析医の仕事にもそれなりに問題点や不満はある。人の心をめぐる冒険にはいつもわくわくさせられるし、私のような人間にとって、これほど知的にも感情的にも満足できる職業はほかにないだろうが、それでも同じことのくり返しが続く、長く平板な停滞期はあり、人間誰しもそういうときには不満を抱きがちだ。ときに訪れるそういうどっちつかずな期間、つまり、無意識領域を毎日旅することが単調だと思え、危険なジャングルの道なき道をゆく探検というより郊外の市電で自宅と職場をただ行き来するようなものだと感じられるとき、これに飽和状態と閉鎖環境というさらなる不快要素が加わるものだから、余計に耐えにくくなるといつも思う。

精神分析医は、作業の中でつねに人間の激情と身近につきあう。色欲、強欲、嫉妬、憎悪など、人間の七つの大罪にとどまらない負の感情もあれば、愛情、慈悲心、信仰心など、すばらしい美徳やあらゆる至福の境地もある。そうした強い感情に延々とさらされ続けるのだ。絶え間なく襲ってくる感情の嵐に巻きこまれはしないにしても、そういう空気感の中でじっと耐えなければならない。すると今度は飽和状態、つまり過剰すぎてうんざりする境地になる。嵐に対抗する、無感情という防波堤だ。突然起きる思いがけない〝ドッキリ〟だけが、こういう飽和状態に陥《おちい》った精神分析医に必要な関心や熱意をよみがえらせることができる。そうして初めて感覚がリフレッシュし、感度がまた戻って、作業の腕が発揮できる。さいわい、そういう〝ドッキリ〟には事欠かない。

閉鎖環境とは、私のような職業では実際に肉体的な動作が制限されるという意味だ。何をするにしても、それは面接室の中でおこなわれる。体を動かすことができない環境だ。私たちが参加する劇的な出来事やとんでもない争い、ショッキングな体験は、どれも私たちが腰を下ろして患者の話に耳を傾ける部屋の中で起きる。私たち精神分析医はつねに観客、いや、むしろ傍聴人だ。実際、そんなふうに物理的な制限を強制されることに、ときどきいらだちを覚えることがある。動きたくてうずうずする。じっとしていられなくなり、外の空気が吸いたい、手足を思いきり動かしたい、壁よりもっと遠くを見たい、と無性に思う。しまいには言葉また言葉の奔流にうんざりする。精神分析医が定期的に長期休暇を取るのはそのための解毒剤で、それは、彼らが海や山に行って、広々とした場所で思いきり体を動かしたがることからもわかる。

　精神分析医の実情についてこうして描写するのは、カークの精神症状に参加しようと決めたときの私の気分を説明し、そのあと自分の身に起きたことの背景を伝えたかったからだ。当時私は感情的飽和状態にあり、仕事に飽き飽きし、そのせいで満足のいく結果がますます出にくくなっているように思えた。そのときは、そんなふうに仕事にうんざりしているのは、解決できない精神的葛藤に対する防御だったなんてわからなかった。私は身を守るためにマントにくるまっていた、いや、患者の感情の嵐と自分のあいだに衝立《ついたて》を置いて、つねに感情が刺激される状態から心を守ろうとしていた、と言ったほうがいいかもしれない。そのうえ肉体的な制限にも限界が来ていた。昔から歩くなら走ろうと思う活動的な人間で、体というのはそもそも動かすように設計されているとすれば、こうして無為に肉体や筋肉がゆっくりと、しかし着実に衰えていくことが腹立たしかった。長時間ただ座り続けること。澱《よど》んだ空気。締まりのない腕や脚、生っ白い肌、ウエストラインの下でうっすらとたるみだした腹のほか、ささいなものだが、やがて訪れる肉体の老化を明らかに示唆するたくさんの兆候。それらを前にして私は無力感に駆られ、自己嫌悪に陥り、何もかも、もっとはっきりした答えがほしいのにそれが手に入らない怪しい職業を選んでしまったせいだと思った。

　それでも私の気分に影響したこれら二つの要素は、カークのケースが思いがけない変化を始めたときに起こったことの説明には必ずしもならない。この気分の揺れ以外に、私の心が彼に簡単に影響を受けた原因を挙げるとすれば、私自身、空想好きだったこと、ＳＦを好んで読むこと、私の人格形成に一役買っているある種の気質について述べなければならないだろう。

　じつは私も昔からあれこれ空想するのが習慣で、頭の中で物語を作って楽しんでいた。私の過去について詳しくなりすぎない程度に明かすと、この傾向のルーツは、カークと同じとまではいかないが似たところのある孤独な少年時代を過ごしたことにあるだろう。孤独といっても物理的にそうだったわけではなく、精神的なものだったが。それに私の空想はカークのような偏執的で暴力的で複雑なものではなく、どちらかというと、ウォルター・ミティ*型のありきたりな代物だ。子供時代や思春期の頃、空想は、学校や授業、中流家庭の生活につきものの単調な現実では得られない喜びを与えてくれた。成人してからは、昔も今も、刺激を麻痺させる日常の欲求不満の無害なはけ口となったし、正しく利用すれば創造する楽しみも味わえた。私は自分に空想力があってよかったといつも思っていたし、機会さえあれば使おうとしてきた。しかし、カークのエピソードを知って、じつはそれが諸刃の剣だと初めて知ったのだ。

　ＳＦ趣味については、字を覚えてからというもの、ずっとそのジャンルのファンだったとはっきり言っておく。同級生から『アメイジング・ストーリー』誌を教えてもらうと、たちまち夢中になってＳＦと名のつくものなら何でも読み漁り、両親は本棚にあふれ返る読み古されたパルプマガジンを眺めては、現代の親たちが子供の大量の漫画本を見るときと同じように、頭を抱えたものだった。さい

**ウォルター・ミティ**　ジェームズ・サーバーの短編小説「虹をつかむ男」の主人公。冒険や偉業について空想する凡庸な人間の代名詞となった。

わい、私は趣味の傾向として、まもなくもっと高度な芸術作品の域に達している作家を求めるようになり、ギョロ目の宇宙人ものからすぐにエドガー・ライス・バローズ、H・G・ウェルズ、ジェラルド・ハード*、オラフ・ステープルドンらへ興味が移った。四十歳の今も、やや臆しながらもSF中毒は続き、ヴァン・ヴォークトやレイ・ブラッドベリらの誘惑には抗《あらが》いつつ、ジョージ・オーウェルの新作（ああ、これ以上新しい作品を書かないでくれ！）やフィリップ・ワイリー、あるいはオルダス・ハクスリーの作品の抵抗しがたい魅力には大喜びで屈服する。ちなみにSFには、娯楽として楽しませてもらっただけでなく、ほかの面でももっと影響を受けている。生まれつき強かった好奇心や科学好きがSFを読んだことでますます高じ、意味論や人工知能研究といった分野に真剣に取り組み始めただけでなく、哲学や高等数学、天文物理学といった知的趣味に興じる基盤を作ってくれた。

　気持ちが飽和状態だったこと、閉鎖的な空間に閉じこめられて落ち着かなかったこと、想像力の駆使に慣れていたこと、そもそも熱烈なSFファンだったこと、こうした明らかな要因によって、カーク・アレンのセラピーの終盤に、私みずから興味深い経験をすることになったのだろう。読者のみなさんはもう察しがついたかもしれないが、私はセラピストを務めながら患者の精神症状にすっかり巻きこまれて、しばらくのあいだ、多少なりとも彼の執着を共有したのだ。

　さっきも言ったように、私はカークのケースを初めて知ったときから魅了されていた。〈魅了する《ファシネイト》〉を辞書で引くと、私がどういう状態だったかイメージが湧き、これからする話がわかりやすいだろう。この言葉には「魔法にかける、魅力で虜《とりこ》にする、呪縛する」などの意味があり、まさに、彼の壮大な妄想に自分から積極的に参加するにつれて現実と空想の境界線が薄れだし、気づいたらカークが設計した驚くべき世界に半ば入りこんでいた、とわかったときの精神状態を表すのにうってつけだ。最初はゲームだった。彼の空想世界を丸ごと受け入れてみせるのは、あくまで見せかけで、沈みつつある救命ボートにしがみついている混乱した精神にそれを手放させるための手段だった。ところがしだいにただのゲームではなくなった。駒を動かす作戦や策略がそれを操っていたプレーヤーの手からいつしか離れ、それ自体が強力なツールとなって、本人が気づく暇もなく、プレーヤーを空想世界に呑みこんでいたのである。

おそらくそういうことが私の身に起こっていたのだろうが、その原因は、すでに述べた要因以外にあると思う。私の持つまた別の性格上の複数の個性がその役割を果たしたと考えてまず間違いない。なかでも、私の性格の決定因にして行動の動機でもあると以前からわかっていた要素を二つ挙げれば充分だろう。

まずは、私がずっと大切にしてきた願いをカークの空想が実現してくれるかもしれない、その可能性に心惹かれたということがある。知りたいことを知り、やりたいことをやり、時間的な制限のせいで私をはじめあらゆる人々がなれなかったどんなすばらしいものにでもなれる、充分な時間を手に入れる願い。私は並はずれた好奇心の持ち主で、知りたい、経験したいという気持ちにはほとんど際限がない。現実の人生ではこの欲求を充分に満たす余裕はないが、私の患者が作りあげた複雑な創造物

**ジェラルド・ハード**　イギリス出身の歴史家、文筆家（一八八九―一九七一）。H・F・ハードの筆名で小説を手掛ける。小説の邦訳にホームズ・パスティーシュ『蜜の味』などがある。

の中でなら、それができる。その意味で、とても魅力的だった。彼の空想世界に加われば、この果てしない好奇心を満足させ、貪欲に知識を求める心の慢性的な渇きを癒す幻想が持てる。私の好奇心はすでにたっぷり耕されているから、ほんの一歩踏みだしさえすれば、時間の監獄から脱走できるだろう。そして、地質学者でも、探検家でも、天文学者でも、歴史家でも、物理学者でも、冒険家でも、自分のさえない空想の中でいつぞや変身してみたことがあり、そういう人の知識を身に着けてみたいものだと思った、どんな憧れの人物にでもなれるのだ。こんなに魅力的なことはない。

さらに、カークの地球外世界の妄想には、私を惹きつける別の魅力もある。何かを思いきり創造してみたいと欲してやまない人間にとって、このまたとないチャンスは見逃しがたい。〝創造主〟の地位にはすでに先客がいるとはいえ、カークの想像力にあふれる空想世界に侵入するという私の特殊な立場なら、どんな気まぐれな発明もどんな思いつきも自由に実行に移せるし、ずっと憧れていた創造主に近いどんな行動もできる。玉座に座る権力者、現実の束縛を受けずに世界を動かす主人として、大々的に創造力を発揮できるとしたら、言葉にできない誘惑を感じるではないか。

こんなふうに私にもともとこんな素因があったことを考えれば、カークの精神症状に参加したことで、本来絶対の自信があった心の安定を揺さぶられ、心理的苦痛と呼ぶべきものがもたらされたのは、けっして不思議ではなかった。人には誰でも抵抗力の弱い部分があり、どんなに強固な心の鎧にもどこかに弱点があるものだ。今回、カークの精神症状が生んだ創造物と私の個人的なアキレス腱が、偶然、時計の歯車のように噛み合ってしまったのである。

私がカークのユートピア的妄想の虜になる最初の兆候は無害なもので、問題など起こしそうになかった。全体として、空想のディテールへの興味がどんどん増していき、もっと知りたいという穏やかだが執拗な気持ちが生まれた。しかしそれまでと違うのは、この興味と執着が、空想そのものの役に立てばという気持ちから出たものでも、カークの治療のためでもない点だ。私は相変わらず〝記録〟の中の間違いや矛盾点を熱心に探していたが、「それをきちんと正し」、「真実を手に入れ」たいという思いがやけに強かった。相違点を見つけるとき、以前ならカークの治療だけが目的だったが、今やそれを正す方法を考えるのが第一だった。それに、これまでは間違いを発見したら、患者の精神症状をやっつける武器がまた一つ見つかったと思い、満足感を覚えたものだったが、それもなくなった。むしろ、そういう間違いによって私自身が不安になり、私自身が落ち着かなくなり、そうして生まれた軽い不快感は間違いが訂正されてようやく消えた。

さらには、〝記録〟の問題点がカークと話し合っても解消されないケースも出てきた。そうなると、自分で解決しなければという切迫感が生まれた。まもなく私は気になる点を〝解決〟するため、余暇の時間に計算やら推論やらに熱中するようになった。そうしてなんとか答えが見つかると、心底ほっとした。私が創意工夫を重ねたすえに問題を解決してカークにその説明をしたとき、彼からもらう惜しみない賞賛の言葉もまた、同じくらい嬉しかった。しかし、カークと議論しても、私みずから頑張っても、答えがどうしてもわからないことがあり、すると必要な情報を手に入れるために、彼にそれが手に入る場所へ〝旅して〟もらうしかなくなった。そういうとき、まるで使い走りの子供か何かのようにカークに空想世界への遠征を命じ、私は私で、彼の〝帰還〟を今か今かと待ち焦がれた。

ここまで来ると、読者のみなさんのためにははっきりさせておくべきだろう。今まであれこれ書いてはきたが、前述の期間も、この奇妙な状態が質も量もともに高じていくその後も、私はけっして精神障害を患っていたわけではない。というより、この間ずっと、もしかすると偏執病に発展しかねない、魅惑の虜になった状態だったのだ。カークがはるか未来の、存在すらしない遠い銀河系に〝旅する〟など、現実には不可能だとずっと承知していた。しかし、彼の空想世界のことがあまりにも気になって、そのすばらしいディテールを授けてもらえる方法については、私個人としては、見て見ぬふりをしたほうが都合がいいと考えたのだ。つまり、カークが〝事実〟をどうやって手に入れるかは無視し、〝事実〟そのものだけに意識を集中させていたのである。情報収集しなければならないとき、カークが説明のつかない〝テレポーテーション〟だか、何かわけのわからない超自然的な方法だかを使っていることについては、精巧な奇想に熱中するあまり、単純に無視したわけだ。

　しかし日が経つにつれて、ここまでに書いたような症状は回数も強さも増していった。まさに偏執病的で、この種の問題の傾向として、私の思考や行動にも大きな影響をおよぼし始めた。空想世界やそれを楽しむ気持ちは、これまでは実際にカークと会っているときや余暇の時間にしか誘ってくることはなかったが、その頃には、私が別のことに完全には集中していない隙を狙ってきたり、下手をすると、カークやその妄想とはまったく無関係なことをしているときにさえ侵入してきた。たとえば、ふと気づくと、何かの言葉や用語、名前などを〝オルマヤ〟語に翻訳している。この奇妙な言語の一節が何の前触れもなく頭に浮かんできて、何かのジングルみたいにうるさくつきまとい、根負けした私はとうとう紙に書きだして英語に訳しだす。私の頭が、驚くほどの速さでこの空想物語に占領されていくようだった。

以来、書き物をしているときに、私がこの空想にどんどん執着を深めていることを何らかの形で態度に出していないか、周囲にいる人々に尋ねてまわった。私がここで告白するような状況に気づいた人は一人もおらず、どうやら、まわりの人々に対しても、仕事の面でも、私の態度に変化はないようだった。どうしてなのかはわからない。なぜならこの頃の自分は、普段なら刺激を受けたような出来事にも興味を失い、いつも頭がお留守でぼうっとしていた、そんな印象があるからだ。実際には、傍目には冷静で落ち着いているように見えても、それはあくまで仮面にすぎず、その陰では、世にも華々しい現実離れした暮らしを送っていたのだ。カークがとまどいながらも手助けをしてくれたおかげで、私は宇宙を駆ける大冒険に加わり、彼が考えだした派手な一大活劇をともに楽しんだのである。

今この期間のことを思いだすと、治療における利他主義の精神を自己正当化の根拠として使い、そうしてあらゆる不注意なセラピストを待ち受ける罠にはまったことがわかる。ふと立ち止まって自分が今何をしているのか、おのれの考えや感情は本当に正しいのか自問自答するとき、私はあえて、致命的になりかねない空想の魅力に屈服している証拠には目を向けず、私の行動は患者の治療に必要な方策なのだと自分に言い聞かせた。今考えると、当時の精神状態では、空想のある種の要素——すでに述べたものもある——が、私の中で長らく眠っていた望みや欲求をまさに実現してくれるからこそ、これほど強力に私を引き込んだのだとわかる。とはいえ、私がその欲求の強さに気づいていなかったせいで、容易に自己欺瞞メカニズムの餌食になってしまったとも言える。私の自己欺瞞は、カークの精神症状が私が提供できるような治療をちょうど必要としていたという偶然から生まれたのだ。

とにかく、私は今触れたような理論武装のもと、この短いが重大な期間、深淵に今にも落ちそうになりながら、その縁を危なっかしく伝って治療を進めていた。自分が危険なゲームをしていると知っていたのに、当時はまだ気づかずにいたおのれの隠れた満足感という賞品を懸けて、ぎりぎりまでプレーを続けるつもりでいたらしい。自分がどれだけ深く潜れるか限界に挑戦する泳ぎ手のように、どこまで行けば最終的な運命にたどり着くのか、無意識に試そうとしていたかのようだ。こうして、私の注意力がいよいよ散漫になっていた頃、ゲームは致命的な域に達し、心を完全に降参させようとする邪悪な力と正気を保とうとする精神エネルギーとのぎりぎりの綱引きがおこなわれた。この精神エネルギーは終始、明晰で、分析力を維持していた。必死に自分を保とうとしただけでなく、普通ならここまで追いつめられることはないくらい追いつめられても、きちんと危険を察知した。私の運命はこの精神エネルギーに懸かっていた。同じ精神の下層部分を占領した空想の魅力に抗うため、それは果敢に闘い、最終的には勝利したのだ。

とても無視できない偏執病の明らかな兆候が見え、私の自我もいよいよこれは危険だと気づいて、光のエネルギーの味方をする瞬間が到来した。これは決定的だとわかったのは、強烈な不快感が襲ってきて、症状が悪化したあげく痛みさえ感じ始めたからだ。これは本物の危機だと私に教え、必要な自衛メカニズムのスイッチを入れたのは、まさにこの痛みだった。

何が起きたのか話すには、まず初期の偏執病の臨床像を示す必要があるかもしれない。とはいえ、ここはそういう描写をする場所ではないので、すでに述べたあらゆる執着の症状がとても強くなった、とだけ言っておこう。たとえば空想を切望する気持ちは、わくわくするうちにいつしか消えていたのに、もうそれではすまなかった。切迫する不安と化して、もはやとても無視できなくなった。高まる不安の波に合わせて執拗な要求が増え、こう考えろ、ああ行動しろ、と命令が過酷になっていった。空想を求める回数も、詳細を調べる時間も、そのために注ぐ労力もどんどん増え、とうとう私のほかの生活域にまで侵入してきた。

空想に魅入られていただけだったのに、それが精神的苦痛に変化したとき、さすがにまずいと思った私は、この奇妙な窮地から脱出する必要な措置をとった。まずは自己分析を始めた。この使い慣れたツールによって少しずつ急性症状はやわらぎ、精神症状から回復するためのさまざまな気づきをもたらすプロセスの導入を始めた。しかし、このプロセスを完了する前に、びっくりする出来事が起きたのだ。わずか一時間のあいだに、私を魅了していた空想の魔力が解けただけでなく、カークの治療までうまくいって、ついに幕を下ろすことになった。というのも、カークと私が図らずも役まわりを交代するはめになり、二人が分かち合っていたこの馬鹿げた空想世界がとうとう崩壊したのである。こういう意外な大団円は何度か経験したことがあるが、そのたびに、やっぱりこの仕事は予測のつかない、じつに価値あるものだとしみじみ感じる。

場面はいつもと同じだ。騒々しい通りを上階から見下ろす、ボルチモアの私のオフィス。外ではにわか雪が降り、雪片が地面に落ちるたびにすっと溶けていた。その柔らかなスクリーン越しにマウント・ヴァーノン地区の記念碑が、その向こうには忙《せわ》しない港が見え、古い印刷物のような美しさがあった。でも室内は静かで暖かかった。陽ざしがないので、照明という照明がともされ、柔らかな影がココア色の壁にぼんやりと幾何学模様を描きだしている。私は机を前にして座り、カークが描いた描画を調べながら、彼との面接の準備をしていた。隣室から、秘書が叩くタイプライターの音が聞こえてくる。ふいに心地よいチャイムの音がしたかと思うと廊下のドアが開き、カークが時間どおりに到着したのがわかった。彼に早く会いたかった。昨日彼に〝出張任務〟を依頼し、以来ずっと報告を待っていたからだ。一定の時間をおいてからブザーを鳴らし、彼に部屋に入るよう合図した。

　現れたカークは、私の机の脇にある椅子に腰を下ろした。そこが彼の定位置なのだ。私たちはもごもごといつもの挨拶を交わし、それから前置きなしに、今ではおなじみとなった切迫感に背中を押されるようにして、私から切りだした。

「情報は手に入ったのかね？」

　カークはうなずき、ポケットから革装のノートを取りだすと、開いて机に置いた。私は急いでページを繰り、それぞれに描画とカークの手書きのメモが添えられているのを見て、たちまち満足感が胸に広がった。それから最初のページに戻って留め具からはずし、私の肘のところに置いた束から取りだしておいた一枚の描画の横に置いた。カークには注意を払わずに、その二枚の用紙に集中する。二枚を比べてメモを取ることにとても熱中していたので、カークが席を立って窓辺に近づいたことに気づかなかった。コメントしようと思い、ようやくそちらに目を向けたとき、彼が不安げな表情でこちらを見降ろしているのがわかった。

「何か問題でも？」私は尋ねた。

「いえ」彼が答える。「べつに何も」

「じゃあなぜそこに立っているんだね？　一緒にこれを検討したくないのか？」

「あまりその気になれなくて」

「いったいどうして」

カークは肩をすくめた。「わかりません……ちょっと疲れたのかも」

「それは妙だな」私は言った。「オルマヤの民族構成に関するこの資料はとくに興味深いのに……そう思わないか？」

彼はまたしても肩をすくめたが、今度は席に戻った。

それから十五分ほど、私たちはともに〝作業した〟。私は活発に意見を出してすっかり熱中していたが、カークが集中力を欠いていることにはさすがに気づいた。こういうことは珍しい。いつもの彼ならもっと話に乗ってくるはずだからだ。今朝の彼は〝心〟ここにあらずだ。私が何か質問しても気のない答えしか返さず、こちらから議論の命題を提示しても、声や態度に熱心さが感じられなかった。しまいにカークがまた立ちあがり、部屋の中をうろうろし始めたとき、様子がおかしいことをもう無視できなくなった。

「カーク」私は机の上に散らかった書類を脇にどけて、煙草に火をつけた。「いったいどうしたんだ？今朝の君はおかしいぞ」

「べつに。何でもありません」

「ではなぜそんなに……落ち着きがないんだ？」

「いえ、ただ……」カークは両腕を力なく動かして何か訴えようとしたが、声は途切れて消えた。

「ただ、何だね？」と促す。

「じつは……あなたに話さなければいけないことがあるんです……でも、言いづらくて」

「私にまだ話してないことがあるのかね」

彼はうなずいた。

「君自身のことかね、それともこの作業のこと？」

「両方です、たぶん」

「なるほど。君が胸の内を打ち明けがたく感じるなんて、今までもずっとそうだったのかな」

「そういうわけじゃない……ええ、いつもは。ただ、それとこれとは別で」

「とにかく話してごらん」私は促した。

カークは机の向こう側で足を止め、不安げに私を見つめた。

「わかりました。話しますが、たぶんあなたには面白くない話でしょう……」そして続けた。「僕はずっとあなたに嘘をついていた」

「私に嘘を？　どんな？」

彼は身を乗りだして、ノートを取りあげた。「たとえばこれ。それにこれも」そう言って、机の上の書類を示した。「ええ、この数週間あなたに渡していた資料すべて。全部嘘です、何もかもが。でっちあげです……僕がみんな創作した。この……馬鹿げた代物を！」

私はなんとか気持ちを表に出すまいとした。失望と達成感、懸念と安堵、いろいろなものが入りまじった感情が体を駆け抜けるのを懸命に隠す。自分でも震えていることがわかる指で、煙草をゆっくり揉み消した。

「君がこれらを全部創作していた？」私は尋ねた。

「はい。すべて」

「みんな嘘っぱちなのか」私はもう一度尋ねた。

「すべて嘘っぱちです」

「宇宙……旅行さえも？」

「宇宙旅行！」カークは鼻を鳴らした。「宇宙旅行って何です？　僕がこの馬鹿げたことをやめてから、もう何週間にもなる……」

「だが君はずっと私にあれこれ話し――」

彼は椅子の端に浅く腰かけ、全身が硬直し、顔が緊張でこわばっていた。「あなたに何を話していたのかわかってます」と真剣に訴える。「でも、じつはずっとそういうふりをしていたんです。宇宙旅行なんてしていなかった。こいつを全部見返したんです――何週間か前に……」

「全部見返したって、どういう意味だね？」

「言ったとおりですよ。僕は頭がどうかしてたと気づいた。長年ずっと妄想をはぐくんでいたとわかったんです。〝宇宙旅行〟なんて一度もしていない。僕はただ……頭がおかしくなってただけだ」

「じゃあどうして、〝ふり〟を続けていたんだね？　なぜ私にあれこれ話し続けた……？」

「話さなきゃと思ったからです。あなたが僕にそうしてほしがってると感じたからですよ！」

最後の言葉が静かな部屋に何度も何度も反響した。しばらくのあいだ、ずっとそれが響いて聞こえていたように思える。やがて小さくなって消え、朝のいつもの音がそれに取って代わった――エレベーターのゴトゴトという喘息のような音、廊下の先のドアが閉まる音、九階下の通りで響く車のクラクション。

私は立ちあがり、長椅子の背後の椅子に近づいた。そこに腰を下ろし、カークに長椅子に横たわるよう促した。彼が横になると、私は「事情を話してくれないか、カーク」と告げた。

……カークが精神症状から脱したのは、突然起きたことではなく、私が彼の妄想を共有している、あるいは少なくともそう見えることに気づいた瞬間から、徐々に理解していった結果だった。私が参加し始めたそのときから、妄想は何となく力を失い、そこから得られる喜びにも以前のようには心が沸き立たなくなった。そんなふうに空想の魅力が減ったうえに、彼の過去について長い時間をかけて二人でせっせと振り返り、そこからわかったことが、ここにきてようやく腑に落ちた。空想にのめりこむかつての推進力、自分の望みを異常なほど敏感に察知する能力がカークを架空の世界へ衝き動かしていたのだが、その力が弱まりだした。その驚くべき自己防衛力——今やカークは自分の執着のことをそう認識していた——が崩壊しだし、いや、衰えだしたと言ったほうがいいかもしれないが、一要素ずつ現実と置き換わっていったのは、まもなくのことだった。

　ところが、治療後期のこの時期、彼自身はしつこい妄想から日増しに解放されていくのがわかったが、本人の話では、ある奇妙な理由から妄想に携わらざるをえなかった。理解しがたく見えるとはいえ、私のために妄想に従事しているふりをしなければならないと感じていたのだ。空想世界に私がやけに魅了され、ディテールを求めてやまず、文字どおり同じ興奮や満足感を共有しているように見えたことは、カークが理性をとりもどし、やっとつかんだ現実の範囲がしだいに広がっていくにつれ、彼をとまどわせ、つらいジレンマにおとしいれた。本人はもはや空想を信じていないのに、私のほうは信じていると思いこんだ。だから彼は私を友人として心配し、熱中しているふりをして、自分がもう空想を信じていないことを打ち明けられずにいた。そんなことをすれば私を〝傷つけて〟しまうからだ。カークの立場は思いがけず、彼の大それた妄想に参加しようと決めたときの私と似ているが、大きな違いがある。彼が私を傷つけられないと思ったのは純粋に友情からだったが、私がそういうふりをしたのは、精神科医として彼のデリケートな心理状況を考慮して治療する、という異なる目的からだった。

そのうえカークは、精神症状から脱したその時点で、じつは私が彼のために立てていた唯一の目標をすでに達成していたことに気づかなかった。私がとった行動は、彼を妄想から脱却させるためのものでしかなく、私にとって大事なのはその一点だけだったのだ。カーク自身そう感じていたように、私たちは立場が完全に逆になり、そのせいで彼は混乱し、不安になり、どうすることもできずにいた。読者のみなさんももうおわかりのように、私がすぐれた役者で、一見正反対になった役回りをカークにすっかり信じこませることができたから、そうなったのではない。いやむしろ、私があのみごとな空想世界に本気で魅力を感じ、どうしようもなく心惹かれていたことに、彼が気づいていたからなのだ……。

カーク・アレンと出会うまでは、自分は精神的につねに安定していると信じて疑わなかった。精神錯乱なんてものとは縁がないとずっと思っていた。耐性があり、懐が深く、ユーモアさえ備えている私の心は難攻不落だという神話にしがみついていた。少なくとも私は完全に正常だし、たとえ何があってもそれは揺るがないという点で自分はすぐれていて、仲間たちの弱さや不安、とまどいを前にするたび、今思うと軽蔑の目で見ていた。

なんて独りよがりだったのだろう、と自分が恥ずかしくなる。だが今の私は、長椅子の背後にある椅子に座って話を聞きながら、分をわきまえている。私が座っている椅子と長椅子は紙一重なのだ。最終的に誰が長椅子に横たわり、誰がその背後の椅子に座るかは、ちょっとした巡り合わせでしかないのである。

カーク・アレンと会ったのは何年も前だが、今も彼のことや、一緒に銀河を駆けた日々のことをよく考える。とくにロングアイランドのペコニック湾上空で星がまぶしく瞬く夏の夜、私はカークのことを思い出す。そしてときどき空を見上げ、にっこりほほ笑みながら囁《ささや》くのだ。

「クリストペッド人との交渉はどうなったんだろう」

「セラネブの状況はどうだろうか」

# アンバー・プリント

ベイジル・コッパー

植草昌実 訳

Amber Print

Basil Copper

# 1

「まさに驚くべきプリントだよ」店の奥から、品物をごたごた置いた広い部屋へと、ミスター・ブレンキンソップは先導していった。彼の友人は、その言葉に血色のわるい顔を上気させ、あとに続いた。

「いったい、どこで手に入れたんだね」その夜、ミスター・カーターがこう尋ねるのは、おそらくこれが十三回目だった。「ウーファ[★1]は二〇年代にデクラ[★2]を合併したが、バーベルスベルク[*]の撮影所は第二次大戦で焼失したんじゃなかったか……」

「そのとおりだ、ヘンリー、まちがいない」普段は高く通りのよいブレンキンソップの声は、気が急《せ》いているからか、嗄《か》れていた。「まったくの幸運さ。まずは祝杯につきあってくれ」

マホガニーのサイドボードに向かって友人が支度をしているあいだ、カーターは革張りの安楽椅子に身を沈めた。ブレンキンソップの店に出しきれない品物に溢れかえった部屋は、奇妙と言うよりはむしろ奇怪と呼ぶのがふさわしかった。鹿の首の剥製や昔の武器、珍しいガラス器や陶磁器、紫檀の飾り戸棚や金鍍金《めっき》の置時計などが、この広い居間の薄暗がりを出たり入ったりして、ブレンキンソップの骨董屋で買われるときを待っている。次にこの部屋に通されたときは何を見ることになるのか、カーターには想像もつかなかった。

　ブレンキンソップの骨董品の数々が、ずっと時代の下った映画フィルムの缶や、映写機などの機材のあいだに無造作に置かれているのは、さらに奇態な眺めだった。彼らはどちらも独り身なので、趣味に没頭していられた。ブレンキンソップは骨董品やヴィクトリア朝の美術品を店で売りつつ、蒐集もしていた。カーターの仕事は趣味とは兼ねられなかった。会計事務所に勤める彼は稀覯本を蒐集してもいるが、もっとも熱意を傾けているのは、友人と同じく映画史の研究であり、さらには世界中のいたるところからあらゆる伝手《つて》を頼って貴重なフィルムを集め、上映して見せることだった。

　二人はこの高尚にして贅沢な趣味に、時間と金を惜しげもなく注ぎ込んでいた。ともに世界有数の蒐集家だったが、世界とはいっても蒐集家の数は五百人か、せいぜい一千人。それぞれ専門分野を持ち、ブレンキンソップは一九二〇年代のドイツ映画、カーターは一八九五年から一九二〇年までのニュース映画や記録映画と、自分の領分では大家と呼ばれるほどになっていた。ともに膨大なコレクションを所持し、缶や箱に収めたさまざまな規格のフィルムに家を占拠されていた。

　長い付き合いの友が興奮しているのを電話の声から察し、彼が手に入れたものにカーターが興味を

★＝映画関連の註は369ページから
**バーベルスベルク**　ポツダム市内の町。現在も映画撮影所で知られる。

抱いたのは、そのようないきさつがあるからだった。今、彼はブレンキンソップがサイドボードの前でせわしなく動いているのを見ながら、期待に目をしばたたかせていた。そして、黄色い液体を満たした小ぶりな切子のグラスが前に置かれると、手に取ってその香りに満足げな笑みを浮かべた。友はまたサイドボードまで行き、自分のグラスを手に戻ってきた。二人は楕円形のテーブルをあいだに、それぞれ思いに沈んだかのように黙ったままワインのグラスを傾け、探るように視線を交わした。

　ブレンキンソップの予想どおり、沈黙を破ったのはカーターのほうだった。

「もう話してくれてもいいんじゃないかね」

　子供をなだめるように、ブレンキンソップはカーターの膝をそっと叩いた。「もちろんだとも」高い、よく通る声で、彼は言った。そして、友人の顔を一瞥するや、笑みを浮かべて口早に続けた。「待ちきれないようだから、早速御覧にいれよう。『カリガリ博士[★3]』の未発表のプリントとあれば、きみでなくても興味をもたずにはいられないだろうからな」

　カーターは笑みを返した。「それできみは、電話口ではあんなに思わせぶりだったんだな、ジョージ。それにしても、あの映画の未発表のプリントが……きみもぼくも見たことのないシーンがあったとはね。まったく、信じられないよ。この目で見るまではね」

　ブレンキンソップは満面の笑みを浮かべた。「だから、わざわざ来てもらったのさ、ヘンリー。蒐集家にとっての最高の時間のためにね。もう一杯やろう、それから上映開始だ」

　二つのグラスがまた満たされ、二人の男は互いに黙ってはいたが、それぞれの胸の内では――カーターはとりとめもなく問い、ブレンキンソップは問われてもいないことを答え――言葉がざわめいて、それは屋根裏の上映室に入るまで続いていた。夜もまた、ざわめいていた。古い梁《はり》の堪えかねたような軋《きし》み、年を経た床板のがたつき、そして、廊下にかすかに谺《こだま》する、二人の足音に。

家政婦が毎日通ってきてはいるが、この家に住んでいるのはブレンキンソップ一人だけだ。店や寝室のある一階にしか、人の出入りを許していないので、二人の足跡はドラゲット絨毯《じゅうたん》を敷いた廊下の厚い埃に、薄いながらもはっきりと残った。この家の二階から上に染みついた、もの悲しい衰退の雰囲気を、ブレンキンソップは気に入っているのだろう。幸運にも、この家は町外れにあり、近くに人家はなく、無声映画でないフィルムを夜明け前に上映しても、隣人たちの暮らしの邪魔にはならない。

カーターも一人暮らしで、埃がたまったり散らかっていたりするのを嫌っているのだが——会計士だけに、身のまわりをきちんと片付け、蒐集したフィルムの缶や箱も棚に整然と収めていた——ブレンキンソップの家の乱雑さを気にしてはいなかった。自分には持ち得ないものだからだ。それはブレンキンソップを形作る要素の一つであり、カーターが何をどうしたところで、友人を変えられはしないだろう。だが、ブレンキンソップの店の雰囲気も、蒐集品を収めている板張りの屋根裏部屋も気に入っていた。上映室は新しく大きなスクリーンと、閉業した映画館から回収した五、六脚の座席を備え、映写席は専門の職人に施工させたもので、ガラスの仕切りの中には最新型の音響機器があった。

この部屋にあるものはどれも、カーターが信を置き、無二の親友との議論の際には支えになっていた。棚にびっしり並んだ映画関連の事典や年鑑。抽斗《ひきだし》つきの書類戸棚に収められた、細微に至る調査研究を記録したインデックス・カード。映画の情報をまとめたファイル。フィルムの幅に合わせて、それぞれ三、四台は備えてある巻き戻し機とビューアー。そしてなにより、これらの存在理由である、二部屋を使った保管庫を埋め尽くす、膨大なフィルム。

天井まで届くスチールの棚は、七十年を越える映画史のあいだに作られた至宝で満たされていた。リュミエール兄弟[★4]が一八九五年に撮影した最初期の映画から、エドウィン・S・ポーター[★5]監督の『大列車強盗』を経て、ドイツ無声映画の黄金時代へ――『カリガリ博士』や『ヴァリエテ』[★6]、『最後の人』[★7]や『喜びなき街』[★8]、さらには巨龍が登場するフリッツ・ラング[★9]監督の『ジークフリート』[★10]から、大軍勢がスクリーンを埋め尽くすアベル・ガンス[★11]監督の『ナポレオン』[★12]まで。棚の暗がりに戻されるまでのほんの束の間、遠い昔の名優たちの、缶に収められたおぼろな影が、映写機の光に描きだされ、鮮やかに甦る。

リア・デ・プッティ[★13]、イワン・モジューヒン[★14]、エミール・ヤニングス[★15]、ヴァレンティノ[★16]、コンラート・ファイト[★17]、ヴェルナー・クラウス[★18]、ラルス・ハンソン[★19]といった面々が、三十年、四十年、いや五十年も前にセルロイドに焼きつけられた夢や願望を、再び演じるときを待っている。その一千を超える物語を、ブレンキンソップはスイッチ一つで甦らせる。おそらく今は七十歳を超えているだろう俳優たちは、『ファウスト』[★20]のヨースタ・エックマンのように、時が無情にも奪っていく前の、皺《しわ》のない顔と伸びやかな手足の、輝かんばかりの若い姿で現れるのだ。

サイレント時代の劇映画への、親友の並外れた熱意は、それに比べれば楽しくも華やかでもない記録映画を追い求めるカーターの理解を超えていたが、屋根裏部屋で過ごす魔法のゆうべを心から楽しみ、見事なカメラワークや、セットや衣装に見てとれる職人技に、映画の黄金時代を支えた技術を見出していた。ブレンキンソップの趣味には変わった面もあると思わなくもなかったが――たとえば彼は、初期の怪奇映画のフィルムも相当に集めていた――自分の趣味に付き合わせないだけの礼儀はわきまえていたし、人に見せたがっているのは、それ以上に熱心に蒐集している喜劇の名優たちの主演映画のほうだった。

　だが、今夜に見るのは、高い建物の上で展開するロイド[★21]の冒険ではない。ラングドン[★22]やローレル[★23]も、チャップリンやランデー[★24]も、キートン[★25]やキーストン・コップス[★26]もいない。喜劇はしまい込まれ、ドイツ表現主義の身の毛もよだつ悪夢がスクリーンを占拠するのだ。ブレンキンソップは恭《うやうや》しく屋根裏部屋のドアを開いて彼を待ち、カーターは『カリガリ博士』の当のプリントがどれほど貴重なのかと訝《いぶか》りながらも、魔法の部屋に踏み込んだ。

　ブレンキンソップはワインのグラスを手にしたまま、そろそろと後に続いた。カーターが棚に目を奪われているあいだに上映室に入り、明かりをつけて暗がりを追い払った。カーターは『故郷の空』とラベルに記された缶の山の前で立ち止まり、友人がこれから見せようと言う、かのあまりにも有名な古典映画でなく、このヘプワース[★27]の傑作を見たいものだ、と思った。だが、今夜の上映はまたとないものになりそうだ。電話では落ち着きを装っていたが、声からブレンキンソップの興奮を察するのは簡単だった。

「さあ、入りたまえ」上映室のドアから、ブレンキンソップがそっと声をかけてきた。肉の薄い手が指し示す先の、ふっくら柔らかい座席に身を落ち着けて礼を言うと、ワイングラスを傾けてから、カーターはそっと訊ねた。「まずはそのプリントを見せてもらってもいいかな」

　ブレンキンソップは白い眉の下の目を細めた。「おっと、これは失礼。あまりの大発見に、我を忘れていたよ。御覧にいれよう」

　二人は身をよじるように狭い入口を抜け、映写席に入った。中は広く、映写機が五台は据え付けてあったが、カーターはそれらにいちいち目を向けはしなかった。映写機はもう何度も見ていたからだ。彼は三十五ミリフィルム用映写機の脇に身を屈め、三つ並んだ金属製のフィルム缶に目をとめた。ひげ《フラク》文字《トゥール》で『*Das Kabinett Des Doctor Caligari*』とタイトルが刻まれ、ラベルに巻の番号や注意書きなどが記入されていた。缶を開けてみて、フィルムが予想していた九・五ミリではなく、十六ミリなのに彼は驚いた。背後でブレンキンソップが笑った。

「驚いたかな」

「これはオリジナル・プリントかい？」第一巻のフィルムを引き出し、最初のほうの齣をみながら、カーターが言った。「デクラのプリントだ。驚いたよ。いったいどこで……」

「手に入れたのか、というと」訊ねる言葉を抑えて、ブレンキンソップは答えた。「ハイゲイト村の古い知り合いからさ。正確には、その後家さんからだがね。亭主が最近死んでしまったから、集めたフィルムを売りに出していたんだ。めぼしいものはだいたい、私が買い取ったがね。だが、これほどの掘り出し物はなかった」

「そのようだな」カーターは二本の指で慎重にフィルムの端を伸ばし、明かりに透かした。彩色されている。タイトルバックが長く、いつまでも引き出してはいられない。彼が返すと、友人はすぐにフィルムをアンプロ*の大型映写機に掛けた。

「もうすぐ」細長いセルロイドの端を、クローム鍍金《めっき》したフィルムゲートに通しながら、ブレンキンソップは普段は見せないような笑みを浮かべていたが、その目は暗く、冷めていた。「信じられないようなものが見られるよ」

ブレンキンソップが上映室の明かりを消すと、カーターは自分の席に戻り、ワインを嗜《たしな》みながら思いを巡らせた。待つあいだに突然、暗い中に一人で座っているのが不安になってきた。ドアの隙間から隣のフィルム保管庫の明かりが細く差している。聞こえるのは、ここから離れた幹線道路を通り抜ける車の音のほかは、いつも聞こえるこの古家の梁の軋みばかりだ。ブレンキンソップがここに大量に保管しているのは、ほとんどが硝酸塩フィルムで、劣化しやすく可燃性が高いため、内務省の規定で個人の保管は違法とされている。この木造の家が火事になったら、という考えを、彼は打ち消した。今晩にかぎってそんなことを心配するのはどうかしている、と自分に言い聞かせる。これまでは考えてもみなかったというのに。ブレンキンソップの上映室には何百回も来ているし、硝酸塩フィルムを保管してとうに二十年はたっているだろうに、なぜ今、火事の心配などしているのか。静けさの中、彼は落ち着けず、グラスを手の中で回した。そこに、ものの落ちる音とブレンキンソップの叫び声が響き、彼の神経を逆撫でした。

「大丈夫か？」カーターは驚き、声をかけた。ブレンキンソップがついた悪態が、いつになく妙に気取っているように聞こえた。

「悪かった」返事の声は明るかった。「フィルム缶を落としてしまってね。もうすぐ上映開始だ」

**アンプロ**　アメリカの映写機メーカー。

スイッチを入れる音に続き、映写機の心地よい唸りが始まり、青い光がスクリーンを照らした。カーターの目にぼやけて見えた文字が、ブレンキンソップがフォーカスを調整したか、すぐにはっきり読めるようになった。

「デクラ・ビオスコープ」のロゴのあとに「出演　ヴェルナー・クラウス、コンラート・ファイト、リル・ダゴファー★28」「カリガリ博士」と字幕は続いた。ブレンキンソップが隣の座席に着いたので、カーターはようやく落ち着いた。タイトル文字は傾いだ手書きで、多くの資料の記述を信じるなら、一九一九年のオリジナル・プリントと同じだ。彩色は驚くばかりに鮮やかで、フィルムが進むにつれて琥珀色から濃紺、さらに緑や黄色や赤も見せた。映写機が音を立ててフィルムを送る中、ブレンキンソップはワイングラスでスクリーンを透かし見ると、隣の友人に満足げな目配せをした。「撮影　ヴィリー・ハーマイスター★29」と字幕が続き、最後に「監督　ロベルト・ヴィーネ★30」の文字が、叫ぶように大きく映った。

　スクリーンが暗転したあとの映像に、カーターはあげかけた声を抑えた。続くカーニヴァルの場面が、初めて見るもののようだったからだ。映像は輝くまでに鮮やかで、ながらくフィルムの中で眠っていた登場人物が、スクリーンからこちらに歩み出し、自分たちの傍《かたわ》らまで来るかと思うほどだった。画面では、炎が揺らぐかのように色彩が溶け、混じりあい、躍っていた。邪悪なほどに巧緻な映画で、封切り時には物議を醸《かも》したというのもうなずける。まさに信じがたいほど状態の良いプリントで、ブレンキンソップが手に入れたときに興奮したのも無理はない。だが、シュールレアリズム風のセットが、スクリーンの中で光を放ちながら揺らいだように見えたときには、かすかながら不安を覚えた。狭い上映室の室温が上がってきたのか、襟首を汗が伝い落ちた。ヴェルナー・クラウス演じるカリガリ博士登場の場面を見て、彼はワイングラスを取り落としそうになった。みすぼらしい身なりや、顔をしかめてせわしなく口を動かすさまだけでも、その名優ぶりが見てとれたからだ。

　映画が進むにつれ、カーターの困惑はさらに深まった。ヴィーネ監督によるこの古典映画の筋はもちろん知っている。カーニヴァルを巡業する見世物師カリガリ博士は、未来を予言する奇怪な〝眠り男〟ツェザーレを出し物にしていた。だが、博士は夜になると、ツェザーレを操って密かに殺人を重ねていた。カール・マイヤー[★31]の見事な脚本では、語り手は実は精神病患者で、悪夢に見たかのような歪《ひず》んだセットも、芝居の型そのままに誇張された俳優たちの動きも、その妄想の現れだったことが最後に明かされ、公開時には世界中を騒然とさせた。

　コンラート・ファイト演ずるツェザーレは、この映画の登場人物としてはことに際だっていて、五十年ものちに見ても、恐怖だけでなく哀れみも感じさせたが、このプリントではさらに別の面を見せていた。彩色の効果のせいかと思うが、ブレンキンソップが手に入れたのが、一般公開されなかったプリントなのかもしれない。だが、カーターがこの映画にかくも強く惹かれたことは、今までになかった。今スクリーンに映っているツェザーレは、非凡な俳優が演じる怪物めいた犯罪者というだけの存在ではなかった。

　クロースアップのたび、スクリーンにほの暗く光るツェザーレの邪悪な眼差しに、カーターは不安を覚えたが、まったく見たことのない場面が続いて、不安に拍車をかけた。ゾノー院長の精神科病院で矮人《こびと》たちが演じる中世の拷問の活人画や、垂直な線に囲まれたセットのあいだの、曲がりくねった長い道を、影を揺らめかせながら歩いていくツェザーレ。縛りあげられ、ジャコメッティ*の彫刻のような姿で吊されたジェーンと、彼女を切りさいなむためにツェザーレが進める、見るもおぞましい準備。肉屋の包丁が閃いたあと、大映しになる切断された手首。

　ツェザーレのクロースアップに続いて、映画は次の山場に入ったが、かの眠り男はスクリーンをまたぎ越して二人の観客に歩み寄ってきそうなほどに見えた。その姿の怖ろしさに、カーターは背後の映写席の仕切りガラスに頭を叩きつけてでも、上映を中断したくなった。彩色された影がスクリーンに揺らぎ、映画が終盤に向かうにつれ、ブレンキンソップが新たな蒐集品を心から楽しんでいることに、カーターは気づいた。自分とは違う映画を見ているのかと思うほどに、彼は喜んでいた。それとも、異状を来《きた》しているのはこちらなのか。汗が首筋を伝い落ち、指を柔らかい肘掛けに食いこませ、歯を食いしばりながらも座したままで、長方形の空間に映る怖ろしい情景から目を離すことができずにいるのだから。

　いよいよ大団円、記憶にあるとおり、惑乱する患者を前に、ゾノー院長が彼の治療に希望を見いだして、スクリーンは暗転した——が、エピローグが始まり、スクリーンが再び明るくなるや、カーターは湧きあがる恐怖を抑えきれず、声をあげた。院長の背後からツェザーレが痩せこけた黒ずくめの姿を現し、隠し持っていた刃渡りの長いナイフで、患者を何度も突き刺したのだ。そして映像は消え、映写機が止まる音がした。カーターは座席の背に寄りかかり、天井を見上げた。ブレンキンソップが心配げな声をかけてきた。

「大丈夫かい。ずいぶん咳込んでいたね。具合が悪くなければいいが」

カーターは居ずまいを正した。気分はすでに回復し、さっきの自分が恥ずかしく思えた。ブレンキンソップが映写機の電源を切っているあいだ、彼はフィルムの端を見てみた。変わったところは見当たらなかったが、この古びて琥珀《アンバー》色を帯びたプリントが映した映画は違っていた。少なくとも、自分が持っているものとは異なっていた。

だが、彼はブレンキンソップにこう言った。「咳込んですまなかった。ワインにむせてしまってね」

嬉しげに上気した顔のブレンキンソップは、上映室に明かりをつけると、両手をすりあわせた。

「どうだい、かなり珍しいプリントだろう」

珍しいとは控えめな言い方だな、と思いつつ、カーターは用心深く答えた。「まさに珍品だな。見たことのない場面がたくさんあったよ。ぼくの持っているものとはかなり違うな」

「そうだろうとも」フィルムを巻枠《スプール》に巻き戻しながら、ブレンキンソップは言った。「一階《した》に下りて、もう一杯やろう。このプリントの話がしたいんだ。まったく、見飽きることがない。手に入れてから、もう七回も見たよ」

カーターは黙ったまま、ワインがわずかに残ったグラスを空けると、階下に向かう友人に続いたが、胸の内は落ち着いてはいなかった。

**ジャコメッティ**　スイスの彫刻家アルベルト・ジャコメッティ（一九〇一―六六）。一九二〇年代は原始彫刻、キュビスム、シュールレアリスムの影響を受けた作品を制作。五〇年代にはごく細長い人物像を制作し注目を集めた。

骨董品と装飾過多の家具に埋め尽くされた広い部屋で、楕円形のテーブルを挟んで、友人とワインを嗜むうちに、カーターの顔に血色が戻り、彼は上映中に取り乱したことを気まずく思いはじめていた。詫びることもあるまい、とは思ったが、鍍金の置き時計の針が二十分ほど進んだ頃には、話してもいいだろう、という気になっていた。

「奇妙としか言いようがない」グラスをシャンデリアに翳しながら、カーターは遠慮がちに話しはじめた。シャンデリアの明かりがグラスを通り、彼の顔に琥珀色の模様を映した。「なんとも奇妙なフィルムだ。特殊なものと言ってもいいだろう。たとえば、これまでのプリントでは見ることのなかった場面が実に多い。そのどれもが、これまで出版された資料には書かれたためしがないのだから、目を疑うばかりだ。蒐集仲間も知りたがるだろう。テッド・ウォーカーも興味を……」

「奇妙なのはそこだけじゃない」ブレンキンソップは身を乗り出し、嗄れた声を震わせた。「上映するたびに場面が変わるんだ。まったく、こんなフィルムを手に入れたことは、これまでにない」

カーターは明かりを透かし見るのをやめ、グラスをテーブルに置いた。頭がくらくらしだした。

「まさか」彼は狼狽の声をあげた。「上映するたびに変わる？　どういうことだね」

ブレンキンソップは興奮を隠しきれない口調で言った。「言葉どおりさ。もちろん、光学的な要因が起こす錯覚なのだろうが。だが、見るたびにフィルムは違うものになっていく。前には気づかなかった場面を見るんだ。場面の順序が変わることもある。筋そのものや、重要な場面まで変わりはしないが。私がどうかしてしまったのではないかぎりね」二人ともしばし沈黙した。「どうも、よくわからないな」カーターは、友人を傷つけるのを心配するかのように、ゆっくりした口調で言った。「場面が変わることなどあり得ない。きみ自身に原因があるのではないか。それとも、私をからかっているのか。彩色が錯覚を呼ぶこともあるだろう。網膜に影響を及ぼして……」

彼は言葉を止めた。ブレンキンソップが昂《たかぶ》りを抑えきれなくなったか、立ち上がるや部屋の中を歩きまわりはじめたからだ。

「いや、そうじゃないんだ」彼の目はこれまでに見たことのない光を帯びていた。「何かがある。それをこの目で確かめたいんだ。今まで手にしてきた中には、これほど状態の良いプリントもない。どうだね、もう一度見てみないか」

カーターはかぶりを振った。腕時計に目を落とす。十時を過ぎていた。「見たくはないね」彼はきっぱりと言った。「きみも見ないほうがいい」

ブレンキンソップは驚いた顔をした。笑おうとしたようだが、笑わなかった。「おや、それは残念」彼は言った。「そうむきになることもないだろう。本当に、見たくないのかい」

カーターは答える前に、彼をじっと見た。

「二度とね、ジョージ」穏やかな口調だった。「なぜかは答えなくてもいいだろう。あのフィルムには異常なところがある。ぼくなら焼き捨てる。同じコレクターが言うのだから、わかるだろう」

ブレンキンソップは答えるかわりに笑ったが、その声には陽気さのかけらもなく、薄暗い部屋に揺らぐ影が笑ったかのようだった。「きみはそんなことはしないさ、ヘンリー」彼はそっけなく言った。

「明日には具合も良くなるよ」

二人とも、もうあの映画の話はしなかった。話題を変え、ワインのグラスを空け、それから十分後にカーターは、これまでと変わらぬ様子で暇《いとま》乞いをした。だが、彼を見送ったあとガラス戸に錠を下ろしたブレンキンソップは、旧友とのあいだにあった得がたいものが失われたように感じ、悲しくなった。その原因が疑いようもなく、あの琥珀色のプリントにあるのは、ばかばかしいほどに明らかだった。

## 2

ブレンキンソップは店の奥の部屋で一人、しばらくワイングラスを傾けていた。部屋の隅に立てたマホガニーのグランドファーザー・クロックは、十時四十分を指していた。眠る前に、あの琥珀色に変色したフィルムをもう一度見るには、時間は十分にある。もっとも、通しでは見ないかもしれないが。だいたい八十五分くらいはあるし、一日のうちに何度も見るには暗い映画だ。だが、状態はいいし、これまでのプリントにはない場面も数多く、何度も見返すだけの価値はある。ブレンキンソップは自分の好きなことに時間を惜しむたちではなかった。自分の時間はすべて自分のものなのだし、よりよい使い方が他にあるとも考えられなかった。

　彼はグラスを手にすると、しっかりした足取りで屋根裏部屋への階段を上った。古い家は夜半になるとあちこち家鳴りを起こす。木材が互いに存在を主張しあうかのように、軋みをあげるのだ。上映室に入って明かりを点けると、ブレンキンソップの心は和らいだ。天井からのやわらかな明かりの下で、ビロード張りの座席が待っていた。彼がもっとも心安らぐ場所はここだった。店の気がかりや浮世の憂さを忘れ、カーターはじめ数少ない同好の士とだけ分かちあえる世界に身を置けるのだから。芸術と学術の世界、古く希少な、琥珀《アンバー》色のプリントの世界、騒々しい現在《いま》から離れ、揺らぐ字幕とともに垣間見る、遠い過去の世界。ブレンキンソップは自分の手元にしかない『カリガリ博士』のフィルム缶に身を屈めると、目を輝かせ手先をてきぱきと動かした。上映の準備だ。

　映写機の回る音は彼の耳に心地よく響いた。回転速度が適切か、一、二度確かめると、彼は座席に深く身を沈めた。スクリーンに目を向けて、オープニング・シークェンスが映っていないのに驚いた。うろたえて、上映室の薄明かりの下でフィルム缶を確かめた。うっかり二巻目から始めてしまったのかと思ったが、間違えてはいなかった。だが、映写機を通ったフィルムはまだ三十フィートあまり、オープニング・シークェンスが終わる長さではない。

　スクリーンに映っているのは、初めて見る場面だった。ツェザーレを連れたカリガリ博士が、ジェーンと言葉を交わしている。カリガリが話しかけているあいだ、眠り男がジェーンのドレスの襞《ひだ》を弄《もてあそ》んでいるのを見て、ブレンキンソップは気分が悪くなった。眉をひそめると、急に目の前がぼやけた。視野をはっきりさせようと頭を振ると、町役場の職員が殺される場面になっていた。スクリーンは琥珀色を帯びて震え、彼は不安を覚えた。まだ自分の運命に気づかない職員に、肉屋が使う刃渡りの長い包丁を手にしたツェザーレが忍び寄り、ライマンとヴァームとレーリッヒ★32によるセットに映る影が、顕微鏡を通して見た赤血球さながらに画面に広がっていった。ブレンキンソップは息を呑み、襟を緩めた。

カーターは正しかった。このフィルムはどこか異常だ。今まで気づかなかった自分がどうかしていた。ようやく、親友と同じ目で見ることができたようだ。ブレンキンソップは身震いし、あらためてスクリーンに意識を向けようとした。今スクリーンに映っているカーニヴァルの場面には、何の異状もなかった。だが、フィルムが映写機の中で揺れた。上映室ごと揺れたように感じ、彼は息苦しさを覚えた。巨大な手がスポンジを絞るように心臓を握りしめたかと思うほどに。

なんとか息をつこうとする間も、映画は続いていた。映写機を止めようと必死に這い進んだ。だが、スクリーンが抗《あらが》いがたい力で彼の目を引き寄せていた。映っているのは主人公の友人フランシスだが、その顔が自分のものに変わっていた。ブレンキンソップは確かめるかのように、片手で顔に触れた。汗が頬を伝い落ちていた。もう一人の彼はそのまま、カーニヴァルの場面を演じていた。そして、あの生死を分かつ質問がなされるのを、いや増す恐怖の中で目にした。

僕はいつまで生きて居られるかね？　と字幕が尋ねた。

ちらつく光の中、ツェザーレは眉をひそめ、何かを口にした。無気味なクロースアップが、緑から琥珀色へ、さらに藤色へと変わった。舞台用の濃いメイクアップをした、重たげな瞼《まぶた》が開き、椅子に縛りつけられたかのように身動きのとれないブレンキンソップを、箱の中から見据えた。今にも上映室に踏み込んできそうだ。スクリーンには一面、ピンクの炎が揺らいでいるかのようで、はためくカーテンさながらにブレンキンソップには見えた。ツェザーレの唇が動いたが、何と言ったのかはわからない。だが、熱い息を感じた。

**貴君は夜明け前に死ぬであらう！**　スクリーンが言った。

自分が悲鳴をあげたように、ブレンキンソップは思った。本当にあげたかどうかは、わからなかった。恐慌を起こし、危うく映写機を倒してしまうところだった。それでも電源を切ることができた。ちらつく光も、怖ろしい映像も消え去った。スクリーンに映っていたカリガリとツェザーレの姿は、今は映写機の中に隠れているのだ——と、ブレンキンソップの想像は恐怖にかきたてられた。どうかしている、と彼は思った。感覚の失せた手で部屋のあかりを点けたとき、恐怖のあまり掌が汗ばんでいるのに気づいた。

　映写機のスタンドに置いたグラスを取り、残ったワインを呷《あお》ると、少し気分がよくなったので、座席に浅く掛けて両手を握りあわせ、気が静まるのを待った。そして、気を奮い起こしてフィルムを巻き取り、缶に入れた。フィルム缶をまとめて保管庫に運び、空けてあった〈ドイツ映画の黄金時代〉の棚に収めた。

　延々と続く棚のあいだを戻りながら、棚のタイトルを目で拾ってはいたが、頭の中では自分に問いかけつづけていた。神経を正常に戻さなければ、もう蒐集品を楽しむことはできない。彼は自分が見たものを、錯覚に神経の失調と興奮が重なったのだ、と考えて納得しようとした。酒もちょっと過ぎていたのだろう。相手がカーターだと、普段より多く飲んでしまいがちだ。そうだ、酒のせいだ。

　彼は『ケエニクスマルク』[★33]のフィルム缶の一つを手に取り、愛着を込めてラベルを撫でた。缶を戻そうとしたとき、棚の反対側からフィルム缶が触れあう、かたかたという音がした。彼は素早く振り返り、耳をすませた。不思議なことに、怖れはなかった。誰かがフィルム缶を開けるのに手こずっているようだ。衣擦れも聞こえた。ブレンキンソップは缶を棚に戻そうとしたが、取り落とした。フィルム缶が床に当たる音が、屋根裏にけたたましく響きわたった。

彼は足音を忍ばせ、そろそろと隣の棚のあいだに向かった。上映室から漏れる、歪んだ四角形を描く光を、長く伸びた光が横切っていった。見覚えのある影だった。保管庫いっぱいの、何千もの今は亡き俳優たちの名演を収めた何百もの貴重なフィルム缶を覆い隠すかのように、影は広がっていった。金属が擦れあう耳障りな音が甲高く響いたあと、屋根裏は静まりかえった。棚のあいだを通り抜けると、ブレンキンソップはもといた位置に戻っていた。

何かにつまづき、床に目をやった。薄明かりがフィルム缶のラベルを照らした。読み取れた題名は、DAS KABINETT DES DOCTOR CALIGARI――『カリガリ博士』。あのプリントの缶が、三つとも落ちていた。どれも空になっているのだと、ブレンキンソップはなぜか察した。目を上げると、屋根裏を覆わんばかりの大きな影が立っていた。そばに何かが湿っぽい音をたてて落ちたかと思うと、薄明かりの中に古びて煤《すす》けた山高帽子が転がってきた。柔らかい手が腕に触れたとき、そこにいるのが何者かわかった。夜陰のように黒い袖から伸びた手が彼を取り押さえ、影がその身に覆いかぶさった。

### 3

カーターは悲鳴をあげて目覚めたが、起きてもまだ気味の悪い夢が残っているような気がしていた。明かりを点けて時計を見た。これまでに感じたことのない不安がのしかかってきた。何か悪いことが起きた、と確信し、急いで着替えると、何をするのか自分でもわからないうちに、車を走らせていた。

　十分後、ブレンキンソップの店の前に着くと、おそるおそるガラス戸を叩いた。上の階に明かりが点り、店の奥の部屋からも黄色い光が漏れているので、まだ寝ついてはいないはずだ。だが、人気《ひとけ》が感じられない。状況に動揺したせいもあるが、カーターは自分がしたことに、あとになって驚いた。何度ノックしても応えがないと知るや、彼は車からジャッキのハンドルを持ち出すと、ためらいなくガラス戸に打ちつけた。割れたガラスに触れないよう気をつけながら、暗い中を手探りして内側から錠を開けた。急いで階段を上がるあいだ、不思議なことに家鳴りは気にもならなかった。

　保管庫の真ん中の通路に、フィルム缶が三つ転がっていた。三つとも黒焦げだ。が、焼け残ったラベルから、それが『カリガリ博士』のものだとわかった。缶の中には腐敗した黒い泥のようなものが詰まっており、その臭いには鼻をハンカチーフで覆わずにいられなかった。床の埃に、何かを引きずった跡が残っていた。そのままカーターは奥に踏み込み、ブレンキンソップの残骸を見つけたのだが、あとで検視官は彼の勇気を称えた。

　その夜遅く、夜風が出火警鐘の音を運ぶ中、顔に憔悴を浮かべたカーターは警察官の家のドアを叩いていた。ブレンキンソップの店は町外れにあり、彼の連絡を警察官は不審には思わなかったが、ナイトレートフィルム*からの発火は止めようがなく、焼け跡から遺骨が見つかっても、その身元を確か

**ナイトレートフィルム**　ニトロセルロースを原材料とする映画フィルム。可燃性が高く自然発火もするため、二十世紀中盤から使用されなくなった。劣化すると異臭を放つ。

めることはまず無理だろう。なぜ出火したか、カーターにはわからなかったが、彼がその夜に二度も友人を訪ねたことに疑念を抱く人たちも、少しながらいた。

ブレンキンソップの死に関するカーターへの疑念が晴れたのは、彼が警察官に友人の死を伝えているあいだ、火が上がる店から、長身の二人連れが影のように出てきたという複数の目撃証言があったからで、驚いたことに二人とも炎に追われて出てきた様子はなく、何人かがあとを追おうとしたが、信じがたいほどの早足で店の脇の迷路のような路地に消えていったという。もちろん検視審問は開かれたが、捜査で判明したことしかわからなかった。検視評決は差し戻された。

ミスター・カーターは今、ベクスヒル*に住んでいる。事件からだいぶたった今、彼も変わった。フィルム・コレクションはすべて売り払い、今は郵便切手、おもに初期植民地時代のものを蒐集している。不眠がちになり、映画館には足を向けられなくなった。あの夜、骨董屋の屋根裏部屋で、壁に映った影たちが、火をつけろと彼をそそのかしたことが忘れられない。

死んだミスター・ブレンキンソップは、亡骸《なきがら》というよりは残骸になっていたばかりか、怖ろしい手がスポンジで洗い落としてしまったかのように、顔さえもなくなっていた。だが、それを目の辺りにしても、カーターは火をつけられなかった。マッチを擦ったのは、わずかに付け根だけ残った指が握りしめた紙片を見たからだ。それは名刺で、飾り文字で一つの名が刷られていた。

「カリガリ博士」と。

**ベクスヒル**　イースト・サセックス州の海辺の町。

**【映画関連の註】**

**1　ウーファ**　ドイツの映画会社。一九一七年設立。エミール・ヤニングス、フリッツ・ラング、F・W・ムルナウ、フォン・スタンバーグら映画監督の活躍の場となった。ナチ政権時に国有化され、第二次大戦後は活動を停止した。

**2　デクラ**　ドイツの映画会社。一九一五年に映画プロデューサー、エーリッヒ・ポマー（一八八九―一九六六）により設立。二三年にウーファに合併された。

**3　『カリガリ博士』**　一九二〇年公開のドイツ映画。監督、脚本、出演や筋立ては、作中の三五六ページ以降を参照のこと。

**4　リュミエール兄弟**　フランスの映画発明者。兄オーギュスト（一八六二―一九五四）と弟ルイ（一八六四―一九四八）は、一八九五年に映画装置キネマトグラフの特許を取得、同年から短編映画を撮影し公開した。

**5　エドウィン・S・ポーター**　アメリカの映画監督（一八七〇―一九四一）。代表作に最初の西部劇映画といわれる『大列車強盗』（一九〇三）がある。

**6　『ヴァリエテ』**　一九二五年公開のドイツ映画。エミール・ヤニングス監督・主演。引き取った身よりのない娘マリーに心惑わされ、一座を捨てた曲芸師の破滅を描く。

**7　『最後の人』**　一九二四年公開のドイツ映画。F・W・ムルナウ監督。エミール・ヤニングス主演。長年ホテルに勤めたが、老齢を理由に手洗い場のボーイに異動させられるドアマンの悲哀を描く。

**8　『喜びなき街』**　一九二五年公開のドイツ映画。G・W・パプスト監督、グレタ・ガルボ、アスタ・ニールセン主演。第一次大戦後、窮乏するウィーンで、二人の若い女性が懸命に生きる姿を描く。

**9　フリッツ・ラング**　オーストリア出身の映画監督（一八九〇―一九七六）。ドイツ時代の代表作に『ドクトル・マブゼ』（一九二二）、《ニーベルンゲン》二部作（『ジークフリート』『クリームヒルトの復讐』共に二四）、『メトロポリス』（二七）。一九三四年にフランス経由でアメリカに亡命、ハリウッドで数多くの映画を手がけた。

**10『ジークフリート』** 前項ラング監督の映画《ニーベルンゲン》二部作の第一部（一九二四）。ゲルマン神話を題材に、巨龍退治に始まる英雄ジークフリートの冒険を描く。

**11 アベル・ガンス** フランスの映画監督（一八八九―一九八一）。代表作に『戦争と平和』（一九一九）、『鉄路の白薔薇』（二三）。

**12『ナポレオン』** アベル・ガンス監督の大作映画（一九二七）。初公開時は全十二時間を三面のスクリーンで上映した。

**13 リア・デ・プッティ** ハンガリー出身の俳優（一八九七―一九三一）。『ヴァリエテ』のマリー役で注目を浴びる。一九二六年に渡米、舞台への転身を図るも早逝。

**14 イワン・モジューヒン** ロシア出身の俳優、脚本家、映画監督（一八八九―一九三一）。ロシア革命のさいクリミアを経てフランスに移住し、俳優・監督としてフランス、アメリカ、ドイツで活動。代表作に『スペードの女王』（一九一六）、『赤と黒』（一九二八）。

**15 エミール・ヤニングス** スイス出身の俳優（一八八四―一九五〇）。『最後の人』『ヴァリエテ』の主演で注目され渡米。『肉体の道』（一九二七）と『最後の命令』（二八）でアカデミー主演男優賞受賞。帰独後、J・フォン・スタンバーグ監督の『嘆きの天使』（三〇 独）でマレーネ・ディートリッヒと共演。三三年以降はナチのプロパガンダ映画に出演。そのため戦後は映画と関わることはかなわなかった。

**16 ヴァレンティノ** イタリア出身の俳優ルドルフ・ヴァレンティノ（一八九五―一九二六）。美男ぶりで人気を博すも若くして病歿。代表作に『黙示録の四騎士』（一九二一）、『血と砂』（二二）。

**17 コンラート・ファイト** ドイツの俳優（一八九三―一九四三）。ドイツ時代の代表作に『カリガリ博士』『笑う男』（一九二八）。ナチに抵抗し三三年に渡英、『バグダッドの盗賊』（四〇）などに出演。四一年に渡米し『カサブランカ』（四二）が最後の出演作となった。

**18 ヴェルナー・クラウス** ドイツの俳優（一八八四―一九五九）。『カリガリ博士』で有名だが、多彩な役柄をこなし「千の顔を持つ男」と呼ばれた。ナチへの協力を批判され戦後はドイツ映画界から追放、オーストリアで舞台俳優として活動したが、晩年にドイツの市民権を回復した。

**19 ラルス・ハンソン**　スウェーデンの俳優（一八八六―一九六五）。欧米で広く活動。代表作はグレタ・ガルボと共演した『肉体と悪魔』（一九二六）。

**20 『ファウスト』**　一九二六年公開のドイツ映画。F・W・ムルナウ監督。ゲーテの『ファウスト』を原作に、より古いファウスト伝説の要素も取り入れている。主演はスウェーデンの俳優ヨースタ・エックマン（一八九〇―一九三一）。

**21 ロイド**　アメリカの喜劇俳優ハロルド・ロイド（一八九三―一九七一）。丸縁眼鏡とカンカン帽の出で立ちで知られ、『ロイドの要心無用』（一九二三）に代表される派手なアクションで人気を博した。

**22 ラングドン**　アメリカの喜劇俳優ハリー・ラングドン（一八八四―一九四四）。ボードヴィル芸人から映画俳優に転身。子供のようなキャラクターでサイレント時代の人気者となった。代表作に『当たりっ子ハリー』（一九二六）。

**23 ローレル**　イギリス出身の喜劇俳優スタン・ローレル（一八九〇―一九六五）。渡米し一九一五年に映画デビュー、二一年からオリヴァー・ハーディ（一八九二―一九五七）とコンビで出演、サイレントからトーキーへの変革期にも人気が衰えなかった。日本でも「極楽コンビ」として知られた。代表作に『天国二人道中』（一九三八）。

**24 ランデー**　フランスの喜劇俳優マックス・ランデー（一八八三―一九二五）。短編喜劇映画の監督兼主演で、チャップリン登場前のサイレント初期に喜劇王の名を馳せた。代表作に『マックスと犬』（一九一二）。

**25 キートン**　アメリカの喜劇俳優バスター・キートン（一八九五―一九六六）。動きの激しいスラップスティック・コメディを無表情で演じた。代表作に『キートンのセブン・チャンス』（一九二五）、『キートン将軍』（一九二七）。

**26 キーストン・コップ**　アメリカの映画プロデューサー、マック・セネット（一八八〇―一九六〇）制作の喜劇映画に登場する警官隊。その名はセネットが開設した撮影所「キーストン・スタジオ」にちなむ。

**27 ヘプワース**　イギリスの映画監督セシル・M・ヘプワース（一八七四―一九五三）。一九〇三年、ルイス・キャロルの『不思議の国のアリス』を世界で最初に映画化したことで知られる。代表作に *Comin' Thro the Rye*（一九二三　日本未公開）。訳文では題名の出典であるロバート・バーンズの詩にちなみ『故郷の空』と仮邦題をつけた。

**28 リル・ダゴファー**　ドイツの俳優（一八八七―一九八〇）。一九一九年のデビュー以来、ヴァイマール共和政時代のスター女優となる。ナチ政権下では国策映画への出演を避けたため、戦後も活動を止められることなく、七九年まで映画とTVドラマに出演した。

**29 ヴィリー・ハーマイスター**　ドイツの映画撮影監督（一八八九―一九三八）。一九〇四年から記録映画、ニュース映画を撮影。一二年から劇映画に転身。ヴァイマール共和政下、ナチ政権下を通し晩年まで映画撮影に携わった。

**30 ロベルト・ヴィーネ**　ドイツの映画監督（一八七三―一九三八）。舞台俳優から映画監督に転身し、一九一二年以降、数多くの映画を手がけた。『カリガリ博士』以降、『芸術と手術』（一九二四）などで表現主義の手法を取り入れた。ナチ政権樹立を機にパリに移住、そのまま生涯を終えた。

**31 カール・マイヤー**　オーストリア出身の映画脚本家（一八九四―一九四四）。『カリガリ博士』『最後の人』で知られる。一九三三年にロンドンに移住し、イギリスの映画業界に貢献した。

**32 ライマンとヴァームとレーリッヒ**　『カリガリ博士』の美術を担当した三人。美術監督ウォルター・ライマン（一八八七―一九三六）、舞台美術家ヘルマン・ヴァーム（一八八九―一九七六）、ウーファ社専属の画家ウォルター・レーリッヒ（一八九七―一九四五）。

**33 『ケエニクスマルク』**　一九二三年公開のフランス映画。レオンス・ペレ監督。ユゲット・デュフロ主演。公爵夫人が夫の死の真相を追う。原作はピエール・ブノアの小説『ケーニクスマルクの謎』。

# ヴェネツィアを訪《おとな》うなかれ

ロバート・エイクマン

植草昌実 訳

Never Visit Venice

Robert Aickman

旅に出るのは、たしかに有益だ。旅は想像力を働かせる。これ以外のものはすべて失望と疲労を与えるだけだ。僕の旅は完全に想像のものだ。それが強みだ。

ルイ・フェルディナン・セリーヌ*

## I

世間の目からすれば、ヘンリー・ファーンの人生は順調ではなさそうだが、かといって不遇なようにも見えなかった。彼も身を置くこの世間で求められるのは、立ち回りの巧さばかりだ。当のファーンはといえば、策を巡らすことなどまるで不得手だった。彼は自分の能力を生かす機会もない仕事に就いているが、自分の短所については十分に自覚があるので、わずかばかりの幸運のおかげで失業せずに済んでいるのだ、と信じていた。

ファーンは出世しようとは露にも思わなかった。内気な者の例に漏れず、その時々のちょっとした安寧が心のよりどころだったが、その安寧の出どころまでは考えなかった。彼は人付き合いをほとんどしなかった。本を読む。もの思いにふける。終日ベッドで過ごしていられるのなら、なお良い。一人でいられさえすれば、何も思いわずらうことはないのだから。住んでいるのは郊外のこぎれいな貸間で、窓からは公園が一望できる。残念なのは、この公園がもっとも美しく見えるときには自分が部屋にいないことで、いるときの公園は散策者で賑わい、携帯用のラジオがあちこちで耳障りな音をたてている。

ファーンは一人息子だった。父母ともに早く死に別れ、それからは生活に苦労した。友達ができないわけではなかったが、相手への興味が長続きしなかった。勤め先や通勤電車で、公園で、あるいは訪問先で出会う人たちとは、自分は違うような気がしてならなかった。どこが違うのかはわからないが、そんな気がするたびに、自分を誇らしくも、恥ずかしくも思った。違いなどなければいい、と心底思いながらも、きっとそれが自分には一番大切なものなのだろう、とも考えた。世間の人たちがそこに気づいてくれればいいのだが！

職業を訊かれるたびにファーンはためらった。どんな答え方をしてもわだかまりが残った。出世だ昇進だという流れからは、明らかに外れている。出世や昇進どころか、今している仕事にさえも、まったく価値を見いだせずにいた。仕事というものは、いわば身につけた保護色のようなものでしかない。

**旅に出るのは……**　『夜の果ての旅』（生田耕作訳　中央公論新社）より

だが、その事実を口外してしまったら仕事をなくすだろうし、仕事をなくせば収入が断たれる。世間の人々は仕事に不満を抱いていても、自分がしているのは重要なことだと信じ、希望をつないでいるものだ。彼の場合は、仕事で抑え込んでおかないと、熱意が気力を焼き尽くして、何もできなくなってしまうから始末におえない。ファーンは演劇に憧れていたが、自分に才能がないのもわかっていた。この世の中は俳優を目指す者には生きづらい。台詞を覚えるにも舞台稽古をするにも、余裕がなさすぎる。

心惹かれる女性に出会うこともなかった。理想の女性を追い求めても無駄なことは、話に聞いたり本で読んだりで知っていたし、「理想の女性」などという空想そのものが馬鹿馬鹿しく思われて、ファーンは実際に出会える範囲に対象を絞ったが、そうすると今度は相手が多すぎて、結局は誰でも同じだと気づいてしまった。婚約は二度したが、相手の容姿や人柄に惹かれれば惹かれるほど、そんな思いは自分には不似合いで、嘘をついていると思うばかりになった。次第に堪えられなくなり、二度とも彼のほうから破棄を申し出た。そのために苦しみはしたが、その苦しみでさえ、彼には本当らしく感じられなかった。感じるのは孤独だけだった。結婚することが目的になってしまうと、そのあとに待つのは落胆だけなのではないか、と彼が言うと、婚約者は二人とも何も言えなくなったほどで、どちらもその後はファーンと連絡を取らなくなったが、それも彼の言ったことにいくばくかの真実があると気づいたからだろう。そろそろ彼も四十路《よそじ》に手が届く。これまでを振り返ると、少なくとも不幸ではないように思うが、毎日これまでを振り返っているわけにもいかず、彼はしばしば戸惑い、深い孤独を覚えた。物事がいとも簡単に悪いほうに向かうことは、他でもなく自分がいちばん良く知っている。そういうものだとわかっていても、ファーンはときどき自死を考えたし、死の温かく白い、美しい腕に抱かれる心地よさに思いを馳せもした。

ファーンにとってなにより辛いのは、旅行であり、休暇であった。

まずは費用の問題があった。「なにも出かけなくてもいいだろう」彼は自分に問うた。

自分に答えるのには何の困難もなかった。奴隷のごとき労働条件に甘んじ、その見返りに得られるのが、旅行に充てる七日ばかりの短い休暇と、それに見合った臨時収入なのは妥当な取引なのかという明確な疑問はさておき、受け取る側が余計なことを気にすれば、その報酬さえ価値をなくしかねないと、彼は理解していた。生まれついての放浪者《ボヘミアン》ならいざ知らず、旅は一人でなければ行く価値はない、と彼は以前から思っていた。団体旅行など、芸術にわざわざ理屈をつけるような、旅と呼ぶに値しない俗悪なものだし、さして広くはない地球の表面は、物理的にも、住む人々の人生においても、一つの場所にすぎず、見物するためにわざわざ出向くほどのものでもない。ファーンはそう信じていたが、彼のように本当は旅行好きなのにほとんど行ったことのない者を思いとどまらせるには、その考えは理が勝ちすぎていたし、大摑みにすぎてもいた。ファーンが旅行を避けていたのは、他のことと同様、彼自身でさえ言葉にできない希望を感じ取り、理解して付き合ってくれるような仲間がいなかったからで、そのような希望を叶えてくれる相手は、いま現在（というよりは常に）いそうにない。

婚約者たちと休暇を過ごしたことがあった——それぞれ、たった一度だけだが。どちらにもさほど大きな違いはなかった。男は（さして乗り気でないときでも）見慣れた女が違う装いをしていれば気を惹かれがちになるものだが、それは第四代チェスターフィールド伯爵*が言ったように、女というものは男に比べて似通ったものを持っているからかもしれない。二、三週間ほどの休暇の過ごし方はそれぞれ違っていたし、見聞きしたものへの反応は二人とも異なっていた。もっともそれは、お互いに相手を理解するだけでなく、立場を尊重し、注意深く行動していたからでもあるだろう。だが、そうすることで休暇はファーンが思っていたものとはまるで違う、日常生活の再現か、延長のようなものになっていた。どちらの休暇もアメリカ式に言えば、人間関係の維持のために働いていたわけで、監督の下で作業に勤しむ奴隷のようなものだった。だが、それで何が得られたということもなかった。「あなたはどんなことにでも心を込めすぎています」と、婚約者の一人にたしなめられたことがあった。実際にそうだとは自分でもわかっていたが、彼女は思いやり深く、彼のためを思って言ってくれたのだろう。旅というものは自分にとっては神秘的な行いである、と彼は思うに至った。彼はルナン[*]の著書を読み、人にはそれぞれ「救済の手段」がある、という一節を見つけた。救済を求める手段はそれぞれで、モンセラート[*]を登る者もあれば、酒や阿片や、あるいは女遊びに溺れる者もあり、日々の暮らしと仕事に打ち込む者さえいる。自分にとっての救済は旅にあるが、一人旅では得られないとファーンは考えた。だが、旅の友を新たに見つけるとは、なんと困難なことか！　まったく不可能だ！　いくら求めても肝心なものが得られない葛藤に、彼は心（とあの婚約者が呼んだもの）が萎縮していくのを、はっきりと感じた。その葛藤は、より良い人生を共におくろうとする男女が直面するものとも似ていた。彼女とベルギーのブルッヘに行ったとき、ダイフェル運河沿いのベンチに一緒に座り、白鳥たちが泳いでいるのを木立のあいだから見たのを、ファーンは思い出した。

　その頃の旅は終始、礼儀正しさを保ち続けるばかりだった。失礼な目にあうこともなかった。他の同行者のいる旅行では、友人との二人旅でも団体旅行でも、けっこう不愉快な思いをしたものだった。同行者たちが総じて失礼で身勝手だったからだ。そんな経験をしたので、ファーンは旅行が楽しくなくなり、ほとんど行かなくなった。人並み外れた旅行嫌いを治す手立てはなかった。旅に出る人の数は増え続けていても、楽しんでいる人はほとんどいないことに、彼は気づいていた。旅行は現実的な目的をもった実体験であるという事実から、行けば失礼で身勝手な旅行客のうちに自分も入れられるように思い、彼は怒っていた。これを治す糸口くらい、見つけられればいいのだが。費用か。期間か。もともといないのだから、旅の友は考えるだけ無駄だ。旅行嫌いになった二十五歳の頃から、彼自身まったく変わっていなかった。

ファーンは、ある夢を見るようになった。はじめのうちは前兆とも暗示ともとれないぼんやりしたものだったが、次第に不規則だがしばしば見るようになると、長短はあれ部分的に記憶に残り、どんな夢だったか語れるほどはっきり覚えているときもあった。だが、断片的にもそっくり同じ夢を繰り返し見ることはなかった。彼はじきに、その夢を気にかけるほど頻繁には見ていないと気づいた。た

**第四代チェスターフィールド伯爵**　十八世紀英国の政治家、フィリップ・ドーマー・スタンホープ（一九六四―一七七三）。引用は著書 *Letters to His Son on the Art of Becoming a Man of the World and a Gentleman*（一七七四）より。「実際、女の持つ熱意は虚栄と愛の二つへのものしかない」と続く。

**ルナン**　フランスの思想家エルネスト・ルナン（一八二三―九二）。一八六三年に上梓した『イエス伝』は、ヒューマニズムに重点を置き、奇蹟や神秘を非科学的として排したために物議を醸した。

**モンセラート**　スペイン、カタルーニャにある山。山中の洞窟から聖母子像が見つかったという伝説があり、キリスト教の聖地とされる。

だ、いつ見たかを日付まで書き留めておくのは、夢を壊してしまうようで、どうも良くないような気がした。そのうち、夢に見たことを目覚めているあいだに思うようになり、ときには真面目に考えもした。夜にたまに見る夢を考えて、日中しばしば夢想にふけるようになり、上司から注意を受けることにもなった。

ファーンの夢は、見るたびに変化していったが、単純なものだった。

夢では、彼はまだ行ったことのないヴェネツィアにいた。本で読んで知った「水の都」の名そのままに、ゴンドラに乗って広がる水の上を漂っていた。舟に横たわり、華やかなドレスを着た女と抱きあっていた。この女と知り合ったのはどこだったか、ロンドンかヴェネツィアか、わからない。おそらくは、夢に見るより前に見知っていたのだろう。昔の知り合いか、どこかで見かけたか。目覚めたときには、どんな顔をしていたか思い出せなくなっていた。夢によくあるように、目覚めた瞬間にはまだ覚えていたかもしれない。非常に魅力的な女で、互いに惹かれあっているようにファーンは思ったので、彼女が記憶に残っていないことにひどく落胆した。夢の中での思いは長続きはしない。一夜だけで終わるかもしれないが、六、七日は続くかもしれない。女のドレスだけは覚えていたが、夢で会うたびに違っていた。白いドレスのときもあれば、黒のときもあり、深紅のものや魚の鱗を思わせる模様のものを着ているときもあった。ゴンドラから見上げる夜空の色はいつも暗いライラックで、一面に星がまたたき、夢でしか見られないものだった。月は出ていないが、夢のヴェネツィアの岸辺から射す光が、ゴンドラをけばけばしくも懐かしく照らしだしていた。だが、舳先が向いているのは暗い砂州で、光はたまに瞬《またた》くくらいだった。ゴンドラは細波《さざなみ》に揺れているが、砂州のほうからゆるやかで大きな波が来るのにファーンは気づいていた。行く先は知らないが、女と連れだってどこかに向かっているようだ。目的地のわからない旅は、ものを作らない仕事のようだ。よしんば不出来であれ、ものは作られるべきなのだが。ファーンは夢を始めまで遡《さかのぼ》って、女と出会ったときのことを知りたいと願ったが、気づけばいつも遠くから射す光の中、一緒に水の上にいた。彼女とは熱い思いを込めた密やかな約束を交わし、壮麗なホテルの外で落ちあったのだ、と彼は想像した。漕ぎ手《ゴンドリエーレ》の姿はいつも、はっきりとは見えなかった。動力をつけた船が増えるとともに、ゴンドリエーレの人数は少なくなり、料金は高くなったと、記事で読んだり話に聞いたりはしていた（だが、その話はどうあれ、このゴンドリエーレは客の希望に応えてくれるように思えた）。

　夢は始めから終わりまで、ライラックの色に染まった夜の中だった。このすばらしい経験のはじまりは、ほんの二、三時間前だったのかもしれないと、ファーンは思った。それも次第に考えたくなくなってきた。目を覚ますと、女と交わしたはずの言葉は、何一つとして思い出せなかった。だが、彼女と一緒にいた感覚は、はっきりしないくせに奇妙なほど残り、その朝からまる一日、思い出せばすぐに戻ってくるのだった。自分の中の何かが抜け落ちて、そこに夜やゴンドラや、あの女まで入りこんできたかのようだった。この現実的ではない感覚に集中さえすれば、彼はいつでも白日夢に入っていけた。夢は優しく彼を解き放ち、安らぎを与えた。目覚めの側の世界でこれほどの安堵感が得られるのは、世の中の懸念が減ったときだけだとしか、ファーンには考えられなかった。

　日中も、ファーンはヴェネツィアにいる自分を空想するようになった。夜は――ほぼ毎夜、彼はヴェネツィアにいた。

夢を見はじめてから、もう何年もたっているのに、彼はまだヴェネツィアを訪れてはいなかった。ファーンが夢から受けた影響は、世間の男女がときどき会話に取り上げる人生の目標のようで、経営者になったり共同事業を興したり、田舎に洒落《しゃれ》た別荘を持ったり、息子と娘を四人ずつ望んだりするのと変わりはなく、ファーンにはそれらの代わりに、ライラックの空や、ゴンドラに寄せる細波の音や、常には感じることのない、痛みを覚えるほどの孤独があった。

この夢は壊れやすい、と彼は思った。現実に寄せすぎた解釈をしたり、細微にわたって分析したりすると、もう見られなくなってしまうかもしれない。夢というものは、心の奥底にしまっておくか、片隅に置いておくものなのだろう。覚醒と睡眠の、眠りと目覚めのあいだの、心のどこかに。

おそらくはこの夢のせいで、ファーンは実際のヴェネツィアについて知ろうとはしなくなった。夢に見る前の彼のヴェネツィアは、たとえばアーサー・マッケン*が訳したカサノヴァ*『回想録』の縮約版や、母親の本棚にあったラファエル・サバチニ*の、ルネッサンス期の伝奇小説から得た、古い知識の寄せ集めでしかなかった。現実のヴェネツィアは、夢で見たところとは地形から違っていることだろうと、彼は信じていた。まして、夢の女が実在しないことは言うまでもなく、彼女にもゴンドリエーレにもチップをはずむことはない。現実のヴェネツィアと夢のかの地とは似ても似つかないように、現実の人生は夢とは違う。

何年かのあいだ、ファーンは満足と不満のあいだを、綱渡りをするかのように行き来していた。心地よい自己満足と、暗い欲求不満のあいだを。人付き合いや旅行への（彼にとって両者は分かちがたいものになっていた）砂を嚙むような幻滅と、信じるに値する夢の力とのあいだを。夕暮れ時に昼と夜のあいだを渡るようなものだが、彼は夕暮れ時がけっして嫌いではなかった。
やがて、ファーンはついに大きな問題に直面したが、しばらくのあいだ、何が起きたのかわからなかった。ある春の日、こともあろうに仕事場で、ながらくあの夢を見ていないことに気づいたのだ。最後に見てから、いったい何か月が過ぎたのだろう。いや、一年はたっている。なので、状況がそこそこ合っていれば、はっきりとはしなくても自由に呼び起こすことのできた白日夢は、すっかり生気を失い、どこかしら歪《ひず》んだものになっていた。さらに、切望を込めて強く呼びかけなければ、浮かんではこなくなった。頭痛のときの鎮痛剤みたいなもので、いっときは落ち着けても、自分を騙《だま》しただけだった。投石や矢が飛び交う中に裸で立っていながら、それに気づかないまま何か月も過ごしていたかのような気がした。

それは春のことで、ファーンにとっては一年のうちでもっとも辛い時季なのだが、彼は自らを顧みて生きていることを確かめ、内なる変化があったのに気づいた。おそらくは誰にも訪れることなのだろうが、彼は成熟し、同時に衰えてきたのだろう。より現実的になった、と世間では言うだろうが、人

**アーサー・マッケン**　イギリスの小説家（一八六三―一九四七）。幻想文学で著名だが、フランス文学の英訳も手がけており、カサノヴァの『回想録』も訳している。

**カサノヴァ**　ヴェネツィア出身の術策家、著述家ジャコモ・カサノヴァ（一七二五―九八）。生涯にわたる奔放な女性遍歴をフランス語で記した『回想録』で知られる。

**ラファエル・サバチニ**　イギリスの小説家（一八七五―一九五〇）。歴史小説、伝奇冒険小説を得意とした。代表作に『スカラムーシュ』『海の鷹』。生地であるイタリアを舞台にした作品も多い。

生に夢を抱かなくなったのだ。

夏になり、勤め先から破格の昇進を告げられて、彼は心底驚いた。そして、新たな役職が給料は高いが職責はさほど重くないと知り、さらに驚いた。報酬は負った責任と釣り合うだけの重さをもつものだ。自制のきいた彼の言動は、はっきりとではないが、周囲から評価されていた。夢を失ってから、ファーンは自分のそのような一面に気づいていた。それから二、三年が過ぎ、彼の中のヴェネツィアは薄らいでいった。

夢が途絶えて以来（彼にはそれがあまりにも突然に思えた）、ヴェネツィアは死に至る憂愁の地としてファーンの心の奥底に収められた。「神よ！」はじめのうちは、剣で腹を刺し貫かれたかのような痛みを覚え、彼は胸の内で言った。「神よ、私はもう生きてはいられません！」だが、それもほんのときたまのことになった。もう刺されるような衝撃を感じることもない。夢の記憶はいつもそばにいて、ときどきそっと忍び寄ってくる。忌むべきとも思わないが、嬉しくもない。目覚ましい昇進をしたというのに、彼はその記憶が浮かぶたび、自分が退屈で冴えない、目につかない存在のように思った。

そして、この二つが——現実の新たな立場と、かすかな、だが絶え間なく続く死の憂愁が結びついて、ヴェネツィアに行くようにファーンを急き立てたかのようだった。彼はふと「ヴェネツィアを見て死ね」と声高に言った。出発が近くなると、年長の友人に奨められたディ・ランペドゥーサ公爵*の『山猫』を、英訳のペーパーバックで読んだ。「この小説の舞台はシチリアだが」と友人は言った。「書かれていることはイタリアのどこにでも当てはまるし、きみが考古学者でないかぎり、かの地で唯一の重要なことを押さえている」その重要なことというのは、イタリアが大きな変化を遂げたことだろう、とファーンは考えた。

## II

旅をしたくなって以来、あれこれ思い出してみると、ファーンがこれまでに行ったのはフランスとベネルクス三国、それにスカンディナヴィアくらいだったが、それぞれ印象は良く、愛着を覚えたほどだった。一頃は夢に見続けたヴェネツィアに、彼は十七日間の滞在をしたが、その日々はこれからの物語にあるように、驚きと恐怖、幻想と葛藤に満ちていた。

ヴェネツィアでは、親しみを覚えられるものには何一つ出会えなかった。見るものの落差は目を疑いたくなるほど著しく、神秘を湛えた名所の威容の前では、周辺の住民も、それを見にきた旅行者も矮小で、不似合いきわまりない。プンタ・デッラ・ドガーナ*の先端にある、十八世紀の石造りの繋船柱《ボラード》に腰掛け、彼は気を鎮めた。

ヴェネツィアで何より厄介なのは多すぎる観光客だと、ファーンは何度となく聞かされ、記事など

**ディ・ランペドゥーサ公爵**　イタリアの貴族ジュゼッペ・トマージ・ディ・ランペドゥーサ（一八九六―一九五七）。創作を手がけ、祖父をモデルにした長編小説『山猫』は映画化もされた。

**プンタ・デッラ・ドガーナ**　十七世紀に建設された税関施設。

でも目にした。地元の人に会うことはないだろう、とも言われた。おそらくは絶滅してしまったのかもしれない、と。

　ファーンの目には、観光客は霧も同然だった。かれらは心細げに羽ばたく小さな雀たちのようで、富める者も貧しき者も絶え間なく囀《さえず》るように「通貨」とばかり言っては（とはいえ、彼が理解できたのは、英語の声だけだったが）、鷹よろしき地元民の恰好の餌となり、わざわざヴェネツィアに持ちこむこともない隣人たちとの付き合いに関心を向けていた。観光客はみな、時間はありあまっているだろうに、せわしなかった。ファーンは路地《カレ》に迷い込んだり、邸宅の前を通ったりしているうちに、観光客は大聖堂や宮殿のほかにはほとんど立ち寄らないことに気づいた。というのも、そんな名所にはかならず人だかりがあり、その中から聞こえる案内人《ガイド》の声は、教会での早口の説教のようで、機械の声よろしき決まりきったものだったからだ。

　人類が造った世界でもっとも美しい場所の一つと世評の高い（だが、イタリア全土で駆除されている鳩でいっぱいの）サン・マルコ広場も、貧富の差なく値段の話題に余念のない観光客たちでごったがえしていた。かれらの思い込みを正す者はいない。座っている女たちが靴を脱いでいるのは、二、三百ヤードばかり歩いたからだ。不慣れな旅に酷使された足を投げ出し、人生のひとときを不平不満で浪費している。ヴェネツィアに心を惹かれなかったらどこに行けばいいのか、などと問いたげな顔をして。ならば帰ればいいだけのことだ、とファーンは思った。ほとんどの観光客にとって、旅の行き先はどこも大差ない。男たちはといえば、文句をもらす余裕もなさそうだ。呆《ほう》けた、不機嫌な、退屈そうな、あるいは不満げな、それぞれの顔で座り込んでいるが、場違いなところにいる様子なのは共通していた。屋台で買ったアニス酒なりコーヒーなりを片手に見渡せば、この美しい眺めが色褪せることもなかろうに——もっとも、いくらで売るかは屋台の自由、買うも買わぬも客の自由で、どちらもファーンが口を出すことではない。さらに、主にイギリスからの旅行者は、自分たちの尺度に合わないことを理由に、名所旧跡や建造物を見下してかかり、ヴェネツィア市民の「生活の実情と労働条件」を勝手に想像して暇をつぶしていた。

小銭を落としもせずにただ通り過ぎていくばかりの観光客だけでなく、ヴェネツィア市民にも、ファーンは驚いていた。彼が予想していたように、自己満足に浸る感傷的な群衆はいっせいに公園から出ていくと、量産された規格品よろしく、手入れの行き届かない寂れた宮殿のどれかに拝観料を払いに行き、残った人の姿は半数もなかった。観光客と一緒に移動していかなかったのは、メストレ*沿岸の広大な工業地帯に勤める工場労働者だろう。近代化の名の下、新たにこの市《まち》に侵攻してきた戦争機械に服従を強いられた労働者たちは、コンスタンティノープルが自ら滅びるのを待っていたトルコ軍のように、避けられないその自壊を待つだけでよかった*。

ヴェネツィアの喧噪は、機械仕掛けのモロク神*が休めば静まるかと期待したが、そうなると人間が

**メストレ**　ヴェネツィア市の一地区。本土に所在し、工業地帯を擁する。ヴェネツィア本島とは橋でつながる。

**コンスタンティノープルが……**　コンスタンティノープルは東ローマ帝国の首都。現在のイスタンブール。この一文は、一四五三年のオスマン軍による包囲戦を指す。

静寂を破った。喧噪は二十四時間止むことなく、真夜中を過ぎると思いもよらぬ形で、悪意を込めてさらにけたたましくなった。毎夜、愚連隊が大声をあげながら裏通りを行き来した。彼らが行きずりに鎧戸を叩く音が、夜の街角に砲声さながらに轟いた。原因は女か政治か、一時間ごとに男たちの口論が始まり、フォルテシモで五十五分は続いた。ペンションの屋根裏に部屋を取ったファーンは、そのたびに目を覚ましては時計に目をやった――午前二時、三時、四時と。喧噪が止み、ようやく眠れるかと思いきや、愚連隊どもがまた叫び、鎧戸を打ち鳴らす。この騒ぎは伝統行事なのかもしれないが、ヴェネツィアには過去のもっとも悪いところに、現在のもっとも悪いところを付け加えるという、不幸な傾向があるようだ。隼にも鷹にもなれたはずが、結局なったのは鴉だったかのように。

ファーンはフェニーチェ劇場*で、指揮者も歌手も有名どころを揃えた『リゴレット』*を鑑賞した。場内は半分以上が空席で、客といえばこれが義務という風情で席についている（ホテルのポーターに奨められたにちがいない）、今にも眠り込みそうなアメリカの老人たちや、どう見ても無料《ただ》で入りこんだが、料金を払った馬鹿な客にそれを知られまいと気にしている様子の、柄の悪そうな地元の若者たちくらいなものだった。良い公演だったというのに、ファーンは気分が悪くなった。過ぎ去った世代に、滅びゆく人間という種族に、生きとし生けるものがすべて去り代わるものさえいなくなった世界に、捧げられたかのように聞こえてしまったのだ。

押しあいへしあいしながら騒ぎたてる群衆をかきわけて歩くうちに、ファーンはいよいよもって気分が悪くなってきた。オペラの見事さが劇場の不入りを際立たせていたのと同じで、この偉大なる都市に居並ぶ比類なく壮大で優美な建築物にさえ、観光客が見向きもしないのに、ただ落胆した。寂れた宮殿は、部屋をいくつか〝一般公開〟してはいるが、手入れはほとんどされていないままで、見た者が過去の栄華を思い起こす由もない。心惹かれるのは、この市《まち》の薔薇と、死に瀕している運河を愛する、地元の趣味人たちくらいなものだろう。

ファーンが見た部屋は幽霊か、もしくは幾分それに近い人であれば、居心地がよさそうだった。宮殿の中でも外れのほうにある、どちらかといえば小ぶりな寝室と、支度部屋と化粧室が続き部屋だった。緑と赤と金とで彩られた家具は色こそ褪せていたが繊細な木彫が施され、精緻な細工の鏡はムラーノ島*で作られたもののようだった。ベッドには天蓋があり、化粧台の天板には花が描かれていた。ヴェネツィアのどこにでもあるわけではない、かくも小さく、精巧でいて艶《つや》めかしい部屋を見るうちに、歴史に触れる思いがして、ファーンは身震いを覚えた。年に一度くらいの、形ばかりの掃除のときのほかは、ここには近づく者がないのが見てとれた。こういった小綺麗な部屋は亡霊たちのために遺されているのかもしれないが、そうであれば解き得ない二律背反を示してもいた。

午前中もあれば午後のこともあったが、ファーンが宮殿で過ごしているあいだは、ほとんど誰にも

**機械仕掛けのモロク神**　モロクは古代中東で崇拝された、人身供儀を求める魔神。映画『メトロポリス』（一九二七）の冒頭には、労働者を酷使する機械に魔神の姿を幻視した主人公が「モロク！」と叫ぶ場面がある。

**フェニーチェ劇場**　ヴェネツィア随一の歌劇場。一七九二年に竣工。

**『リゴレット』**　イタリアの作曲家ジュゼッペ・ヴェルディ（一八一三―一九〇一）作によるオペラ。一八五一年初演。

**ムラーノ島**　ヴェネツィア本島の北東に位置する島。ヴェネツィアン・グラスの生産地として知られる。

会うことはなく、たまに行き会う観覧者も、二十分もせず急ぎ足で出ていった。咎《とが》めるようなことではない。所有者の死とともに、これらの宮殿も死んでしまったのだから。死んだものを生きているかのように扱うのは快からぬことだし、腐敗していくものから利益を求めるのは厭《いと》わしいことだ。

ヴェネツィアの美しさは、そこに暮らす人々とは何のつながりもない。人々は無知ゆえの畏敬を抱いていそうなものだが、それすらないようだ。ローマ時代の屋敷にただ住んでいるだけの者もいるくらいで、市《まち》じゅうがそんなありさまなのだろう。このような略奪行為がしばしば「保存」と呼ばれていることが、この市に間近に迫る崩壊を暗示しているように、ファーンは感じていた。世界の矮小さがヴェネツィアを腐敗させている。ここに暮らす人々にとって、市の美しさはまさに敵意で、自分たちを立ち上がらせまいと押さえつけていたものなのだろう。だが、運河は市民の手に取り戻され、ヴェネツィアの夢は新たな価値観の原理に——長きにわたってこの市を支配していた快楽の原理ではなく、正反対の謹厳にして潔癖な原理に——服従した。ガリバルディ*亡きあと、運河は民衆の実用のため整備され、実用のものとなった。工業都市メストレと、そこで働く多数派が、古き良き水の都に無条件降伏を強いたのだ。今ファーンの目の前にあるのは見せかけで、かつてここで盛んに開かれた仮面舞踏会のような作り事にすぎなかった。ヴェネツィアという舞台の終幕が幕間だった、となれば、むしろふさわしい終わり方なのかもしれないが、ファーンは書き割りの背景のあちこちに開いた穴から朝日が炎のように漏れるのを見るような気がした。執行が大きく遅れた斬首刑か。

ヴェネツィアの夢？

繋船柱《ボラード》に腰掛けたとき、ヴェネツィアに十七日間も滞在していながら、自分が見た夢のことを思い出しもしないでいたことに、ファーンは気づいた。

　この十七日のあいだ、ちょっとしたことを尋ねたり、行き違いを直したりするくらいのやりとりはしたが、ほとんど誰とも会話していなかった。知り合いをつくるのはもともと不得手だったが、それ以上に美醜ないまざったヴェネツィアの混沌たる印象に陶然となっていた。ひたすら歩きまわった。誰かが見ている夢の中をさまよう、人ならざるものの影のように。ムッソリーニ*の命で改築されたジュディッカ運河*の船着き場に大型船が出入りするのを左手に見ながら。周囲のものどもとは異なり、船は美しいばかりか、生きていた。夢想する者の尺度では計りきれない大きさだった。ファーンは孤独を感じた。

　振り返ると、一見してイギリスから来たとわかる男が、地元の少年を連れて渡し船《トラゲット》から下りてきた。禿頭の、樽のような体つきの男だ。堂々たる口髭と、頭の周囲に残った髪は生姜《しょうが》色をしている。茶色のツイード・ジャケットのボタンを突き出た腹の前で留め、暗灰色のトラウザーズを穿《は》き、だらしなく着崩れたシャツの襟元にはクラブ・タイを締めていた。サリーかハンプシャーあたりの週末の自動車レースで、もっともらしい顔で司会をしていそうな御仁だ。

**ガリバルディ**　イタリアの軍事指導者ジュゼッペ・ガリバルディ（一八〇七―八二）。ソリルジメント（イタリア統一運動）の中心人物として英雄視されている。
**ムッソリーニ**　イタリアの政治家ベニート・ムッソリーニ（一八八三―一九四五）。国家ファシスト党の統領《ドゥーチェ》から首相となり独裁政治をしたが、第二次大戦に敗戦し失脚。銃殺に処された。
**ジュディッカ運河**　ヴェネツィア本島とジュディッカ島のあいだを通る運河。

イギリス人は船着き場の端に、イタリア人の少年（白いオープンシャツと明るい色の細いトラウザーズを着ていた）の手を引いて歩いていこうとした。しぶしぶついていく少年のさまは、ファーンには少女のように見えた。彼の係留柱のすぐそばに立ち、イギリス人は空いている方の手で、遠くを指さした。自分が目を向けているものに他の誰もが見向きもしないなどとは考えられない様子だった。だが、少年はまったく目を向けようとしなかった。不機嫌な顔ひとつせず、もう飽き飽きして何に対しても無関心だと言いたげに、身じろぎもせずにいたが、その立ち姿はファーンには美しく見えた。

「つまらん！」イギリス人が言った。「興味がないのか」

少年は黙っていた。さして特徴のないイギリス人の顔が、落胆と怒りとで一変した。彼はイタリア語で何か言ったが、ファーンにはそれが辛辣かつ不快な言葉だとわかった。彼は厭なものを投げ捨てるかのように少年の手を放した。そして、ザッテレ河岸の方に向かって一人で歩み去っていった。

少年は石畳をじっと見つめたまま立っていた。片手を後ろにまわし、トラウザーズのポケットから小洒落た長財布を取り出した。あのイギリス人から貰ったのだろう。おどけたような素振りでその中を確かめると、財布をポケットに戻し、ぶらぶらと歩きはじめた。彼は振り返らないだろう、とファーンは思った。ヴェネツィアに来てからは何を見聞きしても、自分だったら何をするだろう、その次はどうすればいいのだろう、とばかり考えていた。が、いま目にしたことがこのあとどうなるのかは、何一つ思い浮かばなかった。

彼は今、これまで何よりも欲してきた、孤独の直中《ただなか》にいた。ヴェネツィアにいるあいだじゅう、彼は幸福も不幸も感じることなく、ただ驚くばかりで、時には狼狽するほどだった。あの夢を思い出すと同時に、内なる逍遥派の哲学者が消え去っていった。ヴェネツィアへの順応が加速したのだ。九月のそよ風がサン・マルコ運河を上って、この地特有の暑さに溜息をつくかのように、涼しく、優しく吹いていった。滅びゆくゴンドラのあいだを、派手なモーターボートが何艘も、けたたましい音をたてて通り過ぎた。ファーンはこれまでのことを思い出し、自分の脚や腕や肩に両手で触れた。綱渡りをしていたようなあの年月に覚えたが、とうに忘れていた痛みが戻ってきたのだ。

自分はこれ以上、何をヴェネツィアに求めているというのだろう。明日には帰国しよう、とファーンは決めた――滞在を切り上げるのをペンションの主人が認めてくれればの話だが。

立ち上がって脚を曲げ伸ばしすると、これが見納めとヴェネツィアの比類なき眺めを目に映しながら、彼は歩きはじめた。知らぬうちに涙が浮かんできたが、それは異郷での孤独を感じたからのものではなかった。

彼は歩み去った。

## III

その夜、ファーンは桟橋《モーロ》に向かっていた。気がかりを残したまま帰りたくはなかった。

ペンションの主人は、今どきはどこも部屋を求めてお客が列をなしていると言った。が、同じ料金で週末までいてもいいと持ちかけはしたが、それ以上は引き留めようとしなかった。地元の人と観光客の交渉で、はっきりどちらかが勝つということがあるのだろうかとファーンは考えた。

ファーンは散策したかった。ヴェネツィアで過ごす最後の夜だけに、自分に対しての実践的な助言をしてみた。「ゴンドラに乗らずにヴェネツィアを去るわけにはいくまい」ゴンドラは晩《おそ》くまで運行しているし、客も途切れはしないだろう。もっとも、用があって乗る舟ではないし、一人だけで乗って楽しいものとも思えないが。

桟橋ではアメリカ人の観光客たちが並んで、心配げな顔をしたりはしゃいだり、冗談を言い交わしたりしていた。内心は、明日の朝アテネに行くか、パリに戻るかするまでの時間をどう使おうかを考えたり、ハイボールか地元のワインのオンザロックを一杯やりたいと思ったりしているのだろう。地元の子供たちが騒いでも、かれらには甘いはずの恰幅のよい親たちは、いともたやすく静かにさせていた。南にキオッジャ*を望むと、町の明かりが夢に見るかのように煌《きら》めいていた。空は深いライラックに染まり、銀色の星が華やかに輝いていた。

ファーンが行く先を左手に変えると、その先は静かな路地で、彼は暗い中庭や通路を、墓の中を這う甲虫のように歩いた。すぐに暗い大きな建物のあいだに出て、自分一人しかいないと気づいたとき、宮殿で公開されていた最上階の、小ぶりだが優美な寝室や婦人の部屋を、不意に思い出した。同時に、自分が求めてやまないものが、とうに消え去って取り戻しようのないものだと気づき、彼は身震いを覚えた。あの部屋と、そこに満ちていた空気を思い出すと、ヴェネツィアの退廃の香りさえしてくるようだった——かの世紀に獅子はまどろみ、民衆はナポレオンの来訪を待ち望み、市《まち》は崩れ去り、群れ集う人々は華々しく装い、奇妙な仮面を着けて、奇妙な獣のようにも、道化のようにも、娼婦たちとその客たちのようにも見えた。

小さな広場《ピアツェッタ》に踏み込もうとすると、立っている人影が目に入った。運河の柵に寄りかかったまま動かないその姿は、影そのもののように見えた。一つだけ点っている街灯の光も、そこまでは届いていなかった。ファーンは陰に身を隠すようにしながら、その姿を見つめた。自分の鼓動しか聞こえなかった。運河の向こう岸には、輪郭のはっきり見えない石造りの建物が立ち、窓という窓にはピンクとも青ともつかない淡い光が、一様に灯っていた。聴覚の鋭敏なファーンには、厚い壁と閉ざされた窓の向こうから、宴会の賑わいと音楽がかすかに漏れ聞こえてくるように思えた。だが、光は窓ガラスが夕暮れの空を反射しているだけであり、聞こえるのはいつもの市のざわめきにすぎなかった。彼は人影に近づこうとした。

ゴンドラが一艘、静かに運河を下ってきた。鋭敏なファーンの耳にさえ、聞こえたのは水を静かに打つ櫂《かい》の音だけだった。柵に寄りかかる人影が視界に入ったか、ゴンドラは近づき、止まった。ゴンドリエーレは黒い服を着ているように見えた。だがファーンの目は、ゴンドラを引き寄せた黒衣の乗客その人に向いていた。

だが、なんとも奇妙なことに、何もはじまろうとはしなかった。ゴンドリエーレの姿は夕闇にまぎれてほとんど見えず、ゴンドラは水の上に静止し、乗客となるはずの人は誰かが来るのを、あるいは何かが起きるのを待っているのか、乗ろうとする素振りもなく、微動だにしなかった。明るい色の服

**キオッジャ**　ヴェネツィア潟南端の町。

を着た中年男が二人、広場を横切って、ファーンのそばまで歩いてきた。二人とも普段の口調なのだろう、声高に話していたが、ゴンドラにも柵の人にも気づいた様子は見せなかった。彼らが通り過ぎ、対岸の石造りの建物を背にぼんやりした影になるまでの間は二、三分ほどだったように、ファーンは思った。

　ゴンドリエーレも人影も、自分を待っているのかもしれない。そう気づくまでに、それだけの時間を要したのかもしれない。自分の夢を壊すつもりで（などとは自分には言わなかったが）ここに来たのに、それを現実にする仕掛けのねじを巻いてしまったのだろう。ヴェネツィアに客死した偉大なるコルヴォー男爵*の言葉にあるように、人生は蟹の歩みのように進んでいくものだ。ファーンは陰に身をすくめた。顔の白さが目を惹くような気がしたのだ。

　奇妙な眺めは続いていた。柵のそばに立っていた人影がいつの間にか乗り込んだゴンドラは、ファーンに近づいてくるようだった。ゴンドラはかすかな音をたてながら、広場に沿った運河を滑るように進んだ。櫂が水を打つ音は、夜鳥《よどり》の羽音のようにも、自分の心筋が震える音のようにも聞こえた。五、六人の子供が騒ぎながら、灰色の服を着た二人の男のあとについて、公園を横切っていった。そのさまは喧嘩しているようにも、じゃれあっているようにも見えた。

　運河に目をやると、乗客はゴンドラの船首近くに立っていた。ファーンにはとても現実のこととは思えず、考えられたのは立ち去ることだけだった。彼はそのまま、ゴンドラが行き過ぎるのを待った。通過するのには一分もかからなかったが、視界から消える前に、立っていた乗客がかすかに動いた。マントのフードの陰から、女が彼の青ざめた顔をまっすぐに見ていたが、その顔は招くように笑みを浮かべていった。次の瞬間、ゴンドラは去っていった。

　広場からは、運河に沿って小道《フォンダメンタ》が伸びていた。遠ざかるゴンドラを追って、ファーンは走った。足音高く石畳を駆けながら、ヴェネツィアが狡猾にも夢と怖れとで自分を狂気に追い込もうとしているのではないか、と彼は考えた。ほとんどそう確信し、走るのであれば方向が逆だ。だが、この夜をひとたび走りだしたのだから、止まる気にはなれなかった。ゴンドラが次の橋の下にさしかかったときには、ほどんど追い越さんばかりになっていた。ゴンドリエーレは彼の姿を見ていたにちがいないが、ゴンドラはそのまま水の上を滑っていった。その橋で小道は途切れていた。彼はアーチ状の橋の真ん中に立ち、運河を見下ろした。どう言えばいいのかわからないまま、彼はゴンドラに声をかけた。だが、遠ざかる船影は、ヴェネツィアの石造りの建物に隠れ、消えた。

　だが、それからほんの二、三十分後に、このちょっとした、だが特異な出来事の続きが起きた。

　思い悩みつつ、ファーンはぶらぶら歩いて、サン・マルコ運河沿いの大通りに戻った。あの奇妙な出来事があった広場からはさほど離れていなかったが、ヴェネツィアでは遮《さえぎ》るものなく、まっすぐ歩けるところはめったにない。彼は気もそぞろだったせいか、二度ばかり小道に迷い込んだ。それでも、なんとかスキアヴォーニ河岸に出られた。至るところが飾灯に照らしだされ、夜空はこの上なく美しく、ヴェネツィアがさらに華やぎ、いくぶん高揚しているかのようだった。だが、彼の心を占めてい

**コルヴォー男爵**　イギリスの小説家。本名フレデリック・ロルフ（一八六〇―一九一三）。代表作に『教皇ハドリアヌス七世』がある。

るのは自分の孤独と、夢のことばかりだった。今夜はこの市《まち》に一歩譲って、共に過ごす相手がいてほしい、と切実に思った。静かな左手に行こうか、それとも何かありそうな右手に行こうか、決めかねて立ち止まった。今になって、広場であの女に話しかけてみればよかった、と思った。話しかけたからといって命にかかわるようなことにはならなかったのだし。ファーンは身震いをした。自分の不器用さが身に滲みた。何をどう選んだとしても、たいした変わりはないのだと、自分の理性が語った。

　静かで暗い左に向かうには、彼には勇気も気力も好奇心もなかった。父親がしていたように、一人でも堂々と前に進めばいい。辻強盗に出くわすほど運が悪くもないだろう。何も心配することはない。ファーンはホテル・ダニエリを見上げ——屋上庭園の手すりからアメリカの御婦人たちが身を乗り出しているのが、綺麗な蠟燭を並べたかのように見えた——その前の広場を一瞥して、旅行会社の宣伝にあるような、あるいはトーマス・クックの旅行ガイドブックに書かれているような意味での「人生」を目にした。

　そして、ゴンドラに乗っていた女を再び見たように思った。

　彼女は初めて見たときと同じように、運河の岸に立っていたが、今いるのはごく海に近いサン・マルコ運河だった。フードつきのマントをまとっているさまは、ロンギ親子*のどちらかが描いたかのようだったが、絵の中の女のように身を覆いつくしてはいなかった。マントの下には、裾の広がった古風なドレスを着ているように、ファーンには見えた。わけもなく押しあいへしあいしている群衆の、耳を聾《ろう》する喧噪の中、彼は寒けを覚えた。胸の内でさえ言葉にしたくはなかったが、女は幻であり、自分は正気を失いかけているのだ、と思った。幽霊めいた出で立ちで、ごった返す人込みから隔絶されたかのように、女は微動だにせず立っていた。小さな広場にいたときのように、彼は立ち尽くしたまま見つめていた。幽霊には見えなかった。女の姿のほかは、何もかもが視界の中で霞んでいった。

二、三十ヤードの距離を詰めて彼に歩み寄ると、彼女は言った。

「イギリスのかたですか？」

十八世紀の女性そのままの姿で、フードの下の髪は高々と結い上げていた。

「ああ」ファーンは言った。「イギリスから来たんだ」

「ヴェネツィアの市《まち》が、ゴンドラの旅に御招待いたします」

十分ではないが、説明にはなっていた。彼女は宣伝に関わっていて、その装いも仕事ゆえのものなのだ。これまで見てきたことも、すべて納得がいく。つい漏らした笑いが少々不躾《ぶしつけ》だったように、ファーンは思った。

だが、客の少しばかりの失礼など、彼女は仕事柄、慣れているにちがいない。

「もちろん、無料です」彼女は言った。

夢に見たほうのヴェネツィアだ、とファーンは思った。

ただ、夢の女はイタリア人で、英語で「無料」などとは言わなかったが。

「お一人ですか」女が尋ねた。

**ロンギ親子**　ヴェネツィアの画家、ピエトロ・ロンギ（一七〇一―八五）と、その息子アレッサンドロ・ロンギ（一七三三―一八一三）。ともに肖像画家として知られる。

「そう、一人だ」ファーンは言った。「だが、人違いじゃないかな。ぼくは招待を受けるような者じゃない」

「いいえ、あなたを御招待しています」女は言った。「ヴェネツィアは一人旅のかたのお役に立ちたいのです」

　気味が悪くもあったが、彼女の口調は誠実なものだったので、彼もそれなりの自尊心をもって答えることにした。

「詳しく聞きたいな」ファーンは言った。

「わたしたちはゴンドラに乗ります」仕事に慣れた観光ガイドらしい丁寧さで、子供に言い聞かせるように、彼女は説明した。「運河をたどり、内海《ラグーナ》まで参ります」

　ファーンが思い描いていた夢の実現とは異なっていたが、状況は夢とほとんど変わらず、違うのは自分のように思えた。思ってもみなかったことに、彼は気づいた。

「わたしたち、というのは？」ファーンは尋ねた。「招待客は何人いるのかな」

「あなたとわたしだけです」普通、女性であれば顔を赤らめて、くすくす笑うか口数多く説明するかしながら言いそうなことを、イタリアの良家の子女らしい気品とともに、彼女は言った。

「もちろん、ゴンドリエーレも」と、彼女は咲顔《えがお》とともに言い足した。

「それは光栄だな。ありがとう」ファーンは率直に受け取ることにした。

「お乗りください」彼女はゴンドラを指し示した。初めて乗る舟の転覆を心配しながら、ファーンは慣れない仕草で彼女に手を貸した。肩を並べて二人、クッションに腰掛けた。彼女のマントと長いスカートが、彼の脚にかかった。彼女がゴンドリエーレに声をかけないばかりか、目も向けなかったのに、ファーンは気づいた。ゴンドリエーレは黙ったまま漕ぎはじめ、舟が運河に出るや、対岸のサン・ジョルジョ・マッジョーレ島*が急に近くなったかのように見えた。ファーンは目を細めて船尾のゴンドリエーレを見やったが、見えたのは靴ばかりだった。

振り返って見直すと、見えたのは靴ではなかった。黒い足だった。

だが、気にするほどのことではないだろう。あり得ると考えられるなら、べつに気にしなくてもいい。「夕暮れ時にきみを見かけたと思う」ファーンは話しかけた。「もっと狭い運河の岸で」

「わたしを見かける人は数えきれませんが、わたしが声をかける人はごくわずかです」言うことがちょっとわかりづらいのは、英語があまり巧くないからだろう。

名所を通り過ぎるたび、彼女は説明した。その内容のほとんどは、イギリスの観光客の予備知識よりは詳しいものだったが、ファーンはだいたい知っていた。それでも、彼女の低い声は耳に心地よく、説明には心を捉えるものがあった。相手が一人だと、大勢の観光客に向かって話すのとは違って、率直な口調になるのだろう、と彼は思った。ゴンドラは大運河《カナル・グランデ》に入った。左手の岸には、この日の午後にファーンが、明朝にはヴェネツィアを発とうと決めた、あの係留柱《ボラード》が見えた。

ファーンは女の声に聞き入り、その体温を覚え、脚に掛かる厚地のスカートの感触を心地よく思い

**サン・ジョルジョ・マッジョーレ島**　サン・マルコ運河を挟んでヴェネツィア市の南に位置する島。面積のほとんどをサン・ジョルジョ・マッジョーレ教会が占める。

はじめていた。時間が限られている中、他に話すこともありそうなところで、決まりきった地理の話を聞き続けているのが辛くなってきた。

　彼の不満に気づいたのだろうか、彼女の口調が（みながみな本当の話でもなかろう、とファーンは思っていたが）滞りだした。アッカデーミア橋*の下を通ったとき、ほんの数秒の闇の中、彼女は言った。「わたしと同じくらい、ヴェネツィアのことをご存じなんですね」知識のある観光客を相手にすることはあまりなく、そんなときは同行する意味がなくなることを怖れもするだろうに、とファーンは思ったが、その口調には不平じみた響きはなく、気遣いと親しみがこもっていた。ファーンの心はさらに温かくなった。

「たいして知らないんだ」彼は言った。「二週間ちょっとしかいないからね。少なくとも二か月はいないとわからないだろうし、もしかすると二年は必要だろうな」

「目に見えるものの向こう側に行こうとすれば、水に深く潜ることになります」

「わかるよ」想像もできないのに、ファーンは答えた。「目に見えるものを超えていこう」

目に見えるもの、と思いつつファーンが見渡すと、世界でもっとも美しい交通路と人が呼ぶ大運河《カナル・グランデ》のありさまはひどいもので、数限りないモーターボートがエンジン音もけたたましく行き交い、愚かな観光客が犇《ひし》めき、明かりさえ灯れば壮麗に見える宮殿は、暗く静まっていた。だが今の彼は、モーターボートが行く手を阻《はば》むことさえ喜ばしく思えた。黒いゴンドリエーレにとっては、ヴェネツィアを厳しいところにしたものだというのに。

「昔の市《まち》は、どこに目をやっても美しかったものです」

ファーンは自分の耳が信じられなかった。昔のほうが今より良いとは認めないのがヴェネツィア市民の誇りである、と思っていたのだ。実際、ほとんどの市民が昔の良さに無関心だと、彼は信じこんでいた。

ファーンは女の手をとった。柔らかい、仕事で酷使したことがなさそうな手を、彼女は彼の手に預けた。

彼女はまた話しはじめた。「世界中のありとあらゆる見苦しいものを蒐集した、アメリカの裕福な婦人がいます。どれほど見苦しいものを、どんなにたくさん集めたか、とても信じられないほどに。その人は集めたものを、造りかけてやめてしまった屋敷《パラッツォ》に収めました。そこにどんなものがあったかを挙げたら、この素敵な夜をだいなしにしてしまいます」

「その人のことは知っている」ファーンは笑った。「屋敷を見にも行ったよ」

「そんな人でも愛されるものでしょうか」

ゴンドラはカ・レッツォーニコ*を通り過ぎた。

「イギリスの名高い詩人は、『時もところも関わりなく、愛する者はみな同じ』*と詠《うた》っている」そう言ったファーンは、自分の言葉に驚いていた。

**アッカデーミア橋**　大運河にかかる橋の一つ。一八五四年に鉄製の橋として開通、老朽化のため一九三三年に木製の橋に改築された。

**カ・レッツォーニコ**　十八世紀に落成した宮殿。一九三五年にヴェネツィア市が所有し、美術館となった。

白いシャツを着た若者の一団が乗ったモーターボートが船首をかすめ、ゴンドラはあやうく転覆しかけた。

「内海《ラグーナ》に出ましょう」女が居住まいを正した。「邪魔は入りませんし、ここよりも危険ですから」

言ったことの意味はわからなかったが、彼女が楽しいことのつもりで口にしたのは、その目の輝きで察せられた。

「危険というのは？」

「夜の内海《ラグーナ》には危険がつきものです」彼女の口調は穏やかだったが、かすかな軽蔑も込められているようだった。真意は確かめないほうがよさそうだ、とファーンは思った。

彼女に好奇心を抱きはしたが、ファーンは個人的なことを尋ねようとはしなかった。尋ねたところではぐらかされるだけだろうし、今このように、気兼ねなく楽しく過ごしていられるほうが大切だ、と思ったからだ。ただ、これまで同行した観光客のことを、彼女が「淋しい方々」と言ったのは感心しなかった。決まり文句としても愉快なものではない。所詮は仕事ということなのだろうが、それを聞いて堪《こた》えたのは、彼にとっては思いもよらないことだった。もちろん、彼が夢見てきたことでもなかった。

彼女は今、闇の中に身を竦《すく》めているようだった。その手を取ったまま、ファーンは騒がしい周囲や空虚な宮殿から、幻滅が麻痺のように広がってくるのを感じていた。だが、内海《ラグーナ》は気を取り直すには遠いようにも思えた。

こういうときは率直であるに越したことはない。

「話の腰を折る気はなかったんだ。聞いていて楽しいよ」

「わたしがお話できることは、あなたがご存じのことばかりです」黒いマントに身を沈めるようにしていたせいか、彼女の声はくぐもっていた。

「よく夢を見たんだ」何かに急き立てられるように、ファーンは話しはじめた。「何年ものあいだ、同じ夢をね――ちょうど今していること、そのままの夢だったんだ」

「ヴェネツィアは誰もが夢見るところです」女は答えた。「この市《まち》は夢なのです」

「ここは現実ではないと言うのかい？」

「あなたの言う現実は、ここでは悪夢と言います」
二、三百ヤード先に、宝石商や薬種商の富で建てられた、大理石造りのリアルト橋*が、高く広い弓《ゆみ》形《なり》の威容を見せていた。運河の両岸は賑わっていた。カフェのテーブルは客たちで埋まり、艀《はしけ》に乗った歌手たちは「私の太陽よ《オ・ソーレ・ミオ》」や「帰れソレントへ《トルナ・ア・スリエント》」を高らかに歌っていた。誰もが楽しんでいるように見えた。
「この現実のヴェネツィアを悪夢などと呼んだら、市会議員《シティ・ファーザーズ》たちは黙っちゃいないんじゃないか」

ファーンは女の手をぐっと握った。

**時もところも関わりなく……**　ロバート・ブラウニング（一八一二―八九）"Never the Time and the Place"より。
**リアルト橋**　大運河にかかる大理石の大きな橋。十六世紀に建設された。橋の上にはアーケードが設けられ、商店が並んでいる。

「市の父祖《シティ・ファーザーズ》たちはみな、とうに死んでしまいました。ヴェネツィアは死んでいます。死都と呼ぶにふさわしいでしょう。これ以上の言葉がありますか」

ファーンは気づいた。彼はようやく思いを口にした。「ぼくを愛してほしいんだ」

カフェの眩《まばゆ》い明かりに照らされ、ドラムの音が響く中、彼は肘《ひじ》をついて身を起こし、フードの陰になって朧《おぼろ》な女の顔を見下ろした。

彼女は黙っていた。

「ぼくの夢を叶えてくれ。愛してくれ」

彼女はやはり黙っていた。ゴンドラは巨大な太鼓を抱えた男の脇を通った。男は陽気だが品のない軽口でゴンドラを見送った。軽口のあとに太鼓の音が続いた。

「ぼくの人生を、生きる価値のあるものにしてくれ。ぼくは自分を取り戻したいんだ」

黒いフードの陰から、彼女はファーンの目をじっと見つめた。

「もう夢は見ていない、とおっしゃいましたね。なぜかわかりますか」

「夢を叶えることをあきらめかけたからだろうな」

「あなたがヴェネツィアに来ようと決めたとき、夢は終わったのです。ヴェネツィアに来てはいけなかったのに」

女は彼を引き寄せ、冷たい唇でキスをした。

「ぼくを自由にしてくれ」ファーンは言った。「安らぎが欲しいんだ」

リアルト橋の下の闇の中、彼は女の胸をぴったりと覆う胴着《ボディス》に触れた。橋を抜けたときには、しっかりと抱きしめていた。中央郵便局*の仕分け係たちが二人を目にとめて、冷やかしの声をあげた。日頃は死が櫂を手にしているようなゴンドラばかり見てきたから、年老いても疲れ果ててもいない乗客は珍しいのだろう。

今や、ファーンの口からは愛の言葉しか出てこなかった。大小のモーターボートが、花火というよりはむしろ火矢のような速さで行き交う中、ゴンドラは、波をかきわけては乗り越え、傾き揺れながら、闇に沈む宮殿の下を通り過ぎていった。柔らかい天鵞絨《ビロード》のクッションの上で愛を語っても、舟の速さと揺れのせいで、ファーンは言葉が空回りしているような気がしていた。黒ずくめのゴンドリエーレは、舟を進めるために創造されたかのように、疲れを知らず規則正しく、その身を動かしていた。

「きみはこの夜空の月で、すべての星だ」ファーンは言った。「きみは実りに撓《たわ》む林檎《りんご》の枝、金色の朝日、夜に叶う望み。きみはすべての良きもの、愛そのもの、ぼくの命だ。きみはぼくの心の唯一の喜びだ」

ヴェンドラミン・カレルジ邸*が見えてきた。

「イゾルデ！」ファーンは優しく呼びかけた。

ようやく旅の伴侶《とも》に出会えたのだ。

**中央郵便局**　十三世紀に建設された東方との貿易の拠点「ドイツ商館」だった建物。一九二〇年代以降は郵便局として使用された。

**ヴェンドラミン・カレルジ邸**　十五世紀に建設された邸宅。十九世紀後半はヴァーグナー歌劇上演の場として知られた。一九五九年以降はカジノとなり、観光名所の一つに数えられる。

「トリスタン！」女は心を込めた声で応えた。

「ヴェネツィアが死んだのは」ファーンは推し量った。『トリスタンとイゾルデ』＊が作曲されたときではないだろうか」

「そのとき、まだヴェネツィアが生きていたのなら」女は答えた。

ゴンドリエーレは進路を変え、舟は大運河からサン・ファリチェ川に入った。行く先は広い内海《ラグーナ》だ。ヴェネツィア北岸に開く、ほぼ正方形のミセリコルディア湾は、静まりかえっていた。歩道はなく、建物にまばらに灯る薄暗い明かりは、住む者たちの後ろ暗さを現しているようで、眺めを荒んだものにしていた。

「危険はここからはじまるのかな」ファーンが言った。

彼女は答えず、ただ身を寄せた。その姿は濃いライラック色の夕暮れ空の下で、すべての色彩を失い、顔だけが白く塗ったかのように浮かんでいた。ゴンドリエーレは大鎌を振るかのような力強い、規則的な動きで櫂をあやつり、二人を目的地へと運んだ。

このヴェネツィアの北端で、内海《ラグーナ》は輝いていた。このような光景を見たことのないファーンには、燐光のようだとしか言いようがなかった。光は水から発しているようで、ゴンドラの周りではおぼろげだったが、離れるほどに明るくなり、青、白、黄色、ピンクとさまざまに色を変えた。だが、空を映したライラック色だけは変わらなかった。細波は光を反射し、レースの断片が漂うかのように泡が広がっていた。少し寒い、と彼は思った。

ゴンドラは小さな島に近づいた。ルネサンス様式の教会の姿が白く浮かび、刑務所か収容所のような高い壁が海岸沿いに島を囲んでいた。教会の扉の前は小さな広場になっており、人々が列をなしていたが、年齢も性別も、出で立ちさえもはっきりとは見えなかった。ただ、それぞれが火を灯したヴェネツィアン・ランタンを手にしていた。飾り立てた持ち手の先に飾り立てた火屋《ひや》をつけた、この地ならではの美麗なものだ。ランタンを揺らしているさまは、ファーンと同伴者を熱烈に歓迎しているようでもあったが、百ヤードも離れていないというのに、一人の声も届いてはこず、彼の目には群衆が背にした教会が、血の気の失せた病人の顔のように、ただ白く浮かんで見えるばかりだった。

「ここはサン・ミケーレ島*かい？」ファーンが小声で問うた。「夜には人がいなくなるという、あの墓地の島じゃないのかね」

「死者はいつもいます。今、この島に何人いるかは、誰も知りません。みな、ベッドから運び出され、道ばたで着替えされ、埋葬されました」それ以上は考えないようにさせたいのか、彼女は冷たい唇を彼の唇に押しつけた。

　ファーンが目を戻すと、島は早くも遠ざかっていた。一つひとつが奇妙な角度に傾いだランタンの灯《ひ》も、一筋の光の列に見えるばかりだった。あの一群は、ゴンドラを島に呼ぼうとしたのではなく、ビアンカ・カペッロ*の舟に合図したように、早く行くように告げたのだろう。ランタンを精一杯掲げた

**『トリスタンとイゾルデ』**　中世の物語詩を原作としたヴァーグナーの歌劇。一八五八年八月から翌五九年三月のヴェネツィア滞在中に作曲され、六五年に初演された。アイルランドの王女イゾルデと騎士トリスタンの道ならぬ恋を描く。

**サン・ミケーレ島**　ヴェネツィア本島の北東に位置する島。教会と墓地からなる。

かのように、光は高い位置で並んでいた。だが、波の音のほかに聞こえるものはなく、夜は静まりかえっていた。

遠くに航行灯が明滅していた。その光は波にきらめくだけでなく、海の底に沈む、遙か昔の瓦礫《がれき》や難破船の残骸まで照らしだしていた。別のところでは、水が白粉《おしろい》を溶いたように濁《にご》り、泡を噴き上げていた。水の底では人の骨や獣の骨が、枯れた海藻や廃棄物や、鉱物とも植物とも、あるいは動物ともつかないものが成したおぼろげな山の上に積み上がり、そのあいだを命あるものが蠢《うごめ》いていた。ずんぐりした大きな魚や、灰白色やピンクの蛇に似た生きものが、その堆積のあいだを這いまわり、身を躍らせて隙間を出入りし、ときにはゴンドラのまわりの水面から跳ねあがって、声をあげさえもした。水の流れが縺れあう中に、死と再生とが入り乱れていた。いつもはヴェネツィアの暗い一面である北岸も、今は夜の首に輝く灯火のネックレスになっていた。遠目にはどの建物も、どの階も解けあい、フォンダメンタ・ヌオーヴェ*に並ぶ街灯とつながった。ゴンドラの左手にはムラーノ島が浮かび、観光客に壊れやすい楽しみをもたらすガラス工房が、昔ながらに昼夜分かたず、夕闇に炎を剣を閃かせていた。

ムラーノ島が遠ざかると、さすがに今までどおりの速さで漕ぐことはできまい、とファーンは思ったが、ゴンドリエーレは疲れた様子も見せなかった。

「強い漕ぎ手だな」ファーンは言った。

「このあたりには潮流があります」女が言った。「漕がなくても舟は進みます」

ゴンドラが進路を変えた。夢に見た光景そのままの暗く長い海岸が、舳先から見えた。そこがどこなのか、彼にはわかった。防壁《リトラーレ》だ。アドリア海の高波が内海《ラグーナ》に入ってヴェネツィアを浸水させないように、長年にわたって維持され、補強されてきた細長い防波堤だ。防壁《リトラーレ》は三つに分かれ、その切れ目から船が外海との出入りをしている。その北側の一角が、俗悪な海水浴場として知られるリド島だ。旅もここで終わりなのだな、とファーンは気づいた。ヴェネツィア市公式の観光ツアーならば、リドのほかに終着場所は考えられない。

「わたしたちは死の内海《ラグーナ・モルタ》を過ぎ、生の内海《ラグーナ・ヴィヴァ》に入りました」女が言った。

女が何を言おうとしたのかはわからなかったが、ファーンが気にも留めなかったのは、続けて彼女が「今からは愛の時間です」と言い、その意味はすぐにわかったからだった。

あまりに長い、死んでいたかのような年月のうちに、ファーンの夢は現実よりも確かなものになっていた。間違っていたのは世界のほうで、自分が正しかったのだと、彼は確かめた。

今や空はすっかり暗く、星明かりもほとんど見えなくなり、輝いていた内海《ラグーナ》の水面《みなも》も黒く変わっていた。黒いゴンドリエーレは、仕事が楽になったので、彼のことを見ていたのかもしれないが、ファーンには彼が自分に目を向けていたようには思えなかった。もはや彼にとって、生は瞬間だけのものになっていた――過去も未来もない、ただ今だけの瞬間に。

どれだけの時が過ぎたのか、ファーンにはわからなかった。時計に目をやったが、止まっていた。

**ビアンカ・カペッロ**　トスカーナ大公妃（一五四八―八七）。

**フォンダメンタ・ヌオーヴェ**　サン・ミケーレ島を望む河岸。

## IV

我に返ると、風はひどく強まっていた。ゴンドラは大きく揺れていた。

ファーンは身を起こし、周囲を見まわした。波は荒れ、かつて軍の駐屯地だったリド島の北端からかすかな光が見えたが、リゾート地の華やかな明かりはまったく見えなかった。とうにそこを過ぎてしまっていたことに気づき、彼は愕然とした。毎年キリスト昇天の祝日《フェスタ・デラ・センサ》に、総督が世界で一番美しいガレー船ブチェントーロに乗り、海との婚礼を執りおこなうのは、このあたりの水域だったはずだ。そして、自分たちの不思議な婚礼もそこで行われたことに、彼はあらためて驚いた。時計が止まっているのに気づいたのは、そのときだった。

ファーンはゴンドラに乗ってから初めて、体を右にひねって竜骨に膝をつき、ゴンドリエーレのいるほうに目を向けた。彼は三度の、そして最大の驚愕を覚えた。誰もいなかったのだ。ゴンドラは潮に乗って沖に流されているだけだった。地中海では潮の満ち干がないか、あっても小さいなどと言われていることも、「死の内海《ラグーナ・モルタ》」というのは、満潮時だけ海に没するところを指す言葉であることも思い出した。今、内海《ラグーナ》は干潮で、水は前方の狭い隙間から外海に流れ出していた。

愛を交わしたあと、ファーンから身を離した女は、黒いマントの下でその身を丸くしていた。彼は横たわる女に目を向けた。が、どう声をかけたらいいか、わからなかった。現状をそのまま伝えるのは可哀想な気がしたが、それが危険なものであれば、伝えなければさらに悪いことになる。二人が夜の魔法の中、互いの熱情に我を忘れているあいだに何かが起きて、あの屈強なゴンドリエーレが海に流された――ファーンは自分の推測に唖然とした。彼はそっと手を伸ばし、マントのフードを上げた。海の上、荒れはじめた風の中で、彼は一人、声をかぎりに叫んだ。黒いフードの下にあったのは、白い髑髏だった。マントを撥ねのけると、その下には全身が綺麗に揃った白骨があるばかりだった。

## V

ヴェネツィア港の正面玄関、ポルト・デ・リドには、石造りの長い防波堤が二本、遙か沖まで延びている。まもなく嵐か、あるいは大きな天候の変化が起きることは、ファーンにも疑いようがなかった。死んだように静かな内海《ラグーナ》から外に出れば、生きている海の変化は予測できない。あれほど不安を感じた風も、外海ではどこにでも吹いているそよ風のようなものだった。ゴンドラには抗《あらが》いがたい引き潮でも気にする様子はなく、何艘もの船がポルト・デ・リドの防波堤のあいだを行き過ぎていった。

ファーンのゴンドラは、入港する船の少なくとも四艘とすれ違った。出港する船が二艘、ゴンドラを追い越していった。自力では流されるほかない小舟から、彼がどんなに大声で叫び手を振りまわしても、夜は暗く、彼のゴンドラも一五六二年の法令*に従って黒く塗装されていたからか、どの船の目にもとまることはなかった。長い防波堤のあいだを行き交う船は危険そのものだった。海が荒れていなくても、航行するだけで波を起こし、一人だけ乗せたゴンドラを大きく揺らす。そばを通るだけで沈没するという危険は、ファーンには考えたことのないものだった。

怖ろしい姿に変わった同行者から離れ、彼は舳先に這い進むと、鉄の船首飾り《フェロ》の後ろに身を縮めた。この飾りの重みで、ゴンドラが沈むときは舳先からになるだろう。

二つの防波堤のうち短いほう、サン・エラスモ防波堤のいちばん端には、イタリア前政権の支持者によるものと思われる、大きな文字が書かれていた。接近注意だけではなく、他の意味も込められているのだろう。驢馬《ろば》の一生よりも獅子の一時間が望ましい、というような文言だった。

ファーンの目にはリドの防波堤が、そして、その向こうに荒れる夜のアドリア海が映るばかりだった。ゴンドラは水路に落ちた枯葉のように速さを増していった。

明日は夜になる前にヴェネツィアを発とう、とファーンは心に決めた。

**一五六二年の法令**　ヴェネツィア共和国時代の法令により、ゴンドラの色は黒と規定された。

# 山崩れ

ディーノ・ブッツァーティ

脇功訳

La frana

Dino Buzzati

彼は電話のベルで目を覚まされた。新聞社の編集長だった。「車ですぐ出発しろ」編集長は言った。「ヴァッレ・オルティカで大きな山崩れが起こったんだ……そう、ヴァッレ・オルティカで、ゴーロの町の近くだ……村が一つ丸々押し潰されたんだ、死者も何人か出たにちがいない……あとのことは君が調べてくるんだ。時間を無駄にするなよ。いいな！」

大きな仕事を任されたのはそれが初めてだったし、責任の重さが彼を不安にした。しかし使える時間を計算してみて、彼はまず安心した。二百キロほどの道のりだから、三時間もあれば到着するだろう。だから調べてまわって記事をひとつものにするのに午後いっぱい使えるわけだ。楽な仕事だ、と彼は考えた、大して骨も折らずに面目をほどこすことが出来るだろう。

二月の寒い朝の中を彼は出発した。道にはほとんど車の影もなかったので、すっ飛ばして行くことが出来た。予期していたよりも早く、連なった丘陵の姿が近づいてくるのが見え、続いて、霧のヴェールの間から、山々の頂《いただ》きの雪が見えはじめた。

その間彼は山崩れのことを考えていた。おそらく百を超す死者のある大災害にちがいない、二、三日連続して数欄通しの記事が書けるだろう。彼は別に歪んだ心根の持主ではなかったけれども、大勢の人々の嘆きにも心が痛まなかった。ついで競争相手、他の新聞社の連中のことを思うと憂鬱になってきた。彼らはもう現場で、彼よりもずっと手早く老獪《ろうかい》に、貴重な情報を集めているのではないかと想像するのだった。彼は同じ方向へ走って行くすべての車を不安げに眺めはじめた。疑いなく、すべて山崩れの件でゴーロへと急いでいるのだ。たびたび、直線道路の前方に車を見かけると、彼はそれに追いついて中に誰が乗っているか見ようと無理に速度を上げた。そのつど彼は記者仲間が乗っているにちがいないと思い込むのだが、ところがきまって見知らぬ顔ばかりだった、大抵が仲買人や小作人といったタイプの、田舎の人間たちで、はては坊さんすらいた。彼らはまるでその恐ろしい災害など自分たちには少しも関係がないといったような、退屈そうで眠そうな表情をしていた。

ある地点でアスファルトの直線道路からそれて、左へと折れ、ヴァッレ・オルティカに通じる狭くて埃っぽい道へと入った。夜が明けてだいぶたっているのに、異常な事態を表わすなんのしるしも見当たらなかった、出動した軍隊も、救急車も、救援隊を乗せたトラックも、彼が想像していたようなものはなにひとつ。すべてが冬眠の中でよどんでいるみたいだった、ただ何軒かの百姓家が煙突から煙を立ちのぼらせているだけだった。

道ばたの里程標はゴーロまで二十キロ、十九キロ、十八キロ、と示していた。それでもなんの混乱も動揺も見られなかった。ジョヴァンニは裂け目を、山崩れの白い傷あとを見つけようと険しい山腹に視線を走らせたが無駄だった。

正午ごろ、ゴーロに到着した。それは見棄てられた谷あいにある、百年前からそのまま取り残されたような、異様な村のひとつだった。夏の森も冬の雪もなく、貧しい家族がわずかばかり保養に訪れるのみの、荒涼とした山に押し潰されそうな、陰気で他処《よそ》者には冷やかな感じの村だった。

町の中央の広場には人影がなかった。妙だな、とジョヴァンニは独り呟いた。大災害のあとでみんな逃げ出したか、それとも家の中に閉じこもっているのだろうか？　それとも山崩れは近くの別の村で起こって、みんなその現場へ出かけているのだろう、と彼は考えた。弱い日差しが一軒の旅館の正面を照らしていた。車から降りて、ジョヴァンニは旅館のガラス戸を開けた。食卓にでもついているのか、人びとの陽気な、大きな話し声が聞こえた。

事実、旅館の亭主は大勢の家族といっしょに昼食をとっていた。この季節には、もちろん、客はいなかった。ジョヴァンニは挨拶をしてから、新聞記者だと自己紹介をし、山崩れのことをたずねた。

「山崩れですって？」いかにも田舎者然とした親切な大男の亭主は言った。「ここには別に山崩れなどありませんけど……でも、もしか食事をなさりたいのでしたら、どうぞ、どうぞお入りください。よろしければ、ここへいっしょにおかけください。むこうの食堂は、暖房がしてありませんので」

亭主はジョヴァンニにみんなといっしょに食事をするよう熱心にすすめた。その間、客のことは気にもとめずに、十五、六ぐらいの二人の息子が、家族だけに通じる話題で、みんなを大笑いさせていた。亭主は本当にジョヴァンニが食卓につくことを望んでいた。この季節に、この谷あいでは、ほかにすぐに食べられるようなところを見つけるのはむつかしいと亭主は請け合った。だが彼は次第に心配になりだした。もちろん食事をしたかったが、それよりも先に山崩れを見たかった。どうしてまたゴーロではなにも知らないのだろう？　編集長は彼にはっきりとそう言っていたのに。

二人の話がなかなかまとまらないので、食卓に座っている子供たちが注目しはじめた。「山崩れ？」

十二歳ぐらいの男の子が話を聞きかじって、口をはさんだ。「そうだよ、もっと上の方だよ、サンテルモだよ」男の子は父親よりもよく知っているのを見せることが出来るのがうれしくて、そう大きな声で言った。「サンテルモで山崩れがあったんだよ、きのうロンゴがそう言ってたよ！」

「ロンゴなんかなにも知るもんか！」亭主はやり返した。「お前は黙っておれ。ロンゴなんか知りはしないさ。山崩れはあいつがまだ子供のころに一度あったきりだ、それもゴーロよりずっと下の方でな。たぶんごらんになったでしょう、ここから十キロばかりのところで、道が……」

「そうだよ、パパ、本当だよ！」男の子はなおも言った。「サンテルモで山崩れが起きたんだよ！」

ジョヴァンニが押しとどめなかったら、親子はいつまでもやり合っていただろう。「わかりました、とにかくサンテルモまで見に行ってきますよ」亭主と子供たちは明らかにこの山の中ではまだ目にしたことのない最新型の彼の車に興味を惹かれて、広場まで彼を送りがてらついて来た。

ゴーロからサンテルモまではほんの四キロばかりだったが、ジョヴァンニにはとても長く思えた。道は急なつづら折りで、おまけに狭く、何度も後退しなければならなかった。谷は次第に陰鬱で荒涼とした気配を見せてきた。ただ遠くから聞こえる鐘の音だけがジョヴァンニの救いだった。

サンテルモはゴーロよりいっそう小さく、いっそう人に見棄てられた感じの、みすぼらしい村だった。やっと一時十五分前になったばかりだったが、まるで夕暮れが近いような感じだった。おそらくはのしかかるような山の深い陰のせいか、またおそらくはうらさびれた感じのもたらす、なんとなく落ち着かぬ雰囲気のせいでもあろうか。

ジョヴァンニはもうすっかり心配になってきた。一体どこで山崩れがあったのだろう？　情報が確かでなければ編集長があんなに急かして彼を派遣したりするだろうか？　それともその場所の名前を言う際に間違えたのだろうか？　時間は流れるように早く過ぎて行く。彼は新聞に記事を送りそこなうかも知れない雲行きになってきた。

　車をとめて、ひとりの少年にたずねたところが、少年はすぐわかったらしかった。

「山崩れ？　あっちの方だよ」と答えて、上の方を指さした。「二十分もあれば行けるよ」それから、ジョヴァンニが車に乗り込もうとすると、こう注意した、「車では行けないよ、歩いて行かなくちゃあ。細い道が一本あるだけなんだ」そして少年は道案内を引き受けた。

　村を出て、山の斜面の、埃っぽい、騾馬《らば》しか通れそうにない道を、二人はよじのぼっていった。ジョヴァンニは少年のあとについていくのが精一杯で、息が切れて質問しようにも出来なかった。でもそんなことはどうでもいい。間もなく山崩れを目にすることが出来るだろうし、新聞に記事を送れることも間違いないし、記者仲間の誰ひとり彼より先には来ていないのだ（だが立ち働いている人たちが見当たらないのは妙だった、犠牲者はひとりも出ず、せいぜい人の住んでいない家かなにかが圧し潰されただけなので、救助隊を呼ばなかったのだ、と考えるよりなかった）。

「ほら、ここだよ」少年は山の張り出した部分まで来ると、ようやくそう言って、指さした。彼らの目の前、谷のむこう側に、事実、赤茶けた地肌を見せた巨大な山崩れの跡が認められた。崩落箇所の上端から、大きな岩石がごろごろと累積した谷底まで、三百メートルはあろうか。だが一体どうしてこんな場所に村があったりするのか、どうにも合点がいかなかった、それともひとかたまりの人家があっただけなのだろうか。それに崖崩れの跡に草木が根を下ろしているのも腑に落ちなかった。

「見えるかい？　橋が」ちょうど谷底の、赤茶けた岩石の散乱した中の、崩壊したなにかの構築物の跡を示しながら、少年が言った。

「で、誰もいないのかね？」いくらあたりを見まわしても人っ子ひとり見当たらないのに驚いて、ジョヴァンニはたずねた。目につくのはただ裸の崖、地肌に露出した岩、石に埋まった湿った川床、短い期間だけ耕作する段々畑の石の仕切り、すべてが荒涼とした鉄錆色をしていた、そしてその間に空は次第に雲に満たされていった。

　少年はけげんそうに彼の方を見た。「これはいつ起こったんだね？」ジョヴァンニは重ねてたずねた。「もう数日前かね？」「いつだか知りはしないよ！」少年は言った。「三百年ほど前だと言う人もあれば、四百年前とも言う人もあるよ。でも今でもまだ時々なにかのかけらが出てくるんだ」

「ばか！」思わずジョヴァンニは怒鳴った。「どうして最初にそれを言わないんだ！」三百年前の山崩れを見せに連れてきたのか、おそらくは観光案内書にでも書いてある、サンテルモの地質学上興味のある名所を見せに！　そして谷底のあの壊れた壁みたいなものはあるいは古代ローマの橋の廃墟なんじゃあるまいか！　なんとばかげた取り違えなんだ！　そしてその間にも夕暮れが次第に迫ってくる。でも一体どこなんだ、山崩れはどこなんだろう？

　彼は山道を急いで駆けおりた、少年はチップをもらいそこねるのを心配して半分べそをかきながら、うしろからついてきた。その少年の心痛ぶりたるや大変なものだった、なぜジョヴァンニが腹を立てたのかわからないままに、嘆願するように彼のうしろについて走りながら、なんとか彼の怒りをなだめようとしていた。

「この人は山崩れを探しているんだ！」会う人ごとにジョヴァンニの方を指さしながら、少年は言ってまわった。「おれには全然わからないんだ、あの古い橋の山崩れを見たいんだと思ってたんだ、でもこの人の探しているのはあれじゃあないんだ。どこで山崩れがあったか知らないかい？」少年は男たちや女たちにも聞いてまわった。

「ちょっと、ちょっとお待ち！」少年の言葉に一軒の家の戸口のところで商いをしていた老婆がようやく答えた。「うちの人を呼んでくるから、ちょっとお待ち！」

しばらくすると、木靴の音を大きく響かせながら、五十すぎぐらいだが、もうすっかりしなびてしまった、憂鬱そうな表情をした男が戸口に現われた。「ああ、見に来なさったのかね！」ジョヴァンニの姿を見るやいなや大きな声で話しはじめた。「なにもかもすっかり台無しになっただけじゃあ足りずに、今度はその眺めを旦那方が見に来なさる。まあいいさ、どうぞ、ごらんなされ！」男は新聞記者にむかって大きな声で言った、だがそれは彼ひとりにむかってというよりも、となり近所全体に聞こえるように言っているのだということがわかった。

男はジョヴァンニの腕をつかんで、ごろ石の低い石垣にはさまれた、さっきのによく似た山道を上へと彼を引っ張って行った。外套の襟元《えりもと》を合わせようと胸に左手を持っていきながら（実際寒さは次第に厳しくなってきていた）、ジョヴァンニは腕時計にちらっと目をやった。もう五時十五分すぎだった、間もなく夜がやって来る、そして彼は山崩れについて文字通りなにもわからないままなのだった、どこでそれが起こったのかさえも。せめてこの憎々しげな百姓がその現場に連れて行ってくれさえしたら！

「満足なさったかね？　ほら、ここだよ、どうぞごらんなされ、いまいましい地滑りを！」ある場所まで来ると百姓は立ちどまって、そう言い、憎しみと侮蔑をこめて非難するように顎《あご》をしゃくった。ジョヴァンニは数アールほどの小さい畑のふちに立っていた。険しい山の斜面になければ全然関心も惹かないような一片の土地、掌ほどずつ手を加え、石垣で支えてやっと手に入れた人工の小さな畑だった。だがその畑は土砂崩れで少なくとも三分の一は埋まっていた。おそらくは雨か、あるいはこの湿っぽい気候のせいか、なんのせいかは知らないが、山の一部がその小さな畑の上に滑り落ちてきたのだ。「見なされ、もう満足なさったかね？」ジョヴァンニの目的を知らない百姓は、ジョヴァンニに対してではなく、何か月もの苦労が要るであろうその土砂崩れに対して憤慨して、呪わしげに言った。ジョヴァンニは呆然としてその土砂崩れを、山のそのかすり傷を、話にもならぬ些細な、なんの悲惨さもないその眺めを見やった。だががっかりしたというのでもなかった、なにかの錯誤があるにちがいない。そしてその間にも時間は流れてゆき、彼は夜になる前に新聞社に電話をしなければならないのだった。

百姓をその場に残して、彼は車を置いてある広場に駆けもどり、車のタイヤに触っていた三人の村人に息せき切ってたずねた、「一体山崩れはどこなんだ？」彼はまるで彼らに責任があるかのように怒鳴った。山は闇に閉ざされようとしていた。

その時背のひょろ長い、まああの服装をした男がひとり、それまで座りこんで煙草を吸っていた教会の前の階段から立ち上がって、ジョヴァンニの方に進み出てきた、「誰が言ったんだね？　誰からその話を聞いたんだね？」男は前口上ぬきにたずねてきた。「山崩れのことを話したのは誰だね？」

　男は歯に衣を着せた、しかし言外に脅迫するような口調でそうたずねた。まるでその話題に触れるのを耳にするのが気に入らぬみたいな感じだった。不意にジョヴァンニを元気づけるような考えが頭にひらめいた。この山崩れの件には確かになにか不審な犯罪の臭いのするものが潜んでいるにちがいない。だからみんなその調査をはぐらかそうと口裏を合わせているのだ、だから官権もまだ気づいてはいず、誰もまだ現場に駆けつけてはいないのだ。もしかすると、ありふれたものになりがちな単なる災害の三面記事のかわりに、なにか小説じみた企みをあばくようなことになるかもしれない、そしてそれは世間から切り離された山の中のこんな村ではそれだけいっそう異常なものだろう！

「山崩れなんて！」その男はジョヴァンニが返事をする間もないうちに、噛んで吐き出すように言った。「おれはそんなくだらぬ話を聞いたことはないね！　あんたはそれを信じているなんて！」そう言い終えると、背をむけてゆっくりと歩み去った。

　いかに興奮していたとは言え、ジョヴァンニはその男を呼び止める勇気はなかった。「あの男はなにを言うつもりだったのかね？」彼は三人の百姓のうちいちばん鈍くなさそうな男にむかってたずねた。

「ああ」その若い男は笑いながら言った。「いつものことさ！　でもおれは話さないよ！　ごたごたは嫌だからな！　おれはなんにも知らないよ」

「おまえ、あいつがこわいんだろう？」二人の仲間のうちのひとりがその男に面とむかって言った。

「あいつがぺてん師だからって、おまえ黙っているのかい？　山崩れ？　もちろん山崩れはあったよ！」

　やっと情報がわかると躍起になっているジョヴァンニにその百姓は説明した。さっきの男は、サンテルモのすぐ外に、売家を二軒持っているのだが、そのあたりは地盤がもたず、遅かれ早かれ壁は崩れてしまうだろうし、もうすでにひび割れがしていて、それを修繕するには長い手間と多額の費用が要るだろう、そのことを知っている者はまだごくわずかだが、噂が広まれば、買い手が付かなくなる、それでさっきの男はそれを打ち消そうとしているのだ、というのだった。

秘密とはそれだけのことなのか？　愚かで気心の知れない人間たちの中での、山地の陰鬱な夕暮れ。暗くなってきて、冷たい風が吹いていた。人びとは、さだかならない影となって、ひとり、またひとりと去って行った。粗末な家々の戸は軋《きし》んだ音をたてながら閉ざされ、そしてあの三人の百姓も車をいじるのにも飽きて、いつの間にやら姿を消してしまった。

　これ以上たずねてまわっても無駄だ、とジョヴァンニは自分に言いきかせた。ひとりひとりが、これまでそうだったように、ちがう返事をするだろうし、ひとりひとりが、全然新聞種にもならないような、別の場所を見せに連れて行くだろう（めいめいがおのれの山崩れを持っているのだ、ある者にとっては畑の上に土砂が崩れ落ちてきたり、ある者にとってはせっかくの堆肥土が流れてしまったり、またある者にとっては大昔の砂礫《されき》の崩落だったりするのだ。めいめいがおのれの取るに足らない山崩れを持っている、だがそれは決してジョヴァンニにとって肝心なもの、彼に出世をもたらすような新聞記事を書きうるような大きな山崩れではないのだった）。

　大いなる静寂の中で、またもや遠くの鐘の音が聞こえ、やがて消えた。ジョヴァンニは車に乗り込み、エンジンをかけ、ライトをつけて、失望しながら帰路についた。

　がっかりする話だ、と彼は考えた、一体どうしてこんなことになったのだろう。まったくなんでもない出来事が、おそらくはあの怒りっぽい百姓の畑を埋めてしまったちっぽけな土砂崩れが、不思議なことに、どういう径路をたどってか、下の町まで伝わってゆき、そして伝わってゆく間に次第に歪曲されて、悲劇的な事件にまででっち上げられたのかもしれない。そうしたことはよくあることだ、結局はそれがもとのさやにおさまっただけのことだ。だがジョヴァンニがその尻ぬぐいをする羽目になったのだ。彼のせいではないにしろ、それでも空手で帰るわけであって、まったくみっともないざまを見せてしまうことになるのだった。

「もしも……」だが彼はその考えのばからしさを思いはかって、微笑した。

車はもうサンテルモの家並みをあとにし、急なつづれ折りの道は、行き交う者とてなく、暗い谷底へとおりていた。車はかすかに砂利を軋ませながら下って行く、二条《ふたすじ》のライトの光が次々にまわりを照らして、時折り反対側の谷や、低い雲や、不気味な岩陰や、枯木を映し出していた。車はゆっくりと、まるで最後の希望にすがって逡巡するかのように、下って行った。

そうこうするうちにエンジンの音が黙した。少なくともそう思えた。ジョヴァンニは背後に物音を聞いたからである。おそらくは幻覚か、だがそうではないかも知れなかった。背後で地面を揺るがすようなすさまじい地鳴りの始まるのを聞いたのである。そして彼は奇妙にも歓喜に似た、言いがたい心の昂《たか》ぶりをおぼえた。

# あまたの叉路《さろ》の庭

ホルヘ・ルイス・ボルヘス

西崎憲 訳

El jardin de senderos que se bifurcan

Jorge Luis Borges

ビクトリア・オカンポに

リデル＝ハート大尉*は『第一次世界大戦』の二十二ページで以下のように述べている。イギリスの十三の師団が予定していたドイツ軍のセール＝モントーバン戦線への攻撃（千四百門の大砲に援護されたそれ）は、一九一六年七月二十四日に予定されていたが、二十九日の朝まで延期されなければならなかった。そしてその原因は豪雨だった（リデル＝ハート大尉はそのように記している）――わざわざ記すほどの理由ではない――。青島の教育機関《ホーフシューレ》の英語教師だったユ・テュン博士が口述し、確認し、署名した以下の陳述は、件の出来事に予想もしなかった角度から光を投げかけた。冒頭の二葉は失われている。

……そしてわたしは受話器をもどした。ドイツ語で応えた声の持ち主が誰なのかはすぐわかった。リチャード・マッデン大尉だった。ヴィクトール・ルーネベルクの事務室にマッデンがいるという事実は、われわれの苦闘の終わりを意味し――そのこと自体は二義的である、あるいはそう考えてしかるべきだったが――同時にわれわれの生の終わりも意味した。そのことはルーネベルクが逮捕されたか殺されたことを意味していたのだ[1]。頭上の太陽が沈む前に、自分もおそらく同じ道をたどることになるだろう。マッデンは無慈悲な男だった。いや正確に言えば、無慈悲であることを強いられていた。英国の走狗となったアイルランド人、徹底性に欠けることを詰《なじ》られ、はては裏切りまで疑われている男が、この奇跡のような恩恵に背を向ける、あるいは感謝しないといったことがあるだろうか。発見、逮捕、そしておそらく死が後につづくだろう、ドイツ帝国のふたりのスパイの。わたしは自室に上がった。無意味なことにドアに鍵をかけ、幅のない鉄のベッドに背中から倒れ、そのまま仰向けに横たわった。窓の外には見慣れた屋根の波と雲を透かす六時の太陽があった。兆しも徴《しるし》もないこの一日が、自分の無情な死の日であることがどうにも信じられなかった。死んだ父親、海鋒《ハイフェン》の左右対称の庭で過ごした少年時代、それらにかかわらず、自分ははたしていま死ぬのだろうか？ それからこう考えた。あらゆることが実際に人間には起こる。現在という時間に。世紀は世紀を追って流れていくがことが起こるのは現在だけだ。空に陸に海に数多《あまた》の人間が溢れている。けれど起こりうることはつまりは自分に起こるのだ……。マッデンの馬のような顔が脳裏に浮かび、耐えがたさのあまり、思索は中断され

**(1)** 奇抜かつ嫌悪すべき仮定である。プロシアのスパイ、ハンス・ラーベナー、別名ヴィクトール・ルーネベルクは、自分の名が記された逮捕状を携えてきたリチャード・マッデン大尉を自動拳銃で撃った。自衛のためマッデン大尉はルーネベルクに傷を負わせ、それがかれの死の原因になった。（刊行者注）

**リデル＝ハート**　イギリスの軍事史研究者、サー・バジル・リデル＝ハート（一八九五―一九七〇）。『第一次世界大戦』（一九三〇）はその主著。

た。嫌悪と恐怖（恐怖を口にすることはいまはなんでもない。リチャード・マッデンを出しぬいたのだ。いま自分の首はロープを待ち望んでいる）そのなかでわたしは思った、騒々しくおそらく幸運な闘士マッデンは、わたしが機密事項を知っているとは少しも考えていなかったのだ。英国砲兵隊がアンクル河沿いに設置した陣地の正確な地名。一羽の鳥が灰色の空を截って飛び、わたしの無意識のなかでそれは一台の飛行機に姿を変え、さらに無数の飛行機の群に変じ（フランスの空で）イギリスの砲兵隊の布陣に爆弾を降らせて殲滅《せんめつ》した。一発の弾丸がこの口を黙らせる前に、地名を叫ぶことができたならば。ドイツにいる者たちの耳に届くように……。わたしの声、人間の声は貧弱だ。どうしたら上司の耳に届けることができるだろうか。病んだ不快な男の耳に。かれはルーネベルクやわたしについてはスタッフォードシアにいることしか知らず、ベルリンの無味乾燥な事務室で虚しく報告を待っている。新聞を開く動作を果てしなく繰りかえしながら……。わたしは声に出して言った。「逃げなければならない」音を立てないように上体を起こした。「無意味な」完璧さをもって。すでにマッデンに忍び寄られてでもいるかのように。何かに駆られて——たぶん自分の徹底した窮乏を白日の下にさらしたいという気持ちから——わたしはポケットの中身を確認した。出てくるとわかっていたものが出てきた。アメリカ製の懐中時計、ニッケルメッキの鎖、四角い貨幣、もう使えず、危険なだけのルーネベルクのアパートの鍵がついたキーリング、手帳、ただちに破り棄てることにした手紙（しかし実行に移さなかった）、クラウン貨が一枚、シリングが二枚、ペニーが何枚か、赤青の色鉛筆が一本、ハンカチ、装填済みのピストル。ばかげたことに、自分を勇気づけるためにピストルを手に取り、重さを確認した。ぼんやりと、ピストルの音は相当遠くからでも聞こえるだろうと思った、十分後にはわたしの計画は形になっていた。電話帳がわたしの声を伝える可能性のある人物の名前を教えてくれた。列車で三十分もかからない、フェントンの郊外に住んでいた。

　わたしは小心な人間である。いまだからそれを自分から言える。危険はなかったと誰も主張できないことを遂行したいま。実行することはひじょうに難しかった。わたしはドイツのためにやったのではない、違うのだ。あの野蛮な国はわたしにとっては重要ではない。さらにいまわたしはひとりのイギリス人を知ることになった――慎ましい人物――わたしにとってゲーテにいささかも劣らぬ人物。話した時間は一時間を超えなかったが、そのあいだかれはゲーテだった……。わたしが実行したのは上司がわたしの種族にたいして懸念を抱いていたからだ――わたしというものに集約された夥《おびただ》しい数の先祖に――わたしはひとりの黄色人種がかれの軍隊を救えることを証明したかった。それにわたしは大尉から逃げなければならなかった。大尉のノックと声がいつドアの向こうで響くかわからなかった。わたしは音を立てないように服を身につけ、鏡のなかの自分に別れを告げ、階下に降り、深閑とした通りを確認し、外に出た。駅は家からさほど遠くなかったが、タクシーを使ったほうがいいと判断した。そのほうが発見される危険が少ないと思ったのだ。実際に人気のない通りに出ると、自分が目立つし、無防備であると感じた。いまでも憶えているが、わたしは中央の入口のやや手前で停めてくれと運転手に伝えた。意図的に、苦痛なほど緩慢に、タクシーから降りた。秦皮の森《アッシュグローヴ》の村まで行くつもりだったが、それよりさきの駅までの切符を買った。列車は何分かあと、八時五十分発だった。わたしは急いだ。つぎの列車は九時半だった。プラットフォームにはほとんど人影がなかった。わたしは客車から客車へと移動した。農夫たち、喪服の女、タキトゥスの『年代記』に没頭する青年、負傷した、幸福そうな兵士。列車はついに動きだした。見覚えのある男が列車を追ってプラットフォームを走っていて、虚しく端で立ち止まった。リチャード・マッデン大尉だった。わたしは拉《ひし》がれ、震え、座席の端で身を縮めた。恐ろしい窓から離れて。

恐怖は卑しいまでの幸福感に変わっていった。わたしは自分に言った。決闘はもうはじまっている。そして最初の攻撃はしのいだ。四十分かもしれないが、運がよかっただけかもしれないが。わたしは自分に向かって主張した。そのささやかな勝利は完全な勝利の先触れだ。けれど、ささやかという語は控えめだ、時刻表が与えてくれた貴重な時間がなければ自分は監獄にいるか、死んでいた。そしてなおも主張した。（やはり詭弁を弄して）臆病で小心なこの幸福感、それこそが証明している、自分が冒険をやりとげられる人間だということを、と。自分の弱さは自分を見棄てなかった。わたしはそこから力を引きだした。わたしの予想では人間は日ごとに嫌悪すべきものに地歩を明け渡していき、まもなく兵士と盗賊しか残らなくなるはずだ。そのふたつにわたしは助言を贈る。「残虐な企てを果たそうとする者は、その企てがすでに果たされたように行動し、過去同様改変できない未来を自分に強要すべきだ」そのようにわたしは進めた。すでに死んだ人間の目でおそらく最後となる日の起伏をそして拡散しはじめた夜を注視した。列車は心地よく秦皮の木の森を抜けて走った。そして、野面のほぼ真ん中で停車した。駅名を告げる声はなかった。「アッシュグローヴ？」とわたしはプラットフォームにいる少年たちに尋ねた。「アッシュグローヴ」とかれらは応え、わたしは降りた。

電灯がひとつあってプラットフォームを照らしていたが、少年たちの顔は陰のうちにあった。ひとりが尋ねた。「スティーヴン・アルバート博士の家に行くの？」わたしの答えを待たずにもうひとりが言った。「その家はかなり遠いよ、でも迷わないはず、この道を左に曲がって、十字路に出るたびに左へ曲がれば」わたしは銅貨（最後のそれ）を一枚投げてやり、石段を下りて人影のない道に立った。道はわずかに下りになっていた。土が剝きだしで、頭の上で樹の枝が交叉し、円く低い月がわたしに同行した。

　一瞬、絶望から絞りだした計画をリチャード・マッデンが見抜いたのではないかという考えに囚われた。けれどすぐそれは不可能だと考えた。つねに左に曲がれという助言から連想したのは、それが迷路の中心の広場に到達するための一般的な解であるということだった。迷路については少しばかり知っている。わたしは雲南省の知事であったテュイ・ペンの曾孫なのだからそれはゆえないことではなく、かれは『紅楼夢』*より登場人物の多い小説を書くために、そして人のことごとくが迷う迷路を造るために、いっとき権勢を放棄したのだ。十三年のあいだテュイ・ペンは様々な種類の努力をそのために捧げたが、どこからかやってきた者に殺されることになったし、小説はばかげたものであり、誰も迷路を見つけることはできなかった。イングランドの木の連なりの下でわたしは失われた迷路のことを考えた。侵害されることなく、完璧な姿を保ち、人間の知らない山の頂に広がるそれを想像した。水田や水路に変じてしまったものを想像した。無限であることを想像した。八角形の四阿《あずまや》や曲がりくねった小径ではなく、川や省や王国からなる迷路……。わたしは迷路のなかの迷路のことを考えた。入

**『紅楼夢』**　清朝中期（十八世紀中頃）に書かれた小説。曹雪芹（一七一五?―一七六二）の作と伝えられる。貴族の青年を主人公に、上流階級の生涯と心情を描き、登場人物は四百名を超える。

り組んだまま成長する迷路、過去と未来を含み、いくつかの星まで含む迷宮。そうした幻影に気を取られて、わたしは追われているという自分の運命を忘れた。どのくらいのあいだだったか、この世界を抽象的に理解したと感じた。霞《かす》んでいるが生彩に富んでいるようにも見える野面、月、残光がわたしの内側で存在を主張した。それに下り坂なので疲れるということもなかった。宵は親密で無限だった。すでに滲みはじめた草地の上を小径は縫うように延びて岐《わか》れた。高音の旋律が風の往来に従い、近づき、去り、葉擦れの音のせいで、そして遠方からやってくるせいで、くぐもっていた。ある人間が誰かの敵になったり、べつの機会にさらにべつの誰かの敵になったりすることはあるだろうと思う。けれど、ある国家の敵になることはできない、蛍や、言葉や、庭や、水路や、西風の敵になることはできない。そんなことを考えているうちに、わたしは錆の浮いた大きな門の前に立っていた。鉄の柵の向こうに並木道と四阿があるのが見えた。すぐにわたしはふたつのことを理解した。ひとつは些細かつ驚異的なものだった。音楽は四阿からやってきたもので、しかも中国のそれだった。だからわたしは十全に受けいれていたのだ。なんら身構えることなく。鉦《かね》があったか、呼び鈴があったか、それとも手で扉を叩いたかについては記憶がない。音楽は火花のようにつづいていた。

　しかし住みやすそうな家の懐から提灯が現れ、近づいてきた。提灯の光は闇に線を引き、時折、木の幹に遮《さえぎ》られて暗くなる。紙の提灯、太鼓の形の月の色。持っていたのは長身の男だった。光がわたしの目を眩まし、顔は見えなかった。男は門を開いてから、わたしの国の言葉でゆっくりと言った。

「慈悲深いテュイ・ペンが、わたしの孤独を見かねたらしい。きみもきっと、庭を観たいのだろうな」

自分の国の執政者のひとりの名を耳にして当惑しながらも、わたしは繰り返していた。

「庭？」

「あまたの叉路《さろ》の庭だ」

記憶のうちで何かが動き、わたしは自分でも理解できない確信をこめて言った。

「わたしの先祖のテュイ・ペンの庭ですね」

「あなたの先祖？　高名な先祖をお持ちか？　どうぞこちらへ」

露に濡れた小径は曲がりくねっていた、幼年時代に歩いたときのように。わたしたちは東洋と西洋の書籍を蒐《あつ》めた書斎に着いた。黄色い絹で装幀された、失われた百科全書のいくつかの巻の草稿をわたしの目は捉えた。明朝の第三代の皇帝によって編まれたそれはついに印刷されることはなかった。レコードが回っている、その隣には青銅製の不死鳥がいた。思いだす。馴染みのある薔薇色の壺、そしてそれより数世紀も古い、陶工たちがペルシアの陶工の技を模倣してできた碧《あお》い壺。

スティーヴン・アルバートは笑みを浮かべ、わたしの顔をしばし眺めていた。かれはとても背が（すでに述べた通り）高く、顔の造作は鋭利で、髪と顎鬚には白髪が混じっていた。どこか僧侶を思わせたし、水夫も思わせた。その後の話では天津で宣教師をしていたということだった。「中国学者を志す前は」

わたしたちはすわった。詰め物をした低く広い長椅子にわたしはすわり、かれは高い位置に掛かった丸時計と窓を背にしてすわった。追跡者のリチャード・マッデンが姿を現すまで一時間はあるだろう、わたしはそう見積もった。撤回不能のわたしの決断には待ち時間も含まれていた。

「テュイ・ペンの運命は驚異的だ」スティーヴン・アルバートは切りだした。

「生まれた省の執政に任じられ、天文学や占星術に通じ、疲れを知らない経典注解者であり、棋士で、著名な詩人で書家だった。かれはすべてを棄てて一冊の本と迷路を作ろうとした。民を締めつけることから退き、裁判から退き、広い寝台から、宴から、はては学問からも退き、深甚なる孤独の庵に十三年間こもった。かれが死んだとき、相続人たちが見出したのは山と積まれた草稿だけだった。きみが知らないはずはないだろうが、一族の者はそれを火に投じようとした。けれど、かれの遺言執行人——道教か仏教の僧侶——が刊行することを主張した」

「テュイ・ペンの血を引いている者は」わたしは答えた。「その僧侶を呪いつづけてきました。刊行は無意味でした。本といってもそれは矛盾だらけの下書きの茫漠とした寄せ集めにすぎなかった。いつか調べたことがあるのですが、第三章では主人公は死んでいる。けれど四章では生きている。テュイ・ペンのもうひとつの仕事、迷路について言えば……」

「ここにその迷路がある」と言い、かれは漆塗りの高机《たかづくえ》を指さした。

「象牙の迷路ですね」わたしは大きな声を出していた。「小さな迷路……」

「象徴を聚《あつ》めた迷路だ」かれは訂正した。「時間の見えない迷路。このわたしに、野蛮なイングランド人に、透明な神秘を目に見えるものにする仕事が託された。百年以上も経っているので、細かいところを再現することはできないが、起こったことを推測するのは難しくない。あるときテュイ・ペンはこう言っただろう、隠退して本を書く、べつのときはこう言った。隠退して迷路を作る、と。誰もがふたつのことをすると考えた。本と迷路がひとつのことを意味するとは誰も考えなかった。深甚なる孤独の庵は、おそらく入りくんだ庭の中心にあった。その事実は人々に物理的な迷路を仄《ほの》めかしたかもしれない。テュイ・ペンは死んだ。誰もテュイ・ペンの広大な土地に迷路を見いださなかった。迷路とはこれではないのかと小説の混沌がわたしに示唆を与えた。ふたつのことが適切な解決を与えてくれた。ひとつはテュイ・ペンが企図していたのは厳密な意味で無限の迷路である、という奇妙な言い伝えだ。そしてもうひとつはわたしが見つけた手紙の断片だ」アルバートは立ちあがった。しばらく、こちらに背を向け、金と黒の高机の引きだしを開けていた。そしてかつては真紅だったがいまでは薔薇色になった薄く四角い紙片を持ってもどってきた。テュイ・ペンの書家としての名声は公正だった。わたしは一族の血が流れる男が細い筆で書いた文に熱意を持って、しかし読み解けぬまま目を注いだ。「さまざまな未来に（すべてではない未来に）わたしは庭をゆだねる。あまたの叉路の庭を」。わたしは黙って紙片を返した。アルバートは話をつづけた。

「この手紙を発見する前は、一冊の本がどうして無限であり得るのか、疑問に思っていた。循環する、円環的な本以外のものを想像できなかったのだ。最後のページが最初のページと同じなので、無限につづく可能性のある本。それにわたしはまた『千夜一夜物語』の無数の夜の中央に位置する夜のことを思いだした。その夜、シェヘラザード妃は（筆写係の奇妙な間違いで）『千夜一夜物語』の話を最初から一字一句同じように語る羽目になり、さらにそれを語った夜にたどりつくという危険に陥《おちい》った。つまり無限に繰りかえすという危険に。わたしはまた親から子へと受け継がれる、世襲的な、プラトン的な書物を想像した。新たな人々が一章を加えるか、年長者の書いたページを細心に訂正するのだ。そうした推測をわたしは楽しんだ。けれど、そのどれかがテュイ・ペンの矛盾しあう章にあてはまるとはとても思えなかった。そうして途方に暮れていたとき、いまきみがあらためた草稿がオックスフォードから送られてきた。当然のことだが、その行《くだり》で目が止まった。『さまざまな未来に（すべての未来ではなく）わたしは庭をゆだねる。あまたの叉路の庭を』目にするとほぼ同時に、わたしは理解した。『あまたの叉路の庭』とは、渾沌としたあの小説のことだったのだ。『さまざまな未来に（すべてではない未来に）』という言葉は、時間の分岐を思わせた。空間の分岐ではなく。通読してその説を確かめることができた。すべての小説中のすべての機会でひとは選択肢に正対する。あるひとつを選び、ほかのものをすべて棄てる。ほどくことができないテュイ・ペンの小説においては、かれはすべてを——同一の時間に——選ぶ。テュイ・ペンは創造する。そのようなやりかたで。さまざまな未来を、さまざまな時間を。そして、その時間もまた増殖し、分岐する。それがこの小説の矛盾の理由だ。

　たとえば、ファンという男が秘密を持っているとしよう。どこからかやってきた者がドアを叩いている。ファンはかれを殺すことを決意している。当然、さまざまな可能性がある。ファンがやってきた者を殺すということもあるし、やってきた者がファンを殺すこともありうる。ふたりともその運命を免れるかもしれない。ふたりとも死ぬかもしれない、そうなるかもしれないし、そうならないかもしれない。テュイ・ペンの小説では、すべての結果が起こる。それぞれがつぎの分岐のための起点になる。あるとき、その迷路の小径は収束する。たとえば、きみはこの家にやって来るというひとつに。しかしありうべき過去のひとつではきみはわたしの敵であり、べつの過去ではわたしの友人だ。矯正不能の発音をがまんしてくれるなら数ページ読んでみよう」

　生彩を際だたせるランプの光のなかのかれの顔は、たしかに老人のものだったが、しかし砕くことのできないもの、不死のものが具わっていた。かれはゆっくりと、正確に、ふたつの異型を読んだ。叙事詩的な章、同じ章だが異なるふたつの最初の文では、軍隊が荒涼とした山を越えて戦場に向かう。岩とその影が生みだす荒涼さは兵士たちに命を惜しむ気持ちを棄てさせ、勝利はやすやすと手に入る。ふたつ目の文では、おなじ軍隊が宴がたけなわの王宮を通り抜ける。生気に溢れた戦闘は宴の延長であるかのように感じられ、兵士たちは勝利を手中にする。わたしはその状況にふさわしく尊崇の念をもって耳を傾けていた。自分にも流れている血がそれらを創ったという事実や、遠い国の人間が自分のもとにそれを持ってきてくれたという事実のほうが、おそらくより素晴らしいと思えたけれど。それも西方の森で絶望的な冒険のさなかにあるわたしのもとに。思いだす。どちらの版でも末尾で同じ言葉が繰り返された、秘密の命令のような言葉。「英雄たちはかように戦った。穏やかな心、血に濡れた剣、殺す運命、死ぬ運命を託されて」

その瞬間に、そして暗い体の内側に、不可視かつ不可触のものが蝟集《いしゅう》し、運動しているかのような感触を覚えた。集まったものは散開し、並進し、最後に統合される群れではなく、より近づきがたく、より本質的で、何らかの固有の手段で予示された攪拌《かくはん》だった。スティーヴン・アルバートは語を継いだ。

「あなたのよく知られた先祖が、異型を弄《もてあそ》んで満足していたとは思わない。十三年という年月を犠牲にして単なる修辞の実験を無限とも言えるほど繰りかえしたなどということは信じる気にはなれない。そもそもテュイ・ペンの国では小説は劣る分野で、その頃は蔑《なみ》すべきものだった。テュイ・ペンは天才的な小説家だったが、しかしおそらく自分を文学の徒と考えていて、単なる小説家とは考えなかった。同じ時代の人たちが証言しているが——そして生涯もそのことを裏づけているが——テュイ・ペンには哲学や神秘主義への関心があった。哲学的な論議は小説の大部分を占めている。思うにあらゆる問題のなかで時間という深遠なものに関する疑問がテュイ・ペンをもっとも悩ませ、苦しめた。ところがそれこそが庭の文のなかに姿を見せていない唯一の問題なのだ。何しろ時間を意味する語さえ使われていない。意識的な省略をきみはどう説明するかね？」

わたしはいくつかの答えをあげたが、どれも不十分なものだった。わたしの解答をしばしふたりで論じた。しまいにスティーヴン・アルバートが尋ねた。

「チェスが解答である謎かけにおいて、口にしてはいけない唯一の言葉は、なんだと思うかね？」

わたしはしばらく考えてから答えた。

「チェスという言葉です」

「そのとおり」とアルバートは言った。『あまたの叉路の庭』は巨大な謎かけ、もしくは寓話であり、主題は時間だ。隠された謎が、その語を口にすることを禁じる。ある語をつねに省略し、的はずれの暗喩や明白な迂言法《うげんほう》をあてにするというのは、おそらくその語を目立たせるための一番有効な方法だろう。それこそ旋毛《つむじ》曲がりのテュイ・ペンが疲れを知らない小説の曲折で好んで用いた狡猾な様式なのだ。わたしは何百枚にも及ぶ草稿に向きあって、筆写した者たちの不注意で紛れこんだ誤りを正し、渾沌のうちの企図を推測し、元の姿を再建した、いや再建したと考えている。最後まで翻訳もした。時間という語は一度も使われていないことがわかった。その理由は明らかだ。『あまたの叉路の庭』は、テュイ・ペンが懐中で温めていた世界の不完全な、しかし偽りのない心象なのだ。ニュートンやショーペンハウアーと違って、きみの先祖は均一で絶対的な時間というものを信じていなかった。信じていたのは時間の無限の連鎖、目紛《めまぐる》しく生長する網、分岐し、収斂《しゅうれん》し、並行する時間の網だ。時間の織物、接近し、分岐し、交錯する、あるいは何百年もたがいに擦れちがうそれは、あらゆる可能性を包含する。われわれはその大部分に存在しない。ある時間にきみは存在し、わたしは存在しない。ほかの時間にわたしは存在し、きみは存在しない。さらにべつの時間にはふたりとも存在する。好意的な偶然が与えてくれたこの時間に、きみはわたしの家を訪ねた。べつの時間では、あなたは庭を横切ろうとして、わたしの死体を見つけることになる。べつの時間では、こうして話しているわたしは誤差であり、影だ」

「そのすべての時間のなかで」震える声で、しかし明瞭にわたしは言った。「テュイ・ペンの庭を再創造したあなたに感謝し、敬意を表します」

「いや、すべての時間というわけにはいかない」とかれは笑みを浮かべて低い声で言った。「時間は永遠に分岐しつづける。無数の未来に向かって。そのうちのひとつでは、わたしはきみの敵だ」

わたしは、先に記した蝟集と運動の感覚を覚えた。露に濡れて家を囲む庭が、目に見えない人間たちで埋められている気がした。それらは時間の広がりのなかで密やかに、忙しなく、さまざまな姿で存在するアルバートとわたしだった。目をあげると、朧《おぼろ》な夢魔は消えた。黄と黒の庭にひとりだけ男がいた。その男は彫像のように威を具え、けれども小径を歩いてこちらに向かっていた。リチャード・マッデン大尉だった。

「未来はもう存在しています」わたしは答えた。「しかし、わたしはあなたの友です。もう一度、手紙をあらためたいのですが」

アルバートは立ちあがった。背の高いかれが、高机の引きだしを開いた。しばらく背中がわたしのほうを向いた。わたしはピストルを取りだした。意を集中し銃爪《ひきがね》を引いた。アルバートは苦痛の声をあげることなく頽《くずお》れた。誓って言うが、即死だった。落雷による死。

その後のことは非現実的で、無意味だ。マッデンが飛びこんできて、わたしを逮捕した。わたしは絞首刑の宣告を受けた。

忌まわしいことにわたしは勝利した。機密事項であった攻撃すべき町の名を、ベルリンに伝えることに成功したのだ。昨日、その町は爆撃を受けた。新聞でわたしはそれを知ったのだが、同じ新聞はイギリスの読者の首を傾げさせる事件も報じていた。中国学の碩学《せきがく》スティーヴン・アルバートがユ・テュンなる素性の定かならざる人物によって殺害されたと。上司はその謎を解くことに成功した。上司はわたしに課された務めがAlbert《アルベール》という町の名前を伝えることであり（戦場の喧噪越しに）、その名を持った者を殺す以外に手段《てだて》がなかったことを理解したのだ。しかしかれの思いは及ばなかった（誰の思いも及ぶことはないだろう）。わたしの後悔と疲労の深さには。

# 幻想と想像力――幻想文学を生み出す力とは――

花方寿行

幻想というのは、便利だが難しい言葉だ。便利なのは誰でも漠然とイメージができるため相当幅広いニュアンスで利用可能だからであり、難しいのはその分いざ厳密に定義をしようとすると百家争鳴、意見の一致を見るのがまず不可能になるからだ。

まず幻想を空想・想像と並べてみよう。いずれも現実そのものではないことを頭で考えるという点では共通する。中では想像が最も幅広く用いられる。話には聞いていた人に初めて会って「想像していたのと違う」と思う場合、普通はここで想像されていたイメージは現実にいそうな人間の枠内に留まるだろう。一方「想像上の生物」という場合は、現実には存在しない生物を指す。空想はもう少し現実から離れているが、それでも比較的穏当な範囲まで含む。戦争のない世界なんて現実にはあり得ない空想だと批判者は言うだろうが、この場合の「戦争のない世界」は、批判者にとってもあくまで「この現実世界」から戦争がなくなったものであって、「別の世界」を意味しない。とはいえ「それは空想だ」という批判は、空想と呼ばれるものは通常の想像より「現実味がない」という考えを前提にしている。

　では幻想とは何か？　想像・空想よりさらに現実味のないことというだけではまだ足りない。僕は自分が明日莫大な富を手に入れセレブになることなど全く現実味がないと知っているが、だからといってセレブの自分を想像・空想しても、それを幻想とは呼ばないだろう。幻想という言葉は、「現実味」の多寡ではなく、「この現実」とは異なるものを思い描くことに関わってくる。幻想文学論ではしばしば間違った（もしくは誤解を生みやすい）主張がされるが、「リアリズム文学」を書くからといって想像力が要らないわけではない。ノンフィクションであっても一定の想像力は要るが、フィクションはそもそも定義上想像の産物である。とはいえ江戸時代の庶民の生活を想像し、そこに暮らす架空の人物の人間関係を空想したとしても、池波正太郎の作品は「この現実」として読者がイメージするものの枠内で展開する。これに対して幻想文学においては「この現実とは異なる現実」が想像＝創造されているという点が大きく異なる。

　このあたりまでは、用語の違いがあっても、多くの幻想文学論が一致する。厄介なのはこの先、いかなる点で幻想を産み出す想像力がその他の想像力と異なるかだ。P＝M・シュールの『想像力と驚異』やコリン・ウィルソンの『夢見る力』など、肯定否定ニュアンスは様々だが、多くの論者はより現実に即した「リアリズム」の想像力と比較する形で、「現実にはないもの」を想像する力を特別なものと見なす。だがちょっと待ってほしい。確かに現実に存在する社会組織やその活動を「リアルに」描く場合にはそれについての調査が必要で、架空のものについてはゼロベースで作り上げる想像力が必要だとすることはできる。だが我々がある作品をより幻想的だと評価する時基準となっているのは、作品に描かれる世界がどれほど「この世界」と異なっているかなのだろうか？　だとすれば、確かにトールキンのミドルアースやル＝グインのアースシーのような世界設定の作り込まれたファンタジーは幻想文学となるが、作中にこの世界に存在しないものが出てこないだけでなく暗示もされないベリスフォードの「のど斬り農場」のような作品は、リアリズム小説ということになる。また「この世界」を基本的な舞台として展開する本書収録作品のほとんどは、ちょっとだけ幻想的ということになるだろう。それでいいのだろうか？

　これに対して別の解釈を示したのが、有名なツヴェタン・トドロフの『幻想文学論序説』だ。トドロフは幻想を作品の構造に由来するものとし、語られる事件の「現実的」な解釈とそれ以外の解釈の間で読者が抱く躊躇《ためら》いこそが幻想だと定義する。解釈を宙吊りにしたまま終わる一部の「完全な幻想」作品以外では、最終的に事件の「真相」が明らかにされ、それが現実にあり得てもあまりにグロテスクで受け入れがたいものである場合は「怪奇」、超自然的な説明がされる場合には「驚異」というジャンルに接続するのだとも。日本では今ひとつ人気の出ないトドロフだが、この論は本書に収録されている作品の大部分のような一九―二〇世紀の怪奇幻想小説の分析に極めて有効である。英語でファンタジーと呼ばれる作品の大部分が幻想文学ではなく「驚異」に分類されるのは、用語の点で紛らわしいが論理的には問題ない。またトビー・フーパー監督『悪魔のいけにえ』のような起きている事件には超現実的な要素はないモダン・ホラーを「怪奇」にまとめることができ、それと幻想の隣接関係を示したのも慧眼だった。

　一方トドロフには大きな難点が幾つかある。中でもよく指摘されるのは、起きている事件が現実的かどうかという躊躇いが軸になっている作品のみが幻想文学とされるが、一般には幻想文学と見なされているのにそこから外れるものが多すぎること。だがより重要なのは、核となる「現実」観を構造に組み込まれた自明のものとしたことだ。実は構造主義的に厳密に言えるのは、トドロフが挙げている作品においては「事件に対する複数の解釈の間でどれが正しいかについて未決定の状態が続くことが軸となる」という構造が成立しているということであって、これは謎解きミステリとも共通なのだ。トドロフの指摘は、本格ミステリの黄金時代である二〇世紀前半において、ホジスンのカーナッキやブラックウッドのジョン・サイレンスといったオカルト探偵ものが多数生み出された理由を明らかにしてくれるという意味では重要だ。だが構造だけに注目するなら、全く同じトリックを用いたアガサ・クリスティの『アクロイド殺し』は幻想的に感じられないのに、ウィリアム・ヒョーツバーグの『堕ちる天使』は幻想的に思えるのがなぜかは説明できない。ではやはり最初の解釈に戻って、幻想は構造からではなく要素から生じると見なすべきか？　だがそうすると、魔術が一般化したパラレルワールドを舞台にしたランドル・ギャレットのミステリ『魔術師が多すぎる』よりも、現実的な舞台設定が多い本書収録作品の方が幻想的な印象を与える理由が、やはり説明できない。

　いやはや、これでは幻想の定義自体が幻想的ということになりそうだが、実はトドロフをはじめとする論者が見落としている単純な事実がある。それは現実的かどうかについて判断するのは最終的には受け手だということだ。トドロフの定義する幻想文学において、ある解釈を現実的と見なし、それ以外を超自然的と見なすのは読者である。作中人物が現実的と見なしている解釈は通常読者にも現実的と見なされるが、本書収録の「死んだ女」のようにむしろ語り手が「現実」だと主張しているものの方が超自然的な場合もある。また本当は現実と一致しないものが描かれているからといって、受け手がそれを（多少間違いはあっても）現実だと受け止めれば、幻想の効果は生じない。映画『ラスト・サムライ』においては、一九世紀の西南戦争に相当する事件が一六世紀の長篠の戦いのように描かれるが、現実の日本史と一致しないことを知っているはずの日本人からもファンタジーとは受け止められなかった。『ラスト・サムライ』の物語構造は東洋ファンタジーの代表的作品、ジェイムズ・ヒルトンの『失われた地平線《ロスト・ホライゾン》』と全く同じであるにもかかわらずである。この連続性は同じ話のネイティブ・アメリカン版であり、岩の裂け目が塞がれることで主人公が「桃源郷」に戻れなくなる展開が『失われた地平線』から引き継がれているトム・ベレンジャー主演の『ラスト・オブ・ザ・ドッグメン』と並べてみるとよくわかる。なおこの文脈だと紛らわしいが、タイトルのドッグメンはシャイアン族の戦士のことで、サムライに連続するものであり、人狼の一種ではない。念のため。

　ハイ・ファンタジーのように作中の架空世界が「そこでの現実」として描かれようと、トドロフ的に作中で躊躇いが表現されようと、「薄紫色のシンフォニー」のようにいかにも「幻想的」に持ち出される夢（こちらは精神分析的に簡単に説明ができる）よりも全体のムードがより幻想的であっても、「あまたの叉路の庭」のように描かれる対象より示される世界観の方が特異であろうと、変わりはない。それが受け手の現実についての認識を揺るがせ拡げる時に、受け手はそれを幻想的だと感じる。逆に言えば、どれほど現実とは異なる世界が描かれようと、それがただの設定として受け止められてしまえば、そこに幻想は生じない。トドロフの幻想文学論が多くの幻想文学愛好家の顰蹙を買ったのは、その論理的な難点以上に、彼が一読者として幻想を感じないからと「驚異」にひっくるめて切り捨てる態度を取った作品によって「世界が拡がった」経験を持つ読者がたくさんいるからなのだ。

　本書に収録されているリンドナー「宇宙を駆ける男」が、本来臨床心理の症例を集めたノンフィクションの一章であるにもかかわらず、紀田順一郎・荒俣宏編の旧版『怪奇幻想の文学』に続いて本選集にも収められているのは、その意味で重要だ。この「作品」が幻想文学好きの心を打つのは、そこに一患者のただの妄想、凝ってはいても個人的なものでしかない空想が、受け手（聞き手＝読者）に共有されることによって幻想文学に変化する瞬間が鮮やかに描き出されているからに他ならない。「現実」を超える世界に心を（時に恐怖と共に）ときめかせ、あるテキストを怪奇幻想の文学へと昇華する想像力を駆使しているのは、我々読者なのである。

# 解題

## 『幻影の領域』と『幻影』

牧原勝志

紀田順一郎・荒俣宏編による二十世紀の名アンソロジー《怪奇幻想の文学》全七巻（新人物往来社一九七八年完結）を再構築する企画《新編　怪奇幻想の文学》の第五巻『幻影』を、ここにお届けする。このシリーズは、オリジナル版編者の監修のもと、怪奇小説の古典・準古典から、同時代の読者に届けたい作品を新たに集めるものである。ここに第五巻を上梓できたのも、監修者のお力添えと読者の御支持のおかげである。あらためてここに感謝を記したい。

本巻のテーマは、第七巻『幻影の領域』（一九七八年初刊）に基づくものである。同書は解題（荒俣宏）によれば「怪奇幻想文学の最も基本的なテーマのひとつである狂気と幻視の世界を（中略）『精神の亀裂』を通して垣間見ようとするもの」とし、以下の作品を収録している。

「宇宙を駆ける男」"The Jet-Propelled Couch" ロバート・リンドナー　川口正吉訳
「死んでいる時間」"Le Temps Mort" マルセル・エイメ　秋山和夫訳
「キルシーランから来た男」"The Man from Kilsheelan" A・E・コッパード　荒俣宏訳
「死んでいる女」"The Dead Woman" デイヴィッド・H・ケラー　高木国寿訳
「黒い玉」"La Boule Noire" トーマ・オウエン　秋山和夫訳
「奇妙な町」"Die Sonderbare Stadt" パウル・エルンスト　前川道介訳
「続いている公園」"Concinuidad De Lous Parques" フリオ・コルタサル　木村栄一訳
「遠く遥かな調べ」"A Far-Away Melody" メアリ・E・ウイルキンズ＝フリーマン
　鈴木克昌訳
「古い衣」"Old Clothes" アルジャーノン・ブラックウッド　小宮卓訳
「白いひと」"The White People" フランシス・ホジスン・バネット　日夏響訳
「ローウムの狂気」"Rooum" オリヴァー・オニオンズ　赤井敏夫訳
「ラジャの贈りもの」"The Rajah's Gift" E・ホフマン・プライス　荒俣宏訳
「ゼリュシャ」"Xelucha" M・P・シール　赤井敏夫訳

巻頭解説の日夏響「鏡のなかにおぼろに」は、ヒポクラテス、プラトンからパスカル、ホッブズに至る西洋の「狂気観」の歴史を踏まえ、英米ゴシック文学が「狂気」を通して描こうとしたものを捉えている。

一方、同書のテーマは「狂気」を中心にしているが、限定してはいない。荒俣宏は解題で同書を「人間の内部に展開する摩訶不思議な現象」の「報告の集積」であり「恐るべき内宇宙のケース・スタディ」であるとし、「やがて現実へと浸透してゆく『捉え得ぬもの』の実像に迫ろうとした」作品を収録した、と述べている。

本書では、『幻影の領域』とは異なる観点から「幻影」というテーマの作品を集めてみた。生きている者には想像するほかない「死」や「死後」、現実さえも変容させる「妄執」や「狂気」を主題とした作品を中心とし、欧文題も『幻影の領域』の〝Madness & Diseases〟から〝Phantasm〟に変更した。収録の十三編が、読者が抱いている「現実」への確信を揺るがすことを願う。

## 収録作品解題

本書収録作十三編のうち、本邦初訳作は二編。再録作の他は、本書収録のために新訳したものである。以下に各作品を解題する。

「鏡像」〝Spiegelbilder〟（国書刊行会『ワルプルギスの夜　マイリンク幻想小説集』より再録）

オーストリアの小説家グスタフ・マイリンク（一八六八―一九三二）は、本邦でもその怪奇幻想作品が一九七〇年代から紹介され、現在までに『ゴーレム』（一九一六）をはじめとする全五作の長編小説と、多くの短編が邦訳されている。二〇二一年には種村季弘の遺稿「商務顧問官クーノ・ヒンリクセンと贖罪者ラララジュパット-ライ」が『幻想と怪奇6　夢境彷徨』（新紀元社）に収録された。

　本作は一九二八年に週刊紙 *Die Gartenlaube* に掲載され、一九七二年の書籍収録まで埋もれていた一編。本巻のテーマを象徴する作として巻頭に置いた。なお、本書収録にあたり、訳者には訳文に手を入れていただいた。

「古い衣」"Old Clothes"（『幻影の領域』所収　同題　新訳）

　アルジャーノン・ブラックウッド（一八六九―一九五一）の作品を収録するのは、自然への畏怖を物語る「木に愛された男」（第三巻『恐怖』所収）、ワルプルギスの夜を描いた「五月祭前夜」（第四巻『黒魔術』所収）に続き、三度目となる。本作のテーマである「転生」と「前世の記憶」も、ブラックウッドがしばしば取り上げてきたものである。初出は一九一〇年の作品集 *The Lost Valley and Other Stories*。

「薄紫色のシンフォニー」"A Symphony in Lavender" 本邦初訳

　メアリー・エレノア・ウィルキンズ=フリーマン（一八五二―一九三〇）はマサチューセッツに生まれ、家計を支えるために十代にして文筆活動を始めた。ニューイングランドを舞台にした写実的な作風で知られ、現在その著作はフェミニズムの観点から再評価されている。本邦では初期の怪奇小説で知られ、「南西の部屋」（平井呈一編訳『恐怖の愉しみ　下』所収　東京創元社）、「ルエラ・ミラー」（『幻想と怪奇4　吸血鬼の系譜』所収　新紀元社）など、アンソロジー・ピースとされる作も多い。

　本作は *Harper's Bazar* 誌の一八八三年八月二五日号に掲載された。片田舎で静かに暮す婦人の夢に繰り返し現れる男を描き、同時期の「遠く遙かな調べ」と並び称される代表作である。

「紫檀《したん》の扉」“The Rosewood Door” 本邦初訳

オリヴァー・オニオンズ（一八七三―一九六一）はロンドンで美術を学び、ポスターや書籍装丁などデザインに従事していたが、一九〇〇年に小説家に転身。ユーモア、歴史、探偵など、手掛けた分野は多岐にわたる。怪奇小説においても独自の作風を持ち、邦訳書『手招く美女』（国書刊行会）ではその分野の代表作を一望できる。

本作は、好事家が古屋敷の扉を手に入れたことから始まる、時を超えた夢幻譚である。初出は一九二九年刊の作品集 *The Painted Face*。表題作「彩られた顔」（『手招く美女』所収）、人狼ものの「屋敷の主人」（『幻想と怪奇2　人狼伝説』所収　新紀元社）の二中編とともに収録された。

「主《あるじ》のいない家」“Nobody's House”

イギリスの小説家アルフレッド・マクレランド・バレイジ（一八八九―一九五六）は十六歳から文筆活動を始めた。当初はもっぱら少年小説を書いていたが、第一次大戦従軍後からは、M・R・ジェイムズ風の怪奇小説を主に書くようになり、短編は百を超える。「象牙の骨牌」「遊び相手」など幽霊譚の佳編を御記憶の読者も多いことだろう。また、第一次大戦従軍記 *War is War*（一九三〇）に使用した筆名 Ex-Private X（元兵卒X）でも「見た男」「暗闇のかくれんぼ」など、怪奇小説を発表している。日本でもファンは多いが、作品集は目下『ありふれた幽霊』（仁賀克雄編訳　ＨＭ出版）が電子出版されているのみである。
本作は一九二七年の短編集 *Some Ghost Stories* に収録された。幽霊は姿を見せず、過去の出来事への関係者の思いが引き起こす悲劇を描いている。なお、平井呈一は同人誌『THE HORROR』第二号（一九六四年四月／『幻想と怪奇　傑作選』所収　新紀元社）掲載の「怪談つれづれ草　第２回　恐怖小説ベスト10」で、特に気に入った十二作品を選んだ「My Twelve Nights」のうちに本作を入れている。なお、前掲の『ありふれた幽霊』にも「無人の家」の題で収録されている。

「森のなかの死」"Death in the Woods"
シャーウッド・アンダーソン（一八七六―一九四一）はアメリカ文学史においては、十九世紀のマーク・トウェインから二十世紀のウィリアム・フォークナーやアーネスト・ヘミングウェイへの橋渡し的な存在と目される。短編に優れたものが多く、とりわけ二十二の短編で小さな町とそこに暮らす〝いびつ〟な人々を描いた連作『ワインズバーグ・オハイオ』（一九一九）は、傑作として名高い。
本作は *The American Mercury* 誌の一九二六年九月号に発表され、三三年に刊行された短編集の表題作となった。写実的な筆致の中、ここにも描かれる人の〝いびつさ〟が、一瞬の幻想を垣間見せる。ジョイス・キャロル・オーツはアンソロジー *American Gothic Tales*（一九九六）に本作を選んだ。

「死んだ女」"The Dead Woman"（『幻影の領域』所収「死んでいる女」新訳）
精神科医デイヴィッド・H・ケラー（一八八〇―一九六六）は、アメリカＳＦ草創期の作家として

『アメイジング・ストーリーズ』などで活躍した。また、「地下室になにかが」「月を描く人」など、異常心理を題材とした怪奇小説も手掛けた。怪奇小説の邦訳書には『アンダーウッドの怪』（原書一九五二　仁賀克雄訳　国書刊行会）がある。
本作は *Fantasy Magazine* 誌の一九三四年四月号に掲載され、『アンダーウッドの怪』に収録された。実際の症例に基づいて書かれただけに、恐怖を生々しく伝える異常心理小説の傑作である。

「創造の帽子」"The Thinking Cap"
ロバート・ブロック（一九一七―九四）の作品を収録するのは、第三巻『恐怖』の「影にあたえし唇は」以来、二度目となる。若い頃にフロイトの『精神分析入門』を読み、のちに『サイコ』（一九五九）で注目を浴びるだけあって、彼の作品には心理学や精神医学の知識を踏まえたものが多い。本作もその一つで、ライターズ・ブロックに悩む小説家の内面を、作中作を交えながら物語っている。熟考することを示す「thinking cap」という言葉を、文字どおり「cap」＝帽子にしてしまうところは、いかにも言葉選びを好んだブロックらしい。
本作の初出は *Other Worlds Science Stories* 誌の一九五三年六月号で、作中の「緑の惑星」のように同号のカヴァー・ストーリーとなった。六三年に短編集 *Bogey Men* に収録。

「宇宙を駆ける男」"The Jet-propelled Couch"（『幻影の領域』所収　同題　新訳）
ロバート・リンドナー（一九一四―五六）は、アメリカの心理学者、精神分析医であり、ニコラス・

レイ監督・脚本の映画『理由なき反抗』（一九五五）は、彼の著書 *Rebel Without A Cause* (1944) に触発されたことでも知られている。

本作は、リンドナーが実際に治療にあたった中から特異な症例を集めた著書 *The Fifty-Minute Hour*（原書一九五五　邦訳『宇宙を駆ける男』川口正吉訳　金沢文庫）の一編。ノンフィクションとして出版されてはいるが、患者「カーク・アレン」は仮名であり、細部もそこから患者自身が推定されないよう変更されているので、症例を素材にした小説として読んだほうがいいのかもしれない。なお、カーク・アレン自身や、彼が熱中したＳＦ作品を推理で特定しようとした人は多いようだ。推理の中には、アレンが治癒ののちＳＦの創作に着手した、というものもあり、コードウェイナー・スミスほか、数人のＳＦ作家の名が挙げられている。

「アンバー・プリント」"Amber Print"

イギリス屈指のフィルム・コレクターとして知られるベイジル・コッパー（一九二四―二〇一三）は、怪奇小説作家としては一九六四年に *The Fifth Pan Book of Horror Stories* にデビューして以来、四十余年の作家生活のあいだに六作の長編と、六十を超える中短編を手がけた。邦訳に「灰色の家」（『幻想と怪奇10　イギリス怪奇紳士録』所収　新紀元社）、『洞窟』（『幻想と怪奇13　Ｈ・Ｐ・ラヴクラフトと友人たち』所収　同）などがある。

本作はピーター・ヘイニングのアンソロジー *Dr. Caligari's Black Book*（一九六八　ペーパーバック版）に書き下ろされ、一九七三年にアーカムハウスの短編集 *From Evil's Pillow* に収録された。映画という幻影に憑かれたコレクターの収集欲が恐怖を呼び寄せる、コッパー初期の代表作である。

「ヴェネツィアを訪《おとな》うなかれ」“Never Visit Venice”

ロバート・エイクマン（一九一四―八一）は、イギリスの怪奇小説家の中でも特異な存在として記憶される。その特異さは、短編集『奥の部屋』（ちくま文庫）収録作や、アンソロジーに選ばれた諸作から、十分に知ることができる。

第二巻『吸血鬼』の「不十分な答え」に続き、このシリーズ二度目の収録となる本作は、一九六八年の作品集 *Sub Rosa* に収録された。ヴェネツィアを繰り返し夢に見た男を、実際にかの地を訪れたさいに見舞う悪夢を、作者独特の筆致で――とはいえ、語りそのものが迷宮のような「不十分な答え」に比べると明快に（あくまでも比較的に、だが）――語っている。

「山崩れ」“La frana”（岩波書店『七人の使者・神を見た犬　他十三編』より再録）

ディーノ・ブッツァーティ（一九〇六―七二）は、二十世紀のイタリア文学においてはイタロ・カルヴィーノと並び称される作家である。その作品はいずれも幻想色が濃く、長編『タタール人の砂漠』や短編集『魔法にかかった男』など、邦訳も数多い。

本作は一九五八年に刊行され、ストレーガ賞を受賞した短編集 *Sessanta racconti*（六十の物語）に収録された一編。短い中に現実のゆらぎを描いている。

「あまたの叉路《さろ》の庭」“El jardin de senderos que se bifurcan”（惑星と口笛ブックス『あまたの叉路の庭』より再録）

アルゼンチンの文学者ホルヘ・ルイス・ボルヘス（一八九九―一九八六）については、もはや多くを語る必要はないだろう。本作は短編集『伝奇集』（一九四四）前半部の表題作であり、「八岐《やまた》の園」の邦題でも知られている。

この翻訳は、訳者の編集による『文学ムック　たべるのがおそい』vol.6（書肆侃侃房　二〇一八）に掲載され、二〇二一年に単独で電子出版された。巻頭の「鏡像」とは別の意味で、本巻のテーマを象徴する一作として巻末に置きたく、再録した次第である。なお、本書収録にあたり、訳者には訳文に手を入れていただいた。

本巻の解説は、静岡大学教授の花方寿行氏（比較文学文化、スペイン・ラテンアメリカ文学）にお願いした。編者が氏の訳書『暗い庭』（ラモン・デリュ・バリェ＝インクラン　国書刊行会）を読み、ほぼ同時に氏の幻想文学観に触れる機を得て、御多忙を承知でお願いしたところ、御快諾くださった。ここにあらためて御礼申し上げます。

【お詫びと訂正】

前巻『新編　怪奇幻想の文学4　黒魔術』の収録作品中、ヘレナ・P・ブラヴァツキー「魂を宿したヴァイオリン」を本邦初訳として紹介していますが、既訳に『夢魔物語』（田中恵美子訳　竜王文庫一九九七）所収の「不思議なヴァイオリン」がありました。ここに記してお詫びし、訂正いたします。

（編者）

今日の人権意識に照らして不適切と思われる表現や語句につきましては、発表時の時代的背景を考慮し、作品を尊重する立場から、原文を逸脱することなく翻訳・収録しておりますことを、ご了承下さい。（編集部）

新編 怪奇幻想の文学5　幻影

2024年7月11日　初版発行

【監修】紀田順一郎・荒俣 宏
【 編 】牧原勝志（『幻想と怪奇』編集室）

【発行人】福本皇祐
【発行所】株式会社新紀元社
〒101-0054
東京都千代田区神田錦町1-7 錦町一丁目ビル2F
Tel.03-3219-0921　Fax.03-3219-0922
http://www.shinkigensha.co.jp/
郵便振替　00110-4-27618

【装幀・装画】YOUCHAN（トゴルアートワークス）
【印刷・製本】中央精版印刷株式会社

ISBN978-4-7753-2150-8
Printed in Japan　定価はカバーに表示してあります